signes du temps

Frank Corless

Heather Corless

Ralph Gaskell

Hodder & Stoughton

LONDON SYDNEY AUCKLAND

ACKNOWLEDGMENTS

The publishers would like to thank the following for permission to reproduce material in this volume: Editions Gallimard for the poem 'La grasse Matinée' from *Paroles* by Jacques Prévert (p. 82); Editions Mondiales for two extracts from *Nous Deux*, 21–27 March 1989 (pp. 13–14); Hachette for the extract from *Les Carnets de Major Thomson* © Hachette 1954 (p. 35), and for the extract from *Parents* (p. 100); Jacques Grancher for the extract from *ABC de Graphologie* by M. Moracchini (pp. 19–21); Marie Claire for the article 'Vive la France' from *Marie Claire* 366, February 1983 (p. 24); Mary Glasgow Publications Ltd for the extracts from *Chez Nous* (p. 10) and *Close-up France* (p. 146); Mercure de France for the extract from *L'Immoraliste* by Andre Gide (p. 70); New York Times Syndication Sales for three extracts from *L'Express*, 5 June 1978 (p. 76), 14 June 1976 (p. 96), 10 January 1977 (p. 129); Le Nouvel Observateur for the extract from *Le Nouvel Observateur*, 27 August 1979 (p. 51); Scoop – Service de diffusion d'articles for the extract 'Le Weekend de Sophie' from *Elle*, 11 December 1978 (p. 62).

The publishers would also like to thank the following for use of their material: France-Soir for three extracts from *France-Soir*, 10 May 1978 (p. 79), 24 January 1981 (p. 88) and 23 December 1980 (Livret); Livre de Poche for the extract from *La Neige en Deuil* by Henri Troyat (Livret); Ministère Français de l'Agriculture for the extracts from their leaflet (pp. 38–39); OK Magazine for the extract from *OK Magazine* (p. 98); Paris-Match for the extracts 'Dans La Choucroute' (p. 122) and 'La France qui campe' (p. 139) from *Paris-Match*; Rapaille International for the extract from *Elle* (pp. 27, 33); Antirouille for the extract on p. 133; Le Matin for the extract 'Incendie Maîtrisé à Saint-Raphäel' on p. 40; France-Inter for transcript of a radio transmission: 'La Mort d'un ennemi public'.

Every effort has been made to trace and acknowledge ownership of copyright. The publishers will be glad to make suitable arrangements with any copyright holders whom it has not been possible to contact.

The authors and publishers would like to thank the following for permission to reproduce the photographs in this book: J. Allan Cash; pp. 24 (*bottom left*), 27, 50 (*top*), 57, 65 (*right*), 83: Chris Bonington; pp. 88, 94: Calais Tourist Authority; p. 25: Cephas; pp. 6 (*bottom*), 13, 24 (*bottom right*), 66 (*bottom*), 91, 111: Chanel; p. 25: Citroën; p. 24: Comité du Tourisme du Cher (French Government Tourist Office); p. 25: La Documentation Française; p. 66 (*top left*): Vicki and Henry Elston; p. 96 (*left*): Food and Wine from France; p. 24 (*bottom left*): France Inter; p. 18: Frank Lane Picture Agency; pp. 40, 45, 85 (*left*): French Government Tourist Office; pp. 24, 85 (*right*), 128, 139: French Railways Ltd; p. 24: Keith Gibson; pp. 25 (*bottom and middle right*), 67, 114 (*bottom*), 115 (*top and middle right*): Chris Gilbert (and Claire Llewellyn-Jones); p. 114 (*top*): Giraudon (Bibliothèque Nationale); p. 47: Bronia Grebby; p. 61 (*bottom*): Sally and Richard Greenhill; pp. 7 (*middle*), 16, 82, 96 (*right*): Robert Harding; pp. 6 (*top*), 12, 37, 46: The Hulton Picture Company; p. 8 (*top*): IBM; p. 115: Ideal Standard; p. 24: Marco Polo; pp. 8 (*bottom*), 10, 59, 107 (*bottom*): National Gallery; p. 25 (*top left*): Perrier; p. 24: Popperfoto; p. 23: RATP; p. 25: Rex Features; pp. 73, 76, 77: Thomson Citybreaks; p. 24 (*top right*): Louise Thompson; pp. 62, 65 (*left*): Topham; pp. 7 (*right*), 50 (*bottom*), 122, 134 (*top*): Vietnamese Refugee Project; p. 7.

British Library Cataloguing in Publication Data
Corless, Frank
  Signes du temps : vecu.
  1. French language
  I. Title II. Corless, Heather III. Gaskell, Ralph
448

ISBN 0-340-54228-4

First published 1991
Second impression 1992

Typeset by Wearside Tradespools, Fulwell, Sunderland.
Printed in Great Britain for the educational publishing division of Hodder and Stoughton Ltd, Mill Road, Dunton Green, Sevenoaks, Kent by St Edmundsbury Press Ltd, Bury St Edmunds, Suffolk.

TABLE DES MATIÈRES

HOW TO USE VÉCU

The revised edition of Vécu

The new edition of **Vécu** is a complete foundation French course for post-GCSE students. Making very few assumptions about students' previous grasp of the language, it revises, consolidates and teaches, in sequence, all essential grammatical structures and items. With the new **Vécu**, students may acquire all the basic knowledge, as well as the skills, needed to communicate confidently in French and to respond appropriately to everyday, real-life samples of language, recorded and written.

What is Vécu?

Vécu offers a French view of preoccupations common to young people living in any modern society: personal relationships, earning a living, leisure activities and so on. It seeks to show that, beneath differences of language and culture, there lie shared interests and similar experiences. **Vécu** is designed for specialist and non-specialist learners alike. It is suitable for both new and traditional A-level syllabuses.

Vécu consists of this book, a cassette containing all the relevant recordings and a *Livret* which provides transcriptions of recordings and other materials for learning activities. Teachers are authorised to duplicate any item in the *Livret* as required.

What is it for?

Vécu, then, offers advanced learners opportunities to explore interests and concerns which they share with young French people. At the same time, it seeks to help students extend their knowledge of the French language and their skill in using it. For **Vécu** will, we believe, enable students

– to understand and respond appropriately to what they hear and read
– to communicate with each other and with the teacher in a variety of ways and for a variety of purposes, so as to be able to use French more confidently in real life
– to carry out a range of writing tasks which offer scope for personal reflection and expression, and provide insights into differing varieties of written French.

With these aims in view, **Vécu**

– provides thorough practice of grammatical items and patterns which students are likely to have met but will need to review: formation and uses of all tenses, including the present, gender and agreement, use of pronouns, negatives, formulation of questions, etc.
– introduces and practises further items and patterns which permit a more sensitive and flexible use of French
– presents and practises some of the fundamental ideas (*notions*) and social uses (*functions*) which feature in everyday French
– demonstrates and practises basic intonation patterns
– creates regular opportunities for students to collect, practise and use appropriate items of vocabulary.

Organisational skills play a vital part in learning a language and in using it in the real world. **Vécu** offers students the chance to develop these skills: to pick out key facts, to make notes, to evaluate arguments, to draw conclusions and so on.

How is it set out?

Vécu consists of twelve *dossiers*, or collections of material, each of which focuses on a particular theme. Apart from some introductory activities whose purpose is to open up the theme of a *dossier*, the material is of two types: (1) recordings and printed texts for *extensive* use and (2) those intended for *detailed* study.

Activities accompanying texts for *extensive* use are presented in the following way.

– *Points de repère* The initial approach, or overview, is designed to establish the form, character and purpose of a text, to help students identify the essential information or ideas it contains.
– *Activités* A series of tasks first enables students to investigate the facts, structure and implications of the text and to learn some of the language it contains. They then use the insights achieved, and the language learned, as a basis for discussion and/or writing.

Activities accompanying texts for *detailed* study focus more sharply on both content and language. After the *Points de repère* (see above), these activities are organised in three phases.

– *Découverte du texte* This set of activities is intended to help students to explore in detail the meanings of a text, to examine its linguistic fabric, to collect and learn some items of its language.
– *Exercices* This phase enables students to systematise their knowledge and increase their control of some aspects of the language contained in or implied by the text: grammatical items, intonation patterns, vocabulary clusters, functions or notions.
– *Activités* The final activities offer students the chance to reapply the language they have learned and the knowledge they have acquired to say or write something considered and coherent.

A guide to using Vécu

Each text in **Vécu** is, then, the starting point for a carefully devised sequence of activities. In presenting these activities to student users of the course, we recommend ways of carrying them out. Teachers will, of course, use **Vécu** with their classes in the way *they* think best. However, we have tried to offer clear guidance as to how they may involve students in the process of their own learning.

Every class of reasonable size offers a range of groupings for learning and teaching. **Vécu** makes use of these various groupings for quite specific purposes, as this short description shows.

– *Travail individuel* Students work by themselves, identifying and collecting facts or items of language, making notes, writing exercises or assignments.
– *Travail à deux, Travail en groupe* Students work in pairs or, when several heads are better than two, in small groups, comparing notes, investigating the detail of a text, carrying out interactive activities, exchanging information or opinions, pooling ideas.
– *Mise en commun* Students work together as a class under the teacher's guidance, checking or comparing what they have discovered, sharing their insights.
– *Exercice oral* Students engage as a whole class in teacher-directed practice of some specific feature of the language. This will often follow a presentation or review by the teacher of the language principle in question.
– *Discussion* This type of activity, usually involving the whole class, concentrates less on the information in a text and more on the general issues it raises. Students can thus draw on their existing knowledge, understanding and ideas as a basis for the expression of opinion.

It should be noted that many activities in **Vécu** take place in two or three carefully interlinked stages. *Travail individuel* or *Travail à deux* will often lead to a *Mise en commun*. An *Exercice oral* will often develop from or prepare for *Travail individuel* or *Travail à deux*.

Vécu guides the various stages of the learning process, first leading students carefully into each text. As teachers present a recorded item to the whole class, they may think it useful, in the early stages, to let students follow the gapped transcription of it from the *Livret*. It may then be helpful if the text is replayed, a section at a time, so that students have a chance to identify key facts, make notes or answer questions.

As their confidence and experience grow, students can be asked to start work on a printed text or recording at home, using the *Points de repère* and some of the *Découverte* activities. (Teachers will judge for themselves whether, in particular cases, information and ideas asked for in the *Points de repère* are to be written down or simply noted mentally and then checked orally.) Independent preparation and written follow-up, based on material in the *Exercices* or *Activités* sections, will lead to a more economical and efficient use of classroom time.

For the Teacher

To encourage independent study, and to enable the teacher to plan for this, the new **Vécu** introduces the symbol 📖. Placed at the beginning of an activity or a section (*a*,*b*,*c*, etc.), the symbol indicates that the work may usefully be started by the student independently, e.g. in a *Travail individuel* stage. *Points de repère* and *Découverte* activities should, for example, normally be undertaken in the student's own time, before work on a text begins in class. Placed at the end of an activity, 📖 shows that independent follow-up, usually written, may be done outside the classroom.

To help teachers with the preparation of materials, **Vécu** uses the ⌐·⌐ symbol to show that an activity is based on a recording, and a new symbol Ⓛ to refer to material in the **Livret** which will generally need to be photocopied in advance of a lesson or of homework.

For the student

Vécu helps students to systematise their knowledge of *language principles* in several ways.

- The *A compléter, à noter et à mémoriser* section, which accompanies each text studied in detail, guides students to collect and learn significant expressions, verb constructions and examples of formal relationships.
- Each exercise devoted to a new language principle – a grammatical item or category, an intonation pattern, a notion or a function – incorporates a clear presentation of it, with examples. These 'principles' sections are marked off by black triangles: ▶ . . . ◀. Students may find them a useful basis for their own notes; teachers may find them a convenient starting point for an introduction or review of the items in question.
- The *Résumé grammatical* (pp. 148–179) sets out in reference form all the language principles dealt with in the book. It exemplifies each point and refers, where relevant, to the section of the book where it is explained more fully and practised.
- The *Tableau de verbes* (pp. 184–187) presents the key forms of regular and common irregular verbs.
- The *Programme de révision* (pp. 188–203) offers systematic practice of forms, patterns and principles which students may know already or have encountered, albeit in a random way, in the course of their work. We signal the point at which students may conveniently check and revise a given category in this way:

Révision

Dernier rappel! Le présent (je/ nous/vous)
Commencez votre révision du présent en apprenant les formes *je/nous/vous* de tous les verbes présentés dans le *Tableau de verbes*, pp. 184–7. Recopiez ces formes, apprenez-les très attentivement et faites-vous tester par un(e) camarade de classe. Faites très attention aux verbes comme *mener*, *jeter*, *appeler* et aux verbes qui se terminent en *-yer* ou *-ger* (voir le *Résumé grammatical*, 34, p. 158).

Révisez aussi:
- la formation du participe présent (*Exercices* 3, p. 17)
- pays, langues, nationalités (*Révision* 5, p. 190).

- The *A traduire* texts (**Livret**) offer students a way of testing and reinforcing what they have learned *after* they have completed their work on each main text.

Any real-life spoken or written text is likely to contain unfamiliar *vocabulary items*. As students develop their skill in listening and reading, they will no doubt learn to tolerate some uncertainty and discover that they can often deduce sense from form or context. Vocabulary difficulties can, however, impede understanding, so **Vécu** offers help in two ways:

- Each main printed text, and the gapped transcription of each recorded one, is followed by a *vocabulary section* which glosses in English a limited number of words indicated in the text in this way: *maîtrisé.°*
- The *Vocabulaire* (pp. 204–222) gives English equivalents of over 3000 words used in the book and the recordings.

In order to give a focus to their vocabulary learning, students will find it useful to note, preferably in context and perhaps under thematic headings, words and expressions as they meet them. **Vécu** encourages systematic learning of vocabulary by means of regular exercises on word clusters; it also encourages students to use the words and expressions they have learned in a variety of other activities.

What will Vécu equip students to do?

In the final analysis, a language is learned so that it can be used in an assured and confident manner. **Vécu** will, we hope, help students to accumulate working vocabulary in French, to systematise their knowledge of grammatical items and principles, to articulate a sentence, to express an intention or an idea appropriately. But such knowledge and such skills are ultimately means to an end: using the French language purposefully.

Teachers will give as much attention as they think appropriate, or necessary, to the particular skills required for examinations: oral expression, controlled comprehension activities, translation, summary, answering written questions and so on. Indeed, for all these **Vécu** offers plenty of scope. But what matters most, finally, is how students can use the language they have learned. In **Vécu**, the activities point the way towards genuine performance in speech and writing: discussion, anecdote, debate, argument or commentary; the exchange of facts or ideas; the conveying of feelings, impressions or experience. In examinations and, even more, in the real world, the proper measure of students' linguistic ability is what they can *do* with their French.

To conclude this introduction to the new **Vécu**, we would like to renew our thanks to those French and English-speaking friends who helped with the first edition: David Nott, Jane Clements, Geneviève Fontier, Monique David, Astrid Berrier, Pierrick Picot and others. We would like to add our particular thanks to Josy Baillet, who has read and commented upon the new manuscript with such care and understanding, to Jean Lévêque and many other French friends, colleagues and students who have contributed recordings and samples of handwriting, also to Alison Hamlin for producing an immaculate typescript under considerable pressure.

Finally, we wish to express our love and gratitude to Frank Corless whose premature death tragically prevented him from taking part in the revision of **Vécu**. We sincerely hope that the new edition lives up to his unique standard and that the finished work would meet with his approval.

Heather Corless
Ralph Gaskell

DOSSIER
1

A vos marques

Vous et vos études

Vous voici en classe de première. Connaissez-vous tous vos camarades de classe?
Travail à deux → Mise en commun   Mettez-vous à côté d'un(e) étudiant(e) que vous ne connaissez pas du tout, si possible, ou que vous connaissez peu. Présentez-vous l'un(e) à l'autre. Posez-vous des questions sur votre ancienne école (si vous avez changé d'établissement scolaire) et sur vos goûts (ce que vous aimez et ce que vous détestez). Discutez aussi pourquoi vous avez choisi de continuer vos études de français: parce que le français vous intéresse? parce qu'il vous plaît? à cause de vos ambitions futures?

Pour finir, le professeur demandera à certains d'entre vous de dire devant la classe ce qu'ils ou elles auront découvert sur leur partenaire.

① DEUX JEUNES FRANÇAIS SE PRÉSENTENT

Activités

1. Deux îles francophones

a Vous allez entendre deux jeunes Français, Pierre et Marie-Claude, qui donnent quelques détails sur leur vie. Ils ont vécu longtemps dans des dépendances françaises, pas en France métropolitaine.
Travail individuel → Mise en commun
Ecoutez trois ou quatre fois la bande, en regardant attentivement les cartes géographiques présentées ci-dessous. Trouvez sur ces cartes les îles mentionnées par Pierre et Marie-Claude (la Nouvelle-Calédonie et la Martinique). Dans quels océans se trouvent-elles? Près de quelles îles ou de quels pays? Attention! Les noms de ces îles ne sont pas marqués. Comparez vos solutions avec celles des autres étudiants.

b En venant en France Pierre et Marie-Claude ont trouvé la vie bien différente de celle qu'ils avaient connue chez eux.
Travail individuel → Mise en commun
Ecoutez de nouveau la bande et répondez par écrit aux questions suivantes:

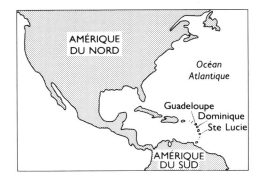

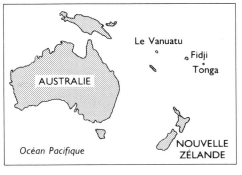

- Où Pierre a-t-il vécu presque toute sa vie?
- Quelle différence a-t-il remarquée entre la vie chez lui et la vie en France?
- Où Marie-Claude a-t-elle passé son enfance?
- Comment Marie-Claude trouve-t-elle cette île?
- Qu'est-ce qu'elle n'a pas aimé en France?

Comparez ensuite vos réponses avec celles des autres étudiants.

2. Les témoignages en détail: la situation géographique

📼 ⓛ **a** Pierre et Marie-Claude expliquent assez précisément leurs origines et la situation des îles qu'ils ont habitées. Savez-vous exprimer de tels détails géographiques?
Travail individuel → Travail à deux
Passez la bande une dernière fois en l'arrêtant où vous voudrez. Réécrivez les phrases suivantes en les complétant: employez les mots exacts de Pierre ou de Marie-Claude (l'ordre des phrases est celui de la bande):

> - je suis __'_____ vietnamienne
> - je suis né ____ Nouvelles-Hébrides qui s'appellent maintenant __ Vanuatu
> - j'ai toujours vécu ____ Nouvelle-Calédonie
> - c'est une petite île qui se trouve _____ (le . . .) l'océan Pacifique entre __ Nouvelle-Zélande et __'Australie
> - j'ai vu la différence en arrivant ____ France

> - je viens ____ ____ Martinique, un département français _____ l'océan Atlantique
> - j'ai voulu partir ____ France
> - ma plus grande envie était de repartir ____ Martinique

Le professeur vous donnera maintenant la transcription (*Livret*, p. 2) de ce que vous venez d'entendre. Avec un(e) partenaire, vérifiez vos phrases et corrigez-les au besoin.

▶ Pierre nous dit que **les** Nouvelles-Hébrides s'appellent maintenant **le** Vanuatu. Quand on cite le nom d'un pays, on emploie normalement, comme vous le savez, l'article défini (**la** France, **les** Etats-Unis, etc. *Résumé grammatical*, 80, p. 173).

Quand on parle d'un voyage, on dit qu'on va **en France** ou qu'on repart **en Grande-Bretagne** (noms de pays féminins): mais on va **au Danemark** (nom de pays masculin) ou **aux Etats-Unis** (nom de pays pluriel).

En parlant des villes, on dit qu'on va **à** Londres ou qu'on habite **à** Marseille: on peut aussi dire «je suis **de** Marseille».

Pour situer une ville, on dit qu'elle se trouve **dans le Nord/Sud** etc. **de la France**. Pour trouver ce qu'on dit pour les régions et les départements, voyez le *Résumé grammatical*, 85, p. 175. ◀

b *Travail individuel → Exercice oral*
Notez par écrit vos réponses aux questions suivantes. Vérifiez le détail de vos réponses en consultant les notes ci-dessus, le *Résumé grammatical*, et, au

besoin, un dictionnaire.

Tu es d'origine anglaise?
Où es-tu né(e)? (dans quelle ville ou quel village?)
Où se situe cette ville/ce village?
Est-ce que tu as vécu dans une autre ville, un autre village etc.?
   (Jusqu'à/depuis l'âge de . . . ?)
Où habites-tu actuellement?
Est-ce que tu as voyagé à l'étranger? Où?

Posez ces mêmes questions à un(e) voisin(e) que vous ne connaissez pas ou pas très bien. Notez par écrit ses réponses. Répondez à votre tour à ses questions. Le professeur vous demandera ensuite de communiquer aux autres étudiants les renseignements que vous avez notés.

3. Devinette: il s'agit de qui?

📖 *Travail individuel* Choisissez un personnage célèbre connu de tous vos camarades de classe (femme ou homme politique, chanteur/chanteuse,

vedette de cinéma etc.) Comme si vous étiez cette personne, écrivez à la première personne du singulier (*je*) un compte rendu de «vos» origines et de «votre» identité. Ecrivez des phrases complètes et vérifiez les verbes que vous emploierez (*Tableau de verbes*, pp. 184–7). N'oubliez pas de préciser:

> votre âge
> vos origines
> votre activité professionnelle (et où vous travaillez)

votre lieu de naissance (si possible)
votre domicile actuel, avec sa situation géographique
votre aspect physique (la couleur de vos yeux et de vos cheveux, par exemple) (*J'ai les cheveux bruns/les yeux bleus*)

Le professeur donnera ensuite votre compte rendu à un(e) étudiant(e) qui le lira devant la classe. Les autres étudiants essaieront de deviner l'identité de votre personnage.

❷ ON EST NOUVEAU TOUS LES DEUX

Points de repère

⌨ Ⓛ   Comme vous le savez probablement, la plupart des élèves français de votre âge font leurs études dans un lycée. Ils entrent en classe de seconde à l'âge de quinze ans. Ensuite, ils travaillent un an en classe de première. Ils passent leur baccalauréat à l'âge de 18 ou 19 ans à la fin d'une année en classe de terminale. Pierre et Marie-Claude sont des lycéens et, comme vous peut-être, ils viennent d'arriver dans un lycée qu'ils ne connaissent pas. Dans la conversation que vous allez entendre, ils parlent de leurs études et de leurs loisirs.

Travail individuel → Mise en commun   Le professeur vous donnera deux exemplaires d'une *fiche scolaire* (*Livret*, p. 3). Ecoutez plusieurs fois la bande et complétez une fiche pour Pierre et l'autre pour Marie-Claude. Notez que la *filière* d'un(e) étudiant(e) signifie les matières principales qu'il/elle étudie. Comparez ensuite vos fiches complétées avec celles des autres étudiants.

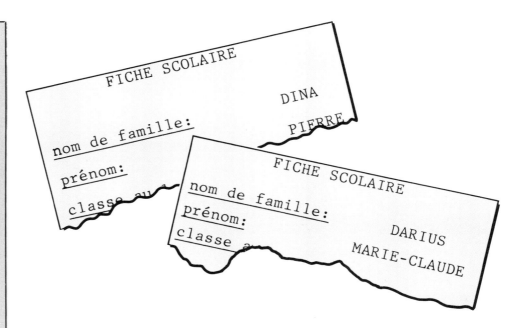

FICHE SCOLAIRE

DINA

PIERRE

nom de famille:

prénom:

classe a...

FICHE SCOLAIRE

nom de famille:

prénom:

classe a...

DARIUS

MARIE-CLAUDE

Découverte du texte

1. La conversation en détail: l'interrogation

Comme toutes les personnes qui font connaissance, Pierre et Marie-Claude se posent l'un à l'autre de nombreuses questions.

📻 Ⓛ *Travail individuel → Mise en commun* Ecoutez de nouveau la bande, en l'arrêtant quand vous le voudrez. Notez par écrit les **questions** posées par Pierre et Marie-Claude pour obtenir les renseignements suivants:

- le nombre d'années que l'autre a déjà passées au lycée («au bahut»)
- sa classe au lycée
- le nombre de frères et soeurs
- la distance entre son domicile et le lycée
- ses loisirs préférés
- les sports pratiqués
- les langues étudiées
- ses projets pour l'avenir

Comparez ensuite vos questions avec celles d'un(e) voisin(e). Consultez le professeur si vous n'êtes pas d'accord. Pour finir, le professeur vous donnera la transcription de la conversation (*Livret*, pp. 4–6). En la consultant, vérifiez avec votre partenaire les questions que vous avez notées.

2. L'intonation des questions en langue familière

▶ Pierre demande à Marie-Claude: «Tu habites près d'ici?» En **langue familière**, lorsqu'on veut poser à l'oral une **question qui appelle la réponse oui ou non**, on peut employer cette forme de question. En réalité, c'est une phrase déclarative, c'est-à-dire une phrase où, à l'écrit, rien n'indique que c'est une question. On transforme cette phrase en **question** au moyen de **l'intonation interrogative** (la «musique» de la question):

phrase déclarative

Tu habites près d'ici

question

Tu habites près d'ici?

Comme les lignes l'indiquent, la voix **descend** à la fin d'une phrase déclarative. A la fin d'une *question sans élément interrogatif* (*combien, est-ce que, quoi, etc.*), la voix **monte**.
Quand une question contient un **élément interrogatif**, souvent la voix ne monte pas à la fin de la phrase:

Tu fais **quoi** comme langue? ◀

📻 *Travail individuel → Travail à deux* Ecoutez une dernière fois la conversation de Pierre et de Marie-Claude: gardez sous les yeux votre liste de questions (de *Découverte, 1*). Arrêtez la bande quand vous le voudrez, et dessinez au-dessus de chaque question une ligne qui en indique **l'intonation**. Ensuite, avec un(e) partenaire, lisez les questions à haute voix et à tour de rôle. Prenez soin de respecter l'intonation de Pierre et de Marie-Claude.

Exercices

1. On fait connaissance: l'interrogation

Vous allez maintenant faire la connaissance d'un(e) de vos camarades de classe. Choisissez si possible un(e) partenaire que vous ne connaissez pas très bien.
Ⓛ *Travail individuel/Mise en commun → Travail à deux* Le professeur vous donnera une fiche de renseignements personnels (*Livret*,

RENSEIGNEMENTS PERSONNELS

nom de famille:

prénom:

classe au lycée:

nombre de frères:

● A COMPLÉTER, A NOTER ET A MÉMORISER ●

Verbes suivis directement d'un infinitif

Marie-Claude dit à Pierre: «**Tu dois être** bien gâté en étant l'avant-dernier.» Comme vous le savez, un certain nombre de **verbes** sont **suivis directement**, c'est-à-dire sans préposition (*à/de*), **d'un infinitif**. Connaissez-vous bien ces verbes?
Travail individuel → Travail à deux Consultez d'abord la liste de verbes suivis directement d'un infinitif (*Résumé grammatical*, 48, p. 164). Vérifiez la signification des verbes qui ne vous sont pas familiers, et **mémorisez** la liste.
Vous trouverez ci-dessous quelques phrases qui, une fois complétées, résumeront les goûts, les espoirs etc. de Pierre et de Marie-Claude. Sans écouter la bande ni consulter la transcription, complétez et notez ces phrases en employant des verbes suivis directement d'un infinitif. (Attention à la différence entre *savoir faire* et *pouvoir faire* quelque chose).

Comparez ensuite vos phrases complétées avec celles d'un(e) voisin(e).

Les souhaits, les espoirs etc. de Pierre et de Marie-Claude:

leurs souhaits, leurs espoirs
Pierre _____ obtenir des renseignements sur le lycée.
Marie-Claude aurait aimé _____ une grande famille.

leurs obligations
Marie-Claude _____ _____ le bus pour venir au lycée.

leurs compétences
Pierre _____ parler japonais.
Marie-Claude et Pierre _____ _____ espagnol.

leurs possibilités
Comme il a une moto, Pierre _____ _____ chez lui quand il veut.

leurs goûts, leurs préférences
Marie-Claude _____ lire, mais elle _____ _____ au cinéma.

leurs intentions futures
A l'université, Pierre _____ faire les langues étrangères appliquées à l'économie.
Marie-Claude _____ continuer dans sa filière (c'est-à-dire étudier les langues).

p. 7). Relisez les questions que vous avez déjà notées (*Découverte*, 1) et mémorisez-les. Composez par écrit de nouvelles questions qui vous permettront de compléter la fiche au sujet de votre partenaire. Vérifiez vos questions avec le professeur. Ajoutez, si vous le voulez, d'autres questions que vous désirez poser.

Ensuite, posez vos questions et répondez à celles de votre partenaire. Notez les réponses de votre partenaire sur la fiche.

2. Le compte rendu de l'interview: révision du présent (*je/tu/il*)

▶ Vous savez employer les trois personnes du singulier du présent d'un grand nombre de verbes. Voici quelques règles qui vous aideront à dire et à écrire ces trois personnes correctement, même pour les verbes les plus irréguliers.

La prononciation
Les trois personnes du singulier (*je, tu, il/elle*) se prononcent d'une manière identique au temps présent, à

l'exception des verbes *aller*, *être* et *avoir* :

résoudre	suivre
je résou**s**	je sui**s**
tu résou**s**	tu sui**s**
il résou**t**	il sui**t**

À l'écrit
Les verbes avec des infinitifs en -*er*, -*ir*
Les verbes avec des infinitifs en -*er* (sauf *aller*) et les **verbes comme *ouvrir*** (*nous ouvrons*) (*Résumé grammatical*, 34, p. 158) ont les terminaisons suivantes:

travailler	offrir (*comme ouvrir*)
je travaill**e**	j'offr**e**
tu travaill**es**	tu offr**es**
il travaill**e**	il offr**e**

Pour **tous les autres verbes** (sauf *avoir*, *être*, *aller*), la première et la deuxième personne du singulier sont identiques. A la troisième personne, -**t** remplace -**s** ou -**x**:

Les verbes comme finir (*nous finissons*)	Les verbes comme dormir (*nous dormons*)
je fini**s**	je dor**s**
tu fini**s**	tu dor**s**
il fini**t**	il dor**t**

Pour les verbes qui se terminent à la **première personne** en -**ts** ou -**ds**, on supprime le -**s** à la troisième:

promettre	répondre
je promet**s**	je répon**ds**
il promet**t**	il répon**d** ◀

📖 **a** Un journaliste français doit rédiger pour son journal un article sur les étudiants étrangers qui apprennent le français. Il va présenter dans son article le compte rendu d'une interview qu'il a enregistrée.
Travail individuel Reprenez la fiche que vous avez complétée pour votre partenaire (*Exercices*, 1). En vous basant sur ces renseignements, composez par écrit le texte de l'interview, comme si vous étiez le journaliste. Vérifiez toutes les formes de verbes que vous emploierez (*Résumé grammatical*, 34, p. 158 et *Tableau de verbes*, pp. 184–7).

LA VIE AU LYCÉE

Les horaires

Les lycéens ont une trentaine d'heures de cours par semaine. La majorité des élèves pensent que c'est trop. Les cours commencent généralement à huit heures du matin. Là aussi, les élèves préféreraient commencer à neuf heures. Il n'y a pas cours le mercredi après-midi mais certains lycéens ont cours le samedi matin. De plus, les cours finissent souvent à dix-sept heures.

Le règlement

Il n'y a pas de règlement qui concerne l'habillement au lycée. Il est interdit de fumer dans les salles de classe. Par contre, les lycéens ont la permission de quitter le lycée quand ils n'ont pas cours.

Le programme d'études

L'examen final du lycée, c'est le baccalauréat (le bac). Quel que soit le bac que les élèves choisiront (bac mathématique, littéraire, économique, scientifique, technique ou informatique), ils ont tous des cours obligatoires de français, math, physique, sciences naturelles, langue vivante (normalement l'anglais ou l'allemand pour la plupart des élèves), histoire, géographie et éducation physique.

Les rapports avec les profs

La plupart des élèves français pensent avoir de bons profs. C'est ce que révèle une enquête récente. Mais la très grande majorité n'a aucune intention de devenir professeur. Ils se destinent plutôt à un poste de cadre supérieur.

Début possible:

> # CES ÉTRANGERS QUI APPRENNENT LE FRANÇAIS
>
> Comment vivent les jeunes étrangers qui apprennent notre langue? Quels sont leurs projets d'avenir? Pour trouver les réponses à ces questions, notre enquêteur a parlé avec (*prénom + nom de famille*).
> *Enquêteur*: Alors, tu habites où exactement?

📖📖 **b** *Travail individuel → Travail à deux* A l'aide du *Tableau de verbes* (pp. 184–7), révisez les trois personnes du singulier des verbes suivants:

aller, avoir, battre, boire, conduire, connaître, courir, craindre, croire, devoir, dire, dormir, écrire, envoyer, être, faire, lire, mettre, mourir, ouvrir, pouvoir, prendre, recevoir, rire, savoir, suivre, tenir/venir, vivre, voir, vouloir.

Ensuite, testez votre partenaire pour voir s'il ou elle sait prononcer et écrire correctement ces formes.

3. La vie au lycée: les compétences, les obligations etc.

L'extrait à la page 10 est tiré d'un magazine pour jeunes étrangers qui étudient le français.

📖 *Travail individuel → Discussion* Lisez attentivement *La vie au lycée* et notez, de la manière indiquée ci-dessous, les obligations (ce qu'ils doivent faire), les compétences (ce qu'ils savent faire), etc., des lycéens français. Notez également ce qui est différent pour les lycéens chez vous (*colonne de droite*). Employez des **verbes suivis directement d'un infinitif.**

Variez autant que possible les verbes que vous emploierez.

Discutez ensuite les différences qui existent entre la vie d'un lycéen français et la vôtre. Est-ce que vous préféreriez faire des études sous le système français? Pourquoi?

> **Révision**
>
> Révisez:
> - la forme des adjectifs (*Révision* 1, p. 188)
> - la place des adjectifs dans la phrase (*Révision* 2, p. 188).

le 1er octobre
16 Gladstone Drive,
Beckenham,
Kent.
Cher Daniel,
Salut! Je suis ta nouvelle correspondante. Je me présente. Je m'appelle Kerry et j'ai dix-sept ans. Comme tu vois, j'habite à Beckenham dans le Kent. C'est une petite ville pas très loin de

Les lycéens français	Les lycéens chez nous
LES OBLIGATIONS (i) *les horaires*	
Ils doivent être au lycée à huit heures.	*Nous devons…*
(ii) *le règlement*	
LES COMPÉTENCES *en matière de langues*	
LES POSSIBILITÉS *en l'absence de cours*	
LES PROJETS D'AVENIR	

Activités

1. Lettre à un(e) correspondant(e) français(e)

📖 *Travail individuel* Composez une lettre à un(e) correspondant(e) que vous ne connaissez pas. Donnez-lui des renseignements sur votre domicile et sa situation géographique, votre famille, vos études, vos loisirs, vos projets d'avenir. Posez-lui également des questions sur ces choses. Prenez soin d'employer dans votre lettre les expressions que vous venez de réviser.

2. Article de magazine: *La vie scolaire en Grande-Bretagne*

Une journaliste écrit pour un magazine destiné à des lycéens français un article sur le mode de vie des élèves britanniques du même âge.

📖 *Travail individuel* Composez par écrit le texte de cet article comme si vous étiez la journaliste. Parlez de la vie dans votre collège ou votre lycée, et expliquez dans votre article:

- les horaires
- le programme d'études
- le règlement

● l'opinion des étudiants sur ces
choses (ce qu'ils aiment, ce qu'ils
préféreraient)

Début possible:

La vie scolaire en Grande-Bretagne

Comment la vie d'un lycéen britannique
diffère-t-elle de la vôtre? D'abord, le
lycéen britannique se lève un peu plus
tard. Il doit se présenter pour son premier cours à

A vos marques

Nous nous intéressons presque tous aux problèmes d'autres personnes révélés dans des lettres envoyées aux journaux (le *Courrier du cœur*). Lisez-vous de telles lettres? Pourquoi (ou pourquoi pas)? Pour quelles raisons ces personnes écrivent-elles aux journaux, à votre avis?

Travail à deux → Mise en commun   Discutez ces questions avec un(e) partenaire. Ensuite, le professeur vous demandera de lui communiquer vos réponses, pour voir si vous êtes tous du même avis.

③ COURRIER DU CŒUR

Points de repère

 Les lettres qui suivent ont été publiées dans un magazine pour les jeunes. Dans leurs lettres, les correspondants révèlent leurs problèmes personnels. Ce qui les a poussés à écrire, c'est leur état d'esprit.

Travail individuel → Mise en commun   Faites d'abord un tableau comme celui présenté ci-dessous. Lisez attentivement les lettres et notez dans votre tableau le nom de chaque correspondant(e) et ce que vous apprenez sur son état d'esprit. Pour l'instant, laissez vide la troisième colonne du tableau.

COURRIER DU CŒUR°

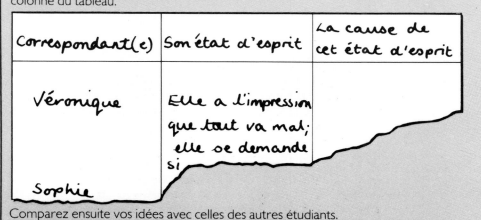

Correspondant(e)	Son état d'esprit	La cause de cet état d'esprit
Véronique	Elle a l'impression que tout va mal; elle se demande si	
Sophie		

Comparez ensuite vos idées avec celles des autres étudiants.

L'un chômeur,° l'autre pas

J'ai vingt-trois ans, et un travail dans la publicité° qui m'intéresse. Pourtant j'ai l'impression que tout va mal, parce que mon ami, lui, est au chômage° depuis plus d'un an. Marc était directeur commercial, et son entreprise n'a pas su se moderniser. On a pensé que c'était sa faute et on l'a renvoyé.° Maintenant, à la maison il tourne en rond° et voit les choses en noir. Il n'est vraiment pas fait pour être un homme au foyer.° J'ai l'impression qu'il me reproche son inactivité – et mon activité. Comment sortir de cette situation? Il a essayé de trouver un autre emploi, mais sans succès.

Véronique

Besoin de passion

J'ai seize ans et je ne peux aimer que° passionnément, est-ce normal à mon âge?

Sophie

L'expérience contre les diplômes°

Suis-je trop libérale? Ma fille Pauline vient d'avoir dix-huit ans et elle veut arrêter ses études juste un an avant le bac. Je m'oppose à cette idée, bien sûr, mais je ne pèse pas lourd° en face de ce garçon avec qui elle sort depuis des mois, Nicolas. Il a vingt ans, passe son temps à traîner° dans les cafés, et à mon avis il ne terminera jamais ses études de pharmacie. Sans diplômes, aujourd'hui, que vont-ils faire? Je suis très inquiète°, mais je ne trouve plus d'arguments devant l'obstination de ma fille.

Mireille

L'eau sous le pont

En vacances, j'ai connu, l'année dernière, un garçon super que je n'ai pas revu cette année. Je pense à ce garçon sans cesse. J'ai toujours l'impression de le sentir° à mes côtés, comme s'il devait apparaître d'un instant à l'autre. Comment me défaire de° cette illusion, puisque je ne le reverrai sans doute jamais? Je suis hantée°! J'ai décidé de l'oublier, pourtant; je dois pouvoir le faire.

Patricia

La femme de ma vie

Je m'appelle Jean-Loup, et j'ai dix-neuf ans. Je ne suis pas si moche° que ça, pas si bête° non plus. Seulement, je m'ennuie° à Limoges. J'ai l'impression que les filles m'évitent°. Je fais partie d'un club de loisirs, mais je n'y rencontre que des copains. Où rencontrer la femme de ma vie?

Jean-Loup

Mon beau-père veut toujours avoir raison

J'ai seize ans. Mon problème est familial. Après la mort de mon père, ma mère a osé° se remarier. Je lui ai bien dit que personne ne pouvait prendre la place de mon père, mais elle ne m'a pas écouté. Depuis, je suis malheureux. Mon beau-père veut toujours avoir raison. Il décide de tout: nos vacances, nos loisirs, le restaurant où nous allons dîner les jours de fête, etc. Ma mère refuse de m'écouter, elle me dit que je suis difficile, gâté°, égoïste. Je suis au désespoir.

Thierry

Découverte du texte

1. Les lettres en détail: les problèmes et leurs causes

Chacun de ces correspondants a parlé non seulement de son état d'esprit, qui en quelque sorte constitue son problème, mais aussi de ce qui a causé cet état d'esprit.
Travail à deux → Mise en commun Avec un(e) partenaire, relisez les lettres en cherchant la cause de l'état d'esprit que vous avez noté pour chaque correspondant (*Points de repère*). Inscrivez cette cause dans la troisième colonne de votre tableau. (Notez que la cause de l'état d'esprit du correspondant peut être l'état d'esprit d'un de ses proches – d'un parent, par exemple).

Le professeur vous demandera ensuite de discuter avec les autres étudiants les causes que vous avez trouvées.

2. Quelle réponse à quelle lettre?

La rédaction du magazine qui a publié ces lettres y a aussi répondu. Mais dans le pêle-mêle du bureau de rédaction, les lettres et les réponses ont été séparées. Vous trouverez à droite quelques-unes des réponses: mais deux en ont été perdues.
📖 *Travail individuel → Mise en commun* Lisez attentivement les réponses et relisez les lettres. Pour quelles lettres trouvez-vous une réponse, et laquelle des réponses convient à chacune des lettres? Comparez vos solutions avec celles des autres étudiants.

courrier (m) **du cœur** problem page **chômeur (-euse)** unemployed person **publicité** (f) advertising **être au chômage** be unemployed **renvoyer** dismiss (from job) **tourner en rond** go round in circles **homme** (m) **au foyer** man who stays at home **ne . . . que** only **diplôme** (m) qualification **ne pas peser lourd** not count for much **traîner** hang about **inquiet (-ète)** worried **sentir** feel **se défaire de** get rid of **hanté(e)** haunted **moche** ugly **bête** stupid **s'ennuyer** be bored **éviter** avoid **oser** dare **gâté** spoilt.

COURRIER DU CŒUR RÉPONSES

Votre recherche semble être une sorte de devoir que vous vous êtes donné. Ne rêvez pas d'amour idéal et aidez un peu le destin. Allez en boîte, détendez-vous. Trouvez un peu d'énergie – et un beau sourire!

Vous pensez à lui parce que vous avez eu tout le temps (plus d'un an) d'en faire un mythe. Le garçon que vous portez dans votre tête n'existe pas, vous l'avez rêvé! Ce travail d'imagination, qui vous a pris plusieurs mois, ne va pas se détruire du jour au lendemain. Cependant vous avez raison de vouloir vous en défaire. Vite, oubliez ce garçon, redescendez sur terre, il y a d'autres garçons vivants et présents . . . allez les découvrir!

Sans doute faites-vous partie de ces jeunes filles que la tranquillité affective ennuie; vous n'avez pas tort. La passion, c'est l'affaire de la jeunesse. Il ne faut pas oublier pourtant qu'on peut aimer toutes sortes de choses avec passion. Explorez tout ce qui vous entoure – les livres, les films, la musique, la nature. Le monde vous attend.

Poussez-le à réagir! Bien sûr, votre ami a besoin de retrouver les initiatives et les contacts de son métier. Aujourd'hui, vous gagnez l'argent du ménage. Hier, c'était lui. Et demain, il le gagnera encore. Mettez cette idée dans sa tête et rendez-lui confiance.

3. Les réponses en détail

a Dans chacune de ces réponses, la rédaction propose des conseils à la personne qui a écrit au magazine.
Travail individuel Cherchez dans chaque réponse les conseils offerts par la rédaction, et notez-les de la manière suivante, en employant des infinitifs:

Correspondant(e) le conseil de la rédaction
Jean-Loup
- ne pas rêver d'amour idéal
- aller en boîte

b *Travail individuel→ Travail à deux* Relisez vos notes sur les conseils de la rédaction (a). Mémorisez-les. Ensuite, avec un(e) partenaire et à tour de rôle, posez des questions et donnez des réponses sur la nature de ces conseils. Pour communiquer les conseils, employez un des verbes suivants: *dire/conseiller/proposer à quelqu'un de faire quelque chose.*

Exemple:
Qu'est-ce qu'on conseille à Jean-Loup de faire?
On lui conseille de ne pas rêver d'amour idéal.

c Qu'est-ce que vous pensez des conseils de la rédaction?
Discussion Discutez avec le professeur et les autres étudiants de la valeur des conseils offerts par la rédaction. Quelles en seront les conséquences, à votre avis, si les correspondants suivent ces conseils?

Exemple:
Si Jean-Loup ne rêve pas d'amour idéal, et s'il va souvent en boîte, il aura la possibilité de rencontrer beaucoup de copines agréables.

• A COMPLÉTER, A NOTER ET A MÉMORISER •

Il est important de noter systématiquement des expressions utiles qui figurent dans les textes que vous étudiez. En relisant *Courrier du coeur* (les lettres *et* les réponses), vous pourrez sans difficulté compléter les phrases suivantes.
Travail individuel→ Travail à deux Recopiez ces phrases en les complétant. Ensuite, apprenez-les par coeur.

Expressions et structures

un travail qui __'_____	(= *un travail que je trouve intéressant*)
mon ami est __ chômage	(= *il n'a pas d'emploi*)
depuis _____ __' un an	(= *depuis au moins treize mois*)
un homme __ _____	(= *un homme qui reste à la maison*)
je __'_____ à cette idée	(= *je me bats contre cette idée*)
___ ___ avis	(= *selon mon opinion*)
je __'_____ à Limoges	(= *rien à Limoges ne m'intéresse*)
je suis _____	(= *je suis désespéré*)
___ ___ ____' énergie	(= *une petite quantité d'énergie*)
__ jour __ lendemain	(= *d'un jour à l'autre*)
sans _____	(= *très probablement*)
vous n'___ pas ____	(= *vous avez raison*)
tout ___ vous entoure	(= *toutes les choses autour de vous*)
bien ____	(= *évidemment*)

Ensuite, testez votre partenaire. Dites-lui une des phrases entre parenthèses et elle/il essaiera de retrouver, *sans la regarder*, la phrase tirée du texte. Essayez à votre tour de donner la phrase équivalente à celle que lira votre partenaire.

Constructions verbales

Lorsque vous notez des constructions verbales, il est utile de les *classer*, de la manière suivante, par exemple:

verbe (+ nom) + de + infinitif
(essayer **de** faire; avoir envie **de** faire)

verbe (+ nom) + à + infinitif
(apprendre **à** faire; inviter qqn **à** faire)

verbe + de + nom
(sortir **de** la maison)

verbe + à + nom
(s'opposer **à** une idée)

Préparez une page de vos notes grammaticales pour chacune des constructions verbales ci-dessus (**verbe (+ nom) + de + infinitif**, etc.). Chaque fois que vous rencontrerez une construction verbale qui ressemble à l'une de ces formules, notez-la sur la page qui convient.

Exemple: (**verbe + nom + de + infinitif**)
avoir l'impression de faire

Les phrases ci-dessous paraissent dans l'ordre du texte *Courrier du coeur*.

Travail à deux→ Travail individuel Complétez oralement ces phrases avec un(e) partenaire:
Il a essayé __ trouver un autre emploi
Pauline vient __ avoir dix-huit ans
Je pense __ ce garçon (= *il est présent dans mes pensées*)
J'ai l'impression __ sentir ce garçon à côté de moi
J'ai décidé __ l'oublier
Je m'oppose __ cette idée
Il passe son temps __ traîner dans les cafés
Je fais partie __ un club
Il décide __ tout
Ma mère refuse __ m'écouter
Vous avez raison __ vouloir vous en défaire
Il a besoin __ retrouver son métier

Recopiez maintenant ces phrases en les classant de la manière indiquée ci-dessus (*verbe (+ nom) + de + infinitif*, etc.) Gardez une page de vos notes pour chacune de ces listes de constructions verbales et révisez-les de temps en temps. Plus tard vous y ajouterez d'autres expressions qui ont la même construction.

Exercices

1. Pronoms personnels: le, la, l', les; lui, leur

a *Travail à deux* Relisez attentivement les deux lettres qui sont restées sans réponse. Quels conseils pouvez-vous offrir à ces deux correspondants? Notez par écrit trois choses que chaque correspondant peut ou doit faire, à votre avis.

Exemple (Thierry)
1 *Il ne doit pas être injuste envers sa mère.*
2 *Il a besoin de parler avec . . .*

▶ Lisez ces phrases:

– Qu'est-ce que vous encouragez **Jean-Loup** à faire?
– Nous **l'**encourageons à aider le destin.
– Qu'est-ce que vous conseillez **à Jean-Loup** de faire?
– Nous **lui** conseillons de se détendre quand il va en boîte.

Les pronoms personnels **le, la, l'** et **les** remplacent ainsi un **nom objet** *direct*, c'est-à-dire un nom objet qui n'est pas précédé par **à** ou **de**.
Les pronoms personnels **lui** et **leur** remplacent un **nom objet** *indirect* (normalement une personne), qui est précédé par **à** (voir le *Résumé grammatical*, 18, p. 154).
Notez que **le, la, l', les; lui, leur** précèdent immédiatement le verbe au temps présent. ◀

b *Travail individuel→ Travail à deux*
Notez et mémorisez d'abord les constructions verbales suivantes:

verbes + à + nom + de + infinitif

> **conseiller à** quelqu'un **de faire**
> **proposer à** quelqu'un **de faire**
> **dire à** quelqu'un **de faire**

verbes + nom + à + infinitif

> **encourager** quelqu'un **à faire**
> **inviter** quelqu'un **à faire**
> **pousser** quelqu'un **à faire**

Ensuite, avec un nouveau partenaire, composez à l'oral, à tour de rôle, des phrases qui communiquent les conseils que vous avez trouvés (*a*). N'oubliez pas de préciser d'abord le nom du/de la correspondant(e) dont vous parlez. Variez autant que possible les constructions verbales que vous emploierez.

Exemple:
> *Parlons d'abord de Thierry. Moi et ma/mon partenaire, nous **lui proposons de** ne pas être injuste envers sa mère.*

c *Travail individuel→ Mise en commun* Rédigez maintenant par écrit vos conseils (6 phrases). Vérifiez les verbes que vous emploierez (*Tableau de verbes*, pp. 184–7).
Comparez ensuite vos phrases avec celles des autres étudiants. Lesquels de ces conseils vous semblent les plus utiles? Pourquoi?

2. Les services professionnels: révision du présent (*nous*)

▶ La première personne du pluriel (*nous*) du présent est une forme très importante. Si vous la connaissez parfaitement, vous pouvez former sans difficulté non seulement la deuxième personne du pluriel (*-ons→ -ez*), mais aussi le **participe présent** (*prenant, finissant*, etc.) et l'**imparfait** (je *voulais*, je *devais*, etc.) de la majorité des verbes. ◀

LES EXPERTS À NOTRE SERVICE

(i) La nature de nos relations

aller voir
employer
engager
appeler
prendre rendez-vous chez
téléphoner d'urgence à
craindre la note chez
se détendre chez
maigrir grâce à
apercevoir derrière nous
demander conseil à
faire venir
choisir des livres chez

(ii) Les métiers

le plombier
le libraire
le pharmacien
le dentiste
le maçon
la femme de ménage
les sapeurs-pompiers
la standardiste
le garagiste
la masseuse
la diététicienne
les gendarmes de l'autoroute
le médecin

a Le tableau *Les experts à notre service*, une fois mis en ordre, donne une idée des relations que nous avons avec un certain nombre de professionnels.

 ***Travail individuel*** Consultez d'abord la colonne (i) (*La nature de nos relations*) du tableau. Notez par écrit, à la première personne du pluriel, le temps présent de ces verbes. Vérifiez ces formes en consultant le *Tableau de verbes*.

Ensuite, cherchez la signification exacte des noms de métiers qui ne vous sont pas familiers (*Vocabulaire*, pp. 204–22).

b Nous écrivons peut-être à la rédaction du *Courrier du cœur* si nous souffrons d'un problème sentimental. Il y a d'autres experts qui nous aident à résoudre des problèmes un peu plus concrets. Quels verbes employons-nous pour décrire nos relations avec ces experts?

Travail à deux→Exercice oral Trouvez ensemble, dans la colonne (i) du tableau, le verbe qui semble exprimer le mieux nos relations avec chaque expert de la colonne (ii). Dans certains cas, il y a plus d'une solution possible. Ensuite, composez oralement à tour de rôle des phrases qui expriment ces relations. Employez chaque fois la première personne du pluriel. Ne regardez pas vos notes.

Exemple:
   *Nous **faisons venir** le plombier.*

c Dans quelles situations avons-nous affaire à ces professionnels?

Discussion Précisez les situations dans lesquelles, à votre avis, nous avons affaire à ces experts. Utilisez **quand/ lorsque** + **nous** (*temps présent*).

Exemple:
   *Nous employons un maçon **lorsque nous faisons** des transformations à notre maison.*

3. Comment les experts nous rendent-ils service? En + participe présent

▶ Comme vous le savez déjà, le **participe présent** se forme à partir de la première personne du pluriel du présent:

   nous **finiss**ons → **finiss**ant
   nous **pren**ons → **pren**ant

Il y a trois exceptions qu'on doit mémoriser:

   avoir → **ayant**
   être → **étant**
   savoir → **sachant**

On peut employer le participe présent pour exprimer le **moyen** employé pour faire quelque chose:

   Je me détends **en faisant** du vélo.
   On peut maigrir **en mangeant** moins. ◀

a ***Travail individuel*** Notez dix métiers, ceux du tableau que vous venez de consulter (*Exercices*, 2) ou d'autres. Pour chaque métier, composez par écrit une phrase avec **en** + **participe présent** pour indiquer le **moyen** par lequel cet expert nous rend service.

Exemple: (le plombier:)
   Il nous rend service } **en réparant** *des fuites*
   Il nous aide } *d'eau.*

b ***Travail à deux*** Avec un(e) partenaire, lisez à tour de rôle vos phrases (*a*), *sans indiquer le métier concerné*. Votre partenaire essaiera de deviner l'identité de l'expert dont vous parlez, et vous en ferez de même lorsque vous écouterez les phrases de votre partenaire.

> ### Révision
>
> Révisez:
> – venir de + infinitif, être en train de + infinitif, aller + infinitif (*Révision* 3, p. 189)
> – prépositions + noms géographiques (*Révision* 4, p. 190).

Activités

1. Lettres de réponse

a ***Travail individuel*** Comme si vous étiez la rédaction du magazine, composez par écrit deux lettres de réponse, l'une adressée à Mireille et l'autre à Thierry. Donnez d'abord votre impression de la situation: ensuite, offrez vos conseils et expliquez le **moyen** de résoudre la situation (*en* + *participe présent*). Comme vous ne connaissez pas les correspondants, employez la **deuxième personne du pluriel** (*vous*) dans votre lettre. Vérifiez et notez d'abord ces formes pour les verbes *être*, *faire* et *dire*.

Ⓛ **b** Vous allez maintenant voir si vos conseils à Mireille et à Thierry ressemblent à ceux de la rédaction. ***Travail individuel→Discussion*** Lisez attentivement les lettres de réponse composées par la rédaction que vous donnera le professeur (*Livret*, p. 9). Avez-vous donné les mêmes conseils à ces correspondants? Lesquels des conseils vous semblent les meilleurs? Pourquoi?

2. Jeu de rôles: les auditeurs ont des problèmes

Au cours d'une émission à la radio, de jeunes auditeurs communiquent leurs problèmes à un groupe d'experts qui leur offrent des conseils. Avant la diffusion de cette émission, les experts ont déjà noté les grandes lignes de chaque problème. Vous trouverez leurs notes ci-dessous.

Travail individuel → Discussion Le professeur vous donnera le rôle d'un(e) des auditeurs/auditrices (*Les problèmes des auditeurs*, ci-dessous). Vous allez présenter «votre» problème comme si vous étiez cet(te) auditeur/auditrice. Composez pour vous-même une identité (âge, domicile, situation familiale, profession, etc.) et répétez silencieusement votre exposé. Ensuite, considérez attentivement les problèmes des autres auditeurs/auditrices. Trouvez des conseils que vous pourrez offrir à ces personnes. Pour finir, le professeur demandera à certains étudiants de faire l'exposé de leur problème. Les autres étudiants poseront des questions et donneront des conseils.

Patrice
- lycéen très sportif. 12h de foot par semaine
- parents inquiets pour ses études → disputes.

Marie-Denise
- se dispute tout le temps avec sa mère(heure où elle rentre le soir)

Jean-Claude
- Très timide, pas d'amis
- où aller pour se faire des amis?

Sylvie
- reproche à ses parents leur manque de compréhension
- disputes très vives(ses vêtements, son maquillage)

Laure
- passion pour le chocolat
- prend du poids sans cesse
- déteste son physique

Chantal
- son petit ami a une autre copine?
- attend toujours qu'il lui téléphone
- ne sort jamais et souffre de sa solitude.

④ QU'EST-CE QUE LA GRAPHOLOGIE?

QU'EST-CE QUE LA GRAPHOLOGIE?
Une science et un art

On entend souvent les gens exprimer l'idée que la graphologie est une discipline relativement récente. Mais c'est en 1628 que le monde a vu apparaître le premier ouvrage° de graphologie, à Bologne en Italie. Aujourd'hui la graphologie est une science – et un art – qui permet de connaître la personnalité d'un individu grâce à° son écriture. Voici certains principes de base de cette science.

L'écriture grande
Une écriture est considérée comme grande lorsque ses lettres basses° (a, e, m, r etc.) ont une hauteur° supérieure à trois millimètres:

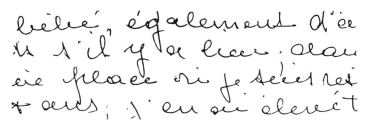

Elle signifie généralement le dynamisme, l'activité, une tendance° à l'extraversion. Elle peut aussi signifier le besoin d'attirer° l'attention. L'écriture grande appartient° assez souvent aux vedettes° et aux hommes politiques.

L'écriture petite
A l'inverse de° l'écriture grande, l'écriture petite est celle qui° est inférieure (toujours dans les lettres basses) à trois millimètres:

Cette écriture révèle la simplicité, la modestie, la faculté de concentrer son attention sur les détails. Elle peut aussi indiquer une tendance à l'introversion et même (dans les cas extrêmes) le complexe d'infériorité. C'est une espèce° d'écriture qui se voit beaucoup chez les scientifiques.

L'écriture verticale
On dit qu'une écriture est verticale lorsque ses lettres descendent perpendiculairement sur la ligne de base:

Elle indique les qualités de sang-froid,° de fermeté, de constance et de stabilité. On la rencontre assez généralement chez les gens qui accordent° moins d'importance aux émotions qu'à la raison, chez qui on dit que «la tête domine le coeur». Il y a contrôle des émotions et maîtrise de soi°. Cette espèce d'écriture se rencontre souvent chez les avocats.°

L'écriture inclinée°

C'est une écriture penchée° à droite. Elle indique, de façon générale, que les émotions et la sensibilité° tendent,° chez le scripteur,° à prendre le pas sur° la raison.

En tant qu'amateur théâtre, nous irez peut être "Carmen" mise en scène pa

L'écriture renversée°

L'écriture renversée est celle qui est inclinée sur la gauche, formant avec la ligne de base un angle obtus ouvert à droite:

Les difficultés subcas ité, il a été clarfi ian des ventes, fautian a depuis sept ans ewi

Elle indique généralement l'introversion, une certaine difficulté à communiquer avec les autres, un manque° de spontanéité. On lutte° contre sa sensibilité, parfois on s'entoure de° mystère ou l'on adopte des attitudes défensives.

L'écriture renversée se rencontre souvent chez les adolescents, à cette époque° de la vie où se développent des tendances à l'insociabilité et à la révolte. Dans la plupart des cas, cet âge critique dépassé,° l'écriture se redresse° et tend à s'incliner à droite.

Les trois zones de l'écriture

En simplifiant beaucoup, on peut dire que nos lettres sont normalement construites en trois parties qui correspondent à la division traditionnelle de l'être humain en esprit°-âme°-corps:

i b g f
zône supérieure
zône médiane
zône inférieure

La zone supérieure est celle de l'intellect, de l'esprit, du sens moral et religieux.
La zone du milieu est celle des émotions, de la sensibilité, de la poésie.°
La zone inférieure est celle du monde physique et matériel, de la vie instinctive.
Si une grande partie de l'écriture occupe une de ces trois zones, ceci indique la prédominance de l'aspect de la personnalité symbolisé par cette zone. Dans l'écriture suivante, par exemple, c'est la zone inférieure qui prédomine, indiquant que le scripteur est assez attaché au monde matériel et aux plaisirs physiques de la vie (la bonne cuisine, le sport, etc.):

Je garde un souvenir - soirée que vous nous a en gris elle fit trop co elle se renouvelle cett

Activités

1. Ce que dit l'extrait: les principes de l'analyse graphologique

L'extrait que vous venez de lire donne certains principes de base de l'analyse pratiquée par les graphologues. Quels sont ces principes?

📖 *Travail individuel → Mise en commun* Relisez attentivement *Qu'est-ce que la graphologie?* et relevez par écrit:

- les cinq espèces d'écriture mentionnées
- les qualités que chaque espèce d'écriture révèle chez le scripteur
- la ou les catégories de personnes chez qui on trouve certaines de ces espèces d'écriture.

Présentez vos notes de la manière indiquée ci-dessous.
Comparez ensuite vos notes avec celles des autres étudiants.

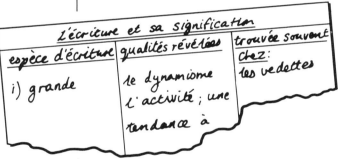

2. Vocabulaire: d'autres aspects de l'écriture

📖 **a** Dans son livre, l'auteur de *Qu'est-ce que la graphologie?* parle de beaucoup d'aspects de l'écriture qui ne sont pas discutés dans l'extrait. A la fin de son livre, il présente sous forme de tableau un résumé de ces autres aspects. Vous trouverez ci-contre une partie de ce tableau: le texte à trous à côté en explique en détail la signification.

Travail individuel → Mise en commun Consultez attentivement le tableau et le texte à trous. Relisez *Qu'est-ce que la graphologie?* et cherchez les expressions nécessaires pour compléter le texte. Recopiez le texte en le complétant: puis soulignez les expressions que vous avez ajoutées. Comparez votre texte complété avec celui des autres étudiants.

LA FORME DE L'ÉCRITURE

Espèce d'écriture	Qualités révélées
Anguleuse 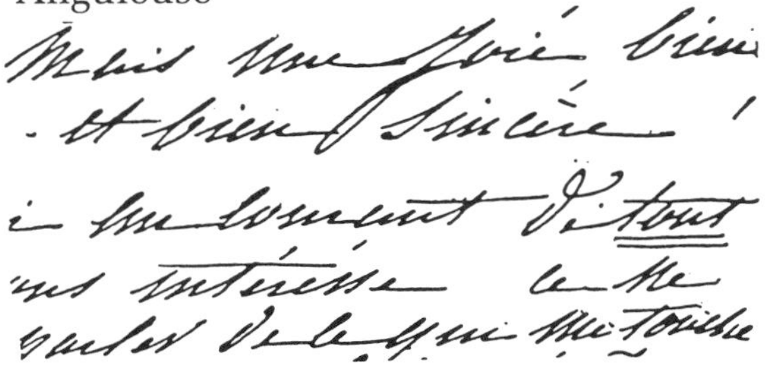	l'énergie, le courage, le sens de la discipline
(handwriting sample)	
Arrondie (ronde) 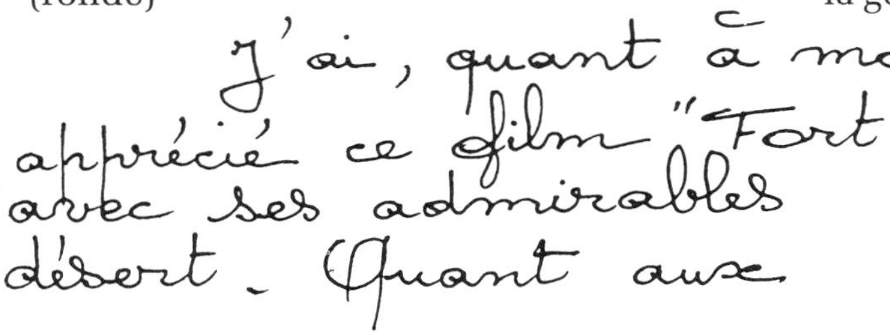	la douceur, la gentillesse
(handwriting sample)	
Claire 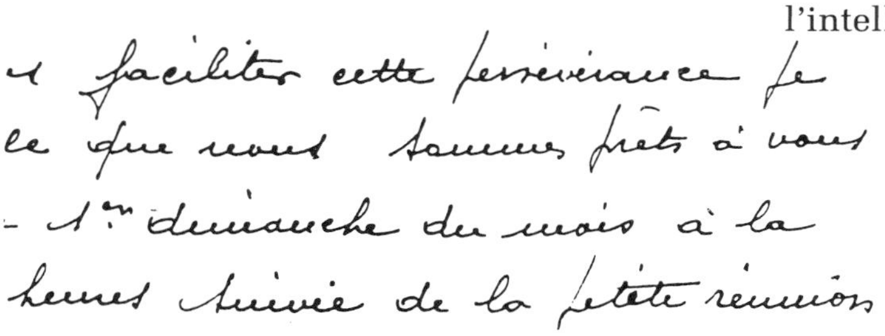	la clarté d'esprit, l'intelligence
(handwriting sample)	
Confuse 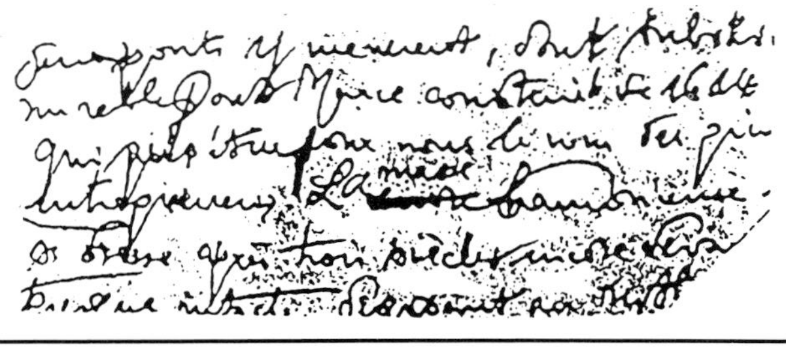	la paresse: un manque d'organisation et de discipline, ou même d'intelligence
(handwriting sample)	

La forme de l'écriture

Une écriture est _____ comme anguleuse _____ ses lettres forment des angles ouverts à droite. Elle _____ généralement l'énergie et le courage.

A l'_____ de l'écriture anguleuse, l'écriture arrondie est _____ qui présente une majorité de traits courbes, même là où les lettres appellent des angles. _____ écriture _____ la douceur et la gentillesse, et on la _____ assez souvent _____ les personnes qui s'occupent des autres, par exemple les infirmières. On _____ qu'une _____ est claire quand elle est harmonieuse et facile à lire. Elle _____ les qualités d'intelligence et de clarté d'esprit. Cette espèce d'écriture _____ assez souvent chez les professeurs de faculté. Par contre, l'écriture confuse montre une _____ à la paresse: elle est désorganisée et peut _____ un _____ d'intelligence, ou tout au moins un manque de discipline.

b *Travail individuel → Travail à deux* Mémorisez d'abord les expressions que vous avez soulignées (*a*). Ensuite, avec un(e) partenaire, complétez oralement le texte à trous *sans regarder votre version complétée.*

3. On se fait graphologue

Vous allez maintenant analyser l'écriture d'un(e) partenaire. Puisque vous êtes camarades de classe, vous allez employer la deuxième personne du singulier (*tu*).
Travail individuel Fournissez d'abord à votre partenaire un exemple de votre écriture (au moins sept lignes).
Examinez ensuite l'écriture que votre partenaire vous a fournie, et notez-en les différentes caractéristiques (*grande ou petite, verticale ou renversée, etc.*) Relisez soigneusement votre tableau et votre texte complétés (1 et 2, p. 20 et ci-dessus). Notez par écrit les noms qui indiquent la signification, selon le graphologue, de ces espèces d'écriture. Ensuite, à l'aide d'un dictionnaire, transformez ces noms en adjectifs.

Exemple (écriture grande):
   le dynamisme → dynamique
   l'extraversion → extroverti

Composez maintenant par écrit l'analyse de l'écriture de votre partenaire. Employez les adjectifs que vous venez de trouver. Considérez-en les aspects suivants:

- la dimension de l'écriture
- sa direction
- sa forme
- les trois zones

Proposez enfin pour votre partenaire un ou deux métiers qui, à votre avis, demandent les qualités personnelles trouvées dans son écriture.

Début possible: (une écriture de garçon)
Ton écriture est grande, et cela indique que tu es dynamique et actif; tu tends à être extroverti . . .

4.   Y a-t-il du vrai dans la graphologie?

L'analyse graphologique peut-elle, en réalité, révéler des aspects de la personnalité?

a *Travail individuel*   Lisez l'analyse que votre partenaire vient de faire de votre écriture (3). Possédez-vous vraiment les qualités qui y sont révélées, selon le graphologue? Notez brièvement par écrit les qualités que votre partenaire a trouvées, et indiquez votre réaction en mettant √ (d'accord) ou × (pas d'accord). En quelques mots, justifiez par écrit votre réaction.

Exemple:
dynamisme   ×   *je crois que je suis plutôt calme et même un peu paresseux (-euse).*

b *Discussion*   A partir de vos notes (*a*), discutez l'analyse de votre écriture avec les autres étudiants. Employez, pour exprimer votre réaction, les expressions suivantes:

si vous êtes d'accord	si vous n'êtes pas d'accord
Il est vrai que je suis . . . (Nom de votre partenaire) a raison quand il/ elle dit que je . . .	*Il est faux que je suis . . .* (Nom) a tort quand il/elle dit que je . . .

A vos marques

1789–1989 On fête la naissance de la France moderne

Quand vous pensez à la France, quels sont les mots ou les noms, les images ou les idées qui vous viennent d'abord à l'esprit? ***Travail individuel → Travail à deux/Discussion*** Réfléchissez pendant quelques minutes à ce que la France évoque pour vous.

Faites une liste des choses auxquelles vous pensez:

La France, pour moi, c'est . . .

Ensuite, parlez-en avec un(e) partenaire. Pour finir, partagez avec le professeur et les autres étudiants ces premières impressions de la France. Donnez les raisons de vos choix.

5 VIVE LA FRANCE!

Activités

1. 24 raisons de se réjouir d'être Français

a Quelle idée vous faites-vous de votre pays? Y a-t-il des choses qui vous semblent typiques de vos compatriotes et de votre culture nationale?
Il y a quelque temps, l'équipe de rédaction de *Marie-Claire* s'est posé ces mêmes questions à propos de la France. Voici, sous forme d'images, quelques résultats de cette petite enquête. Pour les journalistes de ce magazine, ces choses expriment «le bonheur de vivre en France».
Ces images ne sont pas toutes très familières aux étrangers. Savez-vous ce qu'elles représentent?
Exercice oral Dites brièvement au professeur quelles images vous reconnaissez et de quoi il s'agit. Vous pouvez dire, par exemple:

> *Dans l'image numéro (trois)* **il s'agit de** . . .
> *L'image numéro (trois)* **représente** . . .
> *Le numéro (trois)* **a l'air d'un** . . .
> *La (troisième) image* **me fait penser à** . . .

Ⓛ **b** Pour les journalistes qui les ont choisies, quelle est la signification de ces images?

Le professeur vous distribuera, à vous et à un(e) partenaire, des titres qui ont accompagné les images de la France (pp. 24–5) et des explications qui vont ensemble (*Livret*, pp. 11 et 12). Mais vous aurez des titres pour lesquels votre partenaire aura les explications; vous aurez aussi des explications qui correspondent aux titres de votre partenaire.

Travail à deux A tour de rôle, lisez chacune des explications à haute voix. Vous essayerez de deviner l'image qui correspond à chaque explication que lira votre partenaire. Il en fera de même pour vos explications.

Exemple:
> — *3 millions de visiteurs escaladent chaque année (en partie) ses 320 mètres.*
> — *Il s'agit de/C'est la Tour Eiffel.*

Essayez de mémoriser les explications; notez-les par écrit si vous le voulez.

c Qu'avez-vous retenu de ce petit «résumé» de la culture française de tous les jours?

Exercice oral/Discussion
Le professeur vous demandera de lui expliquer ce que représentent certaines des images présentées aux pages 24–5. Quels aspects de la vie française ces objets représentent-ils? Et pourquoi les journalistes les ont-ils choisis à votre avis?

2. Des images de chez vous

a A quelle communauté vous sentez-vous le plus attaché(e)? S'agit-il d'une ville, d'une région, d'un groupe ethnique ou d'une nation?

Travail individuel En dehors de la classe, pensez à trois ou quatre choses – objets, endroits, activités, institutions, personnes, etc. – qui vous semblent typiques de votre culture. Composez par écrit, à propos de chacune de ces choses, une courte explication.

Exemple:
> Le **poisson-frites**: *c'est le plat à emporter traditionnel des Anglais.*

b Ensuite, d'une manière ou d'une autre, apportez en classe chacune des choses que vous aurez choisies, que ce soit une photo, un dessin ou l'objet même. Au besoin, dessinez vous-même l'objet.

Travail à deux → Discussion Montrez ces choses à un(e) partenaire et demandez-lui de vous dire de quoi il s'agit et pourquoi, à son avis, vous les avez choisies. Discutez les questions suivantes:

> Ces objets représentent-ils une seule culture ou plusieurs?
> De quelle(s) culture(s) s'agit-il (ville, région, groupe, nation, etc.)?
> Les choses que vous et votre partenaire avez choisies se ressemblent-elles? Ou sont-elles plutôt très différentes? Pourquoi ces différences?

Pour finir, essayez, avec l'ensemble de la classe, de vous mettre d'accord sur cinq choses qui vous semblent le mieux exprimer le caractère du pays où vous habitez.

Pourquoi ne pas monter une petite exposition, avec des images et des explications (corrigées s'il le faut), intitulée ***«Des images de chez nous»***?

6 SEPT MANIÈRES DE SÉDUIRE

Points de repère

📖 Deux journalistes du magazine *Elle* ont étudié dans sept pays ce qu'est aujourd'hui la séduction.

a Cet extrait de leur article nous donne les résultats de leurs enquêtes sur les Anglaises et les Anglais.
Travail individuel Lisez une première fois l'introduction (*ci-dessous*) et l'extrait (*ci-dessous à droite*); notez par écrit en quelques mots:

- ce que fait l'Anglaise pour séduire l'Anglais
- pourquoi elle le fait
- ce que fait (ou ne fait pas) l'Anglais pour séduire l'Anglaise
- pourquoi il le fait (ou ne le fait pas)

b Pour les étrangers, le «fog» est un cliché qui caractérise l'Angleterre.
Travail individuel → Discussion
Relevez dans le texte d'autres clichés (ou stéréotypes) employés par les journalistes au sujet de l'Angleterre et

des Anglais. Ensuite, comparez votre liste avec celles des autres étudiants. Pour finir, discutez cette question:

- ces clichés correspondent-ils à la réalité?

Justifiez votre réponse en citant des exemples tirés de votre expérience personnelle.

Dans tous les pays du monde, il y a des garçons et des filles qui séduisent.° Pas de la même façon, selon le climat, la latitude ou le mode de vie. Mais la séduction – cet instant de rencontre pris à la légère° ou au tragique – reste le moment privilégié qui précède, soutient° ou accélère la formation d'un couple.

séduire charm, seduce **à la légère** lightly **soutenir** sustain
tempête (f) storm **Tamise** (f) Thames **peau** (f) skin **teint** (m) complexion **couche** (f) **(de fond)** layer (of foundation) **boucler** curl **traiter** treat **laquer** lacquer **chiffre** (m) statistic **témoigner de** bear witness to **consommateur/-trice** consumer **produit** (m) product **se maquiller** (use) make up **détourner** deflect, distract **nouer** tie, knot **terrain** (m) (sports) field **talon** (m) heel **échouer** fail **faute** (f) fault **pièce** (f) **de théâtre** play **gentil(le)** nice **élever** bring up **pantoufle** (f) slipper

LA SÉDUCTION EN ANGLETERRE

Avant la rencontre

Elle Ni le «fog» ni la tempête° sur la Tamise° ne peuvent lui faire oublier qu'elle est née pour séduire. Agatha a la peau° blanche, mais elle sait qu'une lady a un teint° de rose. Sa maman le lui a dit. Elle se beurre donc de crèmes pour se donner des couleurs: une couche de préparation, une couche de fond,° une couche de surface, puis un blush-on pour les joues. Elle colore, boucle,° traite,° laque° ses cheveux. Un nuage de poudre avant de sortir, comme la reine Elizabeth. Les chiffres° témoignent de° son effort: la femme anglaise est la première consommatrice° de produits° de beauté dans le monde. Elle se maquille° beaucoup.
Lui Antony résiste à tout ce qui pourrait le détourner° de son cricket, son club, ses pubs, son «Times». Il a l'air d'un séducteur lorsqu'il noue° une cravate vert pomme pour aller au rendez-vous qu'Agatha lui propose depuis trois mois. C'est une erreur. Il est simplement «correct».

Le premier contact

Elle Sa meilleure chance est de fréquenter le terrain° où il joue chaque semaine au cricket. Un handicap: pour le suivre elle doit porter des mocassins à talons° plats. Si elle échoue° ce sera, croit-elle, sa faute.° «Vous ne séduisez pas, disent les publicités, parce que vous n'employez pas le fond de teint X».
Lui Sa technique, c'est le «wait and see». Le sexe en Angleterre a mauvaise réputation. «No sex please, we're British» n'est pas une bonne pièce de théâtre;° elle a cependant eu un succès énorme à Londres.

Une fois ensemble

Elle Mariée, Agatha vivra dans un gentil° cottage où elle élèvera° ses enfants. Plus tard, à 45 ans, elle recommencera à acheter des produits de beauté.
Lui Antony est, statistiquement, le moins enthousiaste des amants. Marié, il fera la différence entre sa maison et son club: chez lui il peut lire le journal en pantoufles.°

Découverte du texte

1. L'article en détail: *La séduction en Angleterre* revu et corrigé

a Les notes présentées à droite représentent les informations choisies par les journalistes, afin de composer l'extrait *La séduction en Angleterre*. *Exercice oral* Relisez l'extrait avec le professeur; dites-lui, sans les écrire, les détails, mentionnés ou sous-entendus dans le texte, qui correspondent aux notes.

Exemple:
  *Son physique → **Elle a la peau blanche***

b Imaginez que vous écrivez un passage, du même genre que le texte sur les Anglais et les Anglaises. *Travail individuel* Complétez la deuxième colonne des notes à droite (*Vos idées*). Choisissez des informations qui vous semblent typiques de la femme et de l'homme d'aujourd'hui.

2. Vocabulaire: des définitions. Genre des noms

a Pour pouvoir dire ce qu'on veut, il est évidemment essentiel d'apprendre du vocabulaire, c'est-à-dire des noms, des verbes, des adjectifs, etc. Il faut d'abord connaître ou bien chercher, dans un dictionnaire, par exemple, la signification des mots qu'on apprend. Mais, dans le cas des noms, il est tout aussi important de noter leur **genre**.
Les définitions (1–15) données à droite correspondent à des noms qui figurent dans le texte *La séduction en Angleterre*. *Travail individuel* Dans les deux cadres (**un/une**? **le/la**?) trouvez les mots qui correspondent à chaque définition et notez-les. Devant chaque nom, écrivez l'article (indéfini ou défini) qui convient.

Exemple: 1. *une façon* 2. . . .

Pour finir, vérifiez vos solutions avec le professeur ou à l'aide d'un dictionnaire.

b *Travail individuel/Exercice oral* Relisez les mots et mémorisez les définitions correspondantes (*a*). Ensuite, le professeur vous demandera (d'essayer) de définir chaque nom oralement, **de mémoire**, sans regarder le livre.

LES ANGLAISES ET LES ANGLAIS

L'ANGLAISE
Son prénom (typiquement anglais?)
Son physique
Son image idéale de la femme
L'origine de cette image
Ce que fait l'Anglaise, en réalité, pour séduire
«Preuve» statistique

Premier contact
Endroit fréquenté
Pourquoi?
Conséquences, chances de succès

Le couple
La vie de la femme mariée
Ce qu'elle fait pour la faire durer

L'ANGLAIS
Son prénom
Ce qui l'intéresse
Son aspect physique (habillement)
(explication de l'auteur)

Premier contact
Son attitude envers les femmes
(explication)

Le couple
Ce que désire l'homme

VOS IDÉES
Agatha → Sharon?
Elle a le teint...
Elle croit que...

---

1 une manière (d'agir, etc.)
2 un homme et une femme réunis
3 l'enveloppe extérieure du corps
4 de la vapeur d'eau en suspension dans l'atmosphère
5 caractère(s) qui représente(nt) un nombre.
6 la qualité d'une personne qui est belle
7 un aspect extérieur, une apparence
8 le fait de tenir pour vrai ce qui est faux (ou inversement)
9 une probabilité ou une possibilité (de faire quelque chose)
10 la responsabilité d'une action (coupable)
11 les moyens employés pour faire connaître des produits
12 des procédés employés pour obtenir un résultat
13 l'opinion que le public a d'une personne
14 un résultat heureux, obtenu dans une entreprise, etc.
15 ce qui distingue une chose d'une autre

UN/UNE?
(article indéfini)

nuage, différence, succès technique, chiffre, couple, chance, erreur, air, façon

LE/LA?
(article défini)

réputation, peau, publicité, faute, beauté

● A COMPLÉTER, A NOTER ET A MÉMORISER ●

📖 **a** Vous avez déjà complété des expressions et des structures verbales (pp. 9 et 15).
Travail individuel → Travail à deux   Trouvez, dans l'introduction et dans le texte, *La séduction en Angleterre*, les mots qui complètent ces expressions et constructions. Notez les formules complétées et mémorisez-les.
Pour finir, complétez-les oralement, de mémoire, avec un(e) partenaire. Ne regardez pas vos notes.

Expressions et structures
__ la même façon (cp. *cette façon*)
prendre __ __ légère (cp. *au sérieux*)
selle est née ____ séduire
de la poudre avant __ sortir
il __ __' d'un séducteur
elle propose un rendez-vous ____ 3 mois
sa ____ chance est __ fréquenter le terrain (on ne dit pas *plus + bon(ne)*)
des mocassins __ talon plat
on joue la pièce __ Londres, __ Angleterre
__ (l'âge de) 45 ans

Constructions verbales
cela témoigne __ son effort
il résiste __ tout
elle __ propose un rendezvous
elle doit ____ des mocassins
elle (re)commence __ les acheter
il peut ____ le journal

📖 **b** Il est très utile d'apprendre comment, dans des cas difficiles, les mots (noms ou adjectifs) changent du masculin au féminin ou du singulier au pluriel.
Il est utile également d'apprendre les noms qui correspondent à certains verbes et, inversement, les verbes correspondants à des noms. (Pour ce travail, vous aurez besoin d'un dictionnaire. Toutes ces formes ne se trouvent pas dans le texte.)
Travail individuel → Exercice oral   Trouvez les formes indiquées ci-dessous, notez et mémorisez-les. Pour finir, le professeur vous demandera de lui donner ces formes sans regarder vos notes.

Formes
tout → (m pl)
ce moment → __ instant
blanc → f
cheveux (m pl) → s
premier → (f)
consommatrice (f) → m
séducteur (m) → f
bon → f
gentil → f
journal (m) → pl

Noms et verbes
séduction (f) → des filles qui _____
vie (f) → elle va ____ différemment
soutenir → le _____ d'un couple
naître → depuis sa _____
résister → sa _____ à leurs propositions
échouer → l'____ (m) de ses efforts
employer → l'____ (m) de ce produit

Exercices

1. Le présent

▶ Vous avez déjà révisé la **deuxième personne** (*tu* et *vous*) et la **première personne** (*je* et *nous*) du **présent** des verbes. Ces formes vont souvent ensemble dans la conversation. Dans la description des personnes et des choses, on emploie souvent la **troisième personne** du **singulier** (*il/elle*) et du **pluriel** (*ils/elles*). Pour maîtriser le présent, il faut savoir passer sans difficulté du *singulier* au *pluriel* et du pluriel au singulier. Connaissez-vous parfaitement ces formes (*Résumé grammatical* 34, p. 158 et *Tableau de verbes*, pp. 184–7)? ◀

📖 **a** Cet exercice vous permettra de vérifier la troisième personne du présent d'une vingtaine de verbes.
Travail individuel   Rédigez d'abord une liste des infinitifs imprimés en italique dans le tableau *De qui s'agit-il?* (à droite).
Ensuite, **sans consulter** le *Tableau de verbes*, inscrivez à côté de chaque infinitif les deux formes de la troisième personne (*il/elle* et *ils/elles*) du **présent**. Pour finir, vérifiez-les avec le professeur. Corrigez-les, s'il le faut, et mémorisez-les. (Lesquelles de ces formes se prononcent de la même façon au singulier et au pluriel?)

DE QUI S'AGIT-IL?

Il/Elle a la réputation de . . .
Ils/Elles ont la réputation de . . .

1 . . . *s'intéresser* à/*se désintéresser* de ce qui se passe
2 . . . *prendre* le travail au sérieux/à la légère
3 . . . *connaître* la France/l'étranger
4 . . . *rire* peu/beaucoup
5 . . . *recevoir* souvent des éloges/des critiques
6 . . . *dire* la vérité/des mensonges
7 . . . *paraître* toujours calme(s)/énervé(s), etc.
8 . . . *finir* les exercices le/la premier(-ière)/dernier(-ière), etc.
9 . . . *sortir* tous les soirs/rarement, etc.
10 . . . *craindre* les critiques/les mauvaises notes
11 . . . *se croire* intelligent(e)/beau (belle), etc.
12 . . . *lire* des romans policiers/de science-fiction/d'amour
13 . . . *faire* beaucoup de sport/de musique, etc.
14 . . . *savoir* faire bonne impression/éviter les difficultés, etc.
15 . . . *comprendre* facilement/difficilement les explications
16 . . . *aller* trop souvent dans les discothèques/au café, etc.
17 . . . *avoir* du charme/de l'impudence, etc.
18 . . . *venir* toujours au lycée de bonne heure/en retard
19 . . . *être* amusant(e)/embêtant(e), etc.
20 . . . *choisir* des couleurs très sombres/vives

Infinitif	Singulier	Pluriel
S'intéresser	il/elle s'intéresse	
prendre		

b Vous allez maintenant (à l'aide du tableau *De qui s'agit-il?* (p. 29) si vous le voulez) employer ces mêmes verbes pour décrire des personnes que vous connaissez (étudiants, amis, professeurs, ou autres).

Travail à deux → Mise en commun Avec un(e) partenaire, composez oralement des phrases décrivant des groupes ou des individus. Employez tour à tour le **singulier** et le **pluriel** des verbes du tableau. Dans les phrases proposées par votre partenaire, essayez de deviner de qui il s'agit. Vous pouvez demander des précisions.

Exemple:
– *Elles prennent leur travail au sérieux et elles comprennent ce que dit le professeur.*
– *Ce sont des camarades de classe?*
– *Oui.*
– *Il s'agit d'Alice et Julie?*
– *C'est ça.*

Pour finir, le professeur vous demandera de lui communiquer quelques-unes de vos phrases. Les autres étudiants essaieront de deviner l'identité des personnes en question.

c A vous maintenant de vérifier la troisième personne du présent d'autres verbes qui s'emploient fréquemment.
Travail individuel En dehors de la classe, révisez *il/elle* et *ils/elles* du **présent** de tous les verbes présentés dans le *Tableau de verbes* (pp. 184–7). (De retour en classe, le professeur voudra sans doute tester ce que vous aurez appris!)

2. La comparaison. Demander/exprimer une opinion (Les noms et adjectifs de nationalité)

▶ Les **adjectifs de nationalité** – français, anglais, marocain, etc. – s'écrivent avec une **majuscule** seulement lorsqu'on les emploie comme **substantif** pour indiquer l'**habitant** d'un pays:

C'est un chanteur français.
Cette **M**arocaine (= femme marocaine) est sa femme.
Ils parlent tous les deux anglais. ◀

Comment sont-ils?

obstiné – docile	poli – impoli
résolu – indécis	hypocrite – sincère
passionné – imperturbable	modeste – vaniteux(-euse)
malin(-igne) – naïf(-ïve)	embêtant – charmant
gai – mélancolique	travailleur(-euse) – paresseux(-euse)
méfiant – confiant	calme – plein d'entrain
bavard – taciturne	léger(-ère) – sérieux(-euse)
froid – amical	élégant – mal habillé
timide – ouvert	individualiste – conformiste
prudent – imprudent	gentil(-ille) – désagréable
fier (fière) – modeste	extraverti – introverti

---

a Comme vous l'avez sans doute déjà remarqué, nos idées sur les gens d'autres nationalités sont souvent basées sur des clichés ou sur des préjugés. Avez-vous des idées toutes faites sur les gens de certaines nationalités?
Le tableau *Comment sont-ils?* donne des adjectifs qui servent à décrire des personnes. Chaque adjectif est présenté à côté d'un autre qui a un sens opposé.

Exemple:
méfiant (*qui se méfie de tout le monde*)
confiant (*qui fait confiance à tout le monde*)

Travail individuel/Travail à deux
Pour chacune des nationalités suivantes, choisissez (dans la liste présentée ci-dessus si vous le voulez) deux ou trois adjectifs qui, à votre avis, décrivent le mieux les habitants de ce pays:

les Norvégiens, les Italiens, les Français, les Espagnols, les Allemands, les Américains, les Anglais.

Ensuite, communiquez à votre partenaire les adjectifs que vous aurez choisis. Il/Elle essaiera de deviner de quelles nationalités il s'agit.

Exemple:
– *Ils sont calmes et taciturnes*
– *Il s'agit des Anglais?*

(Des Anglais stéréotypés sans doute. Pour certains étrangers, les Anglais sont ou bien froids («phlegmatiques») ou bien des «hooligans».)

▶ Lorsqu'on fait une **comparaison**, on emploie des formules telles que:

Les Anglais sont **plus** taciturnes **que** les Italiens.
Ils sont **moins** bavards **que** les Italiens.
Les Italiens ne sont pas (aus)si calmes **que** les Anglais.

Pour **demander** à quelqu'un son **opinion** sur quelqu'un d'autre, on peut dire:

Qu'est-ce que tu penses de . . . ?
Comment trouves-tu . . . ?

Pour exprimer une opinion, on peut dire:

A mon avis, . . .
Je trouve/Je pense que . . .
J'ai l'impression que . . . ◀

b Souvent, décrire c'est faire une comparaison.
Exercice oral/Travail individuel
Le professeur vous demandera maintenant de faire des **comparaisons** entre des personnes de différentes nationalités. N'oubliez pas d'employer **plus**, **moins** et **(aus)si . . . que**:

Exemple:
– *Qu'est-ce que tu penses des Italiens?*
– *Ils sont **plus** confiants **que** les Français.*
– *C'est-à-dire?*
– *C'est-à-dire qu'ils sont **moins** méfiants.*

Le professeur pourra aussi vous demander de comparer d'autres groupes ou individus: les vieux et les jeunes, les filles et les garçons, des écoles, des équipes, des vedettes de chanson, des hommes ou des femmes politiques, etc.

Pour finir, composez par écrit cinq phrases où vous comparerez des personnes de votre choix. Employez au moins une fois **plus**, **moins** et **(aus)si . . . que**.

3. Adjectifs/Décrire quelqu'un (L'intonation déclarative)

▶ Lorsqu'on **décrit** quelqu'un, on emploie souvent beaucoup d'**adjectifs**. N'oubliez cependant pas que l'adjectif doit presque toujours **s'accorder** avec le nom qu'il décrit.
Notez ces expressions qui servent à décrire les personnes:

> Il **a les cheveux noirs**
> **Ses cheveux** sont **noirs**
> C'est un garçon **aux cheveux noirs**.

Remarquez aussi que certains adjectifs, qui sont à l'origine des noms, sont **invariables**, par exemple: des yeux *noisette* ou *marron*. Les **adjectifs composés** comme *vert pomme, châtain foncé, (bleu) marine, gris clair*, sont invariables aussi. ◀

⊡ **a** Vous entendrez sur la bande deux jeunes Françaises qui décrivent une personne de leur connaissance, l'une française, l'autre anglaise.
Travail individuel → Mise en commun Le professeur passera d'abord la bande en l'arrêtant trois ou quatre fois au cours de chaque «portrait». Notez chaque fois tous les détails que vous aurez retenus.

Exemple:
> *grand . . . cheveux noirs . . . il change de couleur . . .*

Ensuite, le professeur vous demandera de lui dire ce que vous aurez compris à la première écoute. Il vous demandera aussi de deviner laquelle de ces personnes est anglaise et laquelle française.

Ⓛ **b** Dans la transcription (*Livret*, pp. 13 et 14) de ces portraits, presque tous les **adjectifs** ont été supprimés.
Travail individuel → Mise en commun Ecoutez encore une fois l'enregistrement et complétez la transcription. Arrêtez la bande quand vous le voudrez.
Comparez ensuite votre version avec celle des autres étudiants.

c A vous maintenant de parler des deux personnes, Frank et Susanna, dont vous avez entendu la description sur la bande.
Travail individuel/Exercice oral A l'aide de la transcription, faites, pour Frank et Susanna, deux fiches comme celles présentées ci-dessous (nous avons ajouté trois détails qui ne sont pas mentionnés par les jeunes Françaises).

FRANK

Nationalité:

Taille:

Cheveux:

Yeux: marron

Traits: visage régulier

Teint:

Vêtements préférés:

Couleur préférée:

SUSANNA

Nationalité:

Taille:

Cheveux:

Yeux:

Traits:

Teint: clair

Vêtements préférés:

Couleur préférée:

Ensuite, en vous référant à vos fiches complétées, décrivez Frank et Susanna au professeur. Employez des expressions comme celles données ci-dessus en les variant le plus possible.

Exemple:
> *Frank est un jeune Français **au teint pâle**. **Ses cheveux** . . . (etc.)*

Notez qu'on dit «Il est grand», mais «C'est un jeune homme **de haute taille**».

▶ En décrivant Frank et Susanna, les deux jeunes Françaises emploient constamment l'**intonation** normale, la «musique» de la phrase déclarative. Dans une phrase normale, la voix **monte** à la fin de chaque groupe de mots et elle **descend** quand elle arrive à la fin d'une phrase. (En réalité, la voix descend assez rarement parce qu'on a tendance, en parlant, à prolonger ses phrases.) ◀

d Vous allez maintenant employer cette **intonation déclarative** en parlant de Frank et de Susanna.
Travail individuel → Exercice oral Reprenez la transcription que vous avez complétée (*b*), puis écoutez encore une fois la première partie de la description de **Frank** à partir du début «il est grand» jusqu'a «parce qu'il aime ça».
Ensuite, repassez la bande en l'arrêtant à la fin de chaque groupe de mots. Marquez avec une ligne (‿) sur votre transcription les mots où la voix monte.

Exemples:
> *il est grand*
>
> *relativement grand*

Le professeur vous demandera de lui dire les mots que vous aurez marqués. Pour finir, le professeur vous fera lire tour à tour la phrase de gauche, ci-dessous (**Frank**), en faisant très attention à l'intonation indiquée:

Frank   il est grand

il a les cheveux noirs

les yeux marron

et le teint pâle.

Susanna   elle est . . .

elle a les cheveux . . .

les yeux . . .

et le teint clair.

Consultez maintenant la fiche que vous avez complétée pour **Susanna**. Le professeur vous demandera, à tour de rôle, de lire la deuxième phrase, ci-dessous, en la complétant. N'oubliez pas de respecter l'intonation indiquée.

4. Celui/celle/ceux/celles de ...

► Selon l'extrait *La séduction en Angleterre*, **la tactique de** l'Anglaise est de se maquiller beaucoup. **Celle de** l'Anglais est de ne rien faire! On emploie ainsi **celui, celle, ceux, celles (de)** pour éviter d'employer deux fois le même **substantif + de**. ◄

Exercice oral → Travail individuel En vous référant aux extraits présentés ci-contre et au texte (p. 27), répondez aux questions suivantes. Dans chaque réponse, employez **celui, celle, ceux** ou **celles de** ...

Exemple:
Quel est, selon les journalistes, le plus grand souci de la femme espagnole et de la Norvégienne?
***Celui de** l'Espagnole est de ne pas trop bronzer et **celui de** la Norvégienne est de ressembler à la femme typique de son pays.*

1 Quel est, selon les journalistes, le plus grand souci de la femme espagnole, de la Norvégienne et de l'Allemande?
2 Quelle est, selon l'extrait, la boisson préférée des Norvégiens et des Allemands?
3 Quel est l'objet de rêve du Norvégien et de l'Allemand?
4 Quel est le don le plus évident de l'Italien et de l'Espagnol en matière de séduction?
5 Quels sont les produits de beauté préférés de l'Américaine et de l'Anglaise?
6 Quelles sont (selon lui) les qualités de l'Américain et du Norvégien (toujours selon lui)?
7 Quels sont les vêtements préférés des deux personnes à côté de vous/le plus près de vous?
8 Qui sont les idoles (f), en ce qui concerne le sexe opposé, de ces mêmes personnes?

(Le professeur vous donnera deux ou trois minutes pour parler de ces deux dernières questions.)

📖 Pour finir, répondez par écrit à ces questions.

5. La négation (ne ... pas, ne ... plus, ne ... jamais, ne ... rien, ne ... personne, ne ... ni ... ni)

► «Vous **ne** le séduisez **pas** parce que vous **n**'employez **pas** le fond de teint X», disent (selon le texte) les publicités. Vous savez sans doute que dans les expressions de *négation*, **ne** se place normalement avant le verbe et l'autre élément (**pas, plus, jamais, rien, personne, ni ... ni,** etc.) après le verbe:

Elle **ne** sort **jamais** sans se maquiller. ◄

a Dans l'extrait *La séduction en Angleterre*, les journalistes ont sans doute voulu décrire une Anglaise et un Anglais typiques. Mais certaines de leurs idées ne sont-elles pas, à votre avis, fausses? (Après votre lecture de ce texte vous avez proposé (*Découverte*, 1) d'autres idées sur les Anglais et les Anglaises.)
Travail individuel → Exercice oral Relisez le texte en cherchant des déclarations qui ne vous semblent pas correctes. Ensuite, le professeur vous demandera de composer oralement des phrases négatives pour «corriger» ce que disent les journalistes. Variez les négatifs que vous emploierez.

Exemples:
*Les jeunes Anglaises d'aujourd'hui n'essaient **pas**/n'essaient **plus** de ressembler à des «ladies».*

► **Rien n'**est pire pour Ingrid que de ne pas être la Norvégienne-type. Elle espère que **personne ne** la prendra pour autre chose.

N'oubliez pas que lorsque *rien* et *personne* précèdent le verbe, le mot *ne* se place **entre** *rien*/*personne* et le verbe. ◄

b Les extraits présentés ci-contre sont tirés du même article que le texte *La séduction en Angleterre*.
Exercice oral/Travail individuel
Relisez soigneusement ces extraits en gardant sous les yeux les questions qui suivent. Ensuite, le professeur vous demandera de répondre oralement aux questions en **variant le négatif** que vous emploierez. N'oubliez pas la place du pronom (*le, la, les*, etc.) **avant** l'infinitif.

Exemple:
Est-ce que Mercedès veut être très bronzée?
*Non, elle **ne** veut **pas** l'être.*

1 Est-ce que Mercedès veut être très bronzée?
2 Que fait Paco pour montrer à Mercedès qu'elle l'intéresse?
3 Que fait Ingrid pour devenir la femme dont rêve Sven?
4 Qui est-ce que Sven trouve en Norvège pour réaliser son rêve?
5 Qu'est-ce qui empêche Greta de séduire son homme?
6 Qui, en dehors de l'Allemagne, trouve Wolfgang amusant?
7 Dans le monde entier, qui est peut-être plus élégant que Luisa?
8 Luisa hésite-t-elle à accepter l'invitation de Gino?
9 Quand est-ce que Pamela se comporte passivement envers «son» homme?
10 Qui est, selon Rick, plus intelligent que lui?

Et, dans le texte *La séduction en Angleterre* (p. 27):

11 Agatha a-t-elle en réalité un teint de rose et une peau de satin?
12 A votre avis, l'Anglais typique, essaie-t-il toujours (comme autrefois) de faire le «gentleman»?

📖 Pour finir, rédigez par écrit vos réponses à ces questions. Employez chaque fois un **négatif**.

Révision

Dernier rappel! Le présent (je/ nous/vous)
Commencez votre révision du présent en apprenant les formes *je/nous/vous* de tous les verbes présentés dans le *Tableau de verbes*, pp. 184–7. Recopiez ces formes, apprenez-les très attentivement et faites-vous tester par un(e) camarade de classe. Faites très attention aux verbes comme *mener, jeter, appeler* et aux verbes qui se terminent en *-yer* ou *-ger* (voir le *Résumé grammatical*, 34, p. 158).

Révisez aussi:
— la formation du participe présent (*Exercices* 3, p. 17)
— pays, langues, nationalités (*Révision* 5, p. 190).

D'AUTRES MANIÈRES DE SÉDUIRE

En Espagne

Elle Mercedès a peur d'être trop bronzée. Elle achète toutes les crèmes qui peuvent lui éviter d'avoir un teint de campagnarde. Pour ressembler à ces filles du Nord qui descendent chaque été, elle se décolore les cheveux, les fait friser à l'anglaise.
Lui Paco se tient droit et ne se retourne jamais sur une femme. Il se contente de redresser le menton et de montrer avec les yeux une irrésistible indifférence, une fierté qui captive toutes les femmes.

En Norvège

Elle La base de la garde-robe d'Ingrid: un gros pullover et un bonnet de laine. Rien n'est pire pour elle que de ne pas être la Norvégienne type, la femme du Nord que voit le monde entier: grande, blonde, naturelle.
Lui Le sac à dos est là, en permanence, pour montrer que Sven se considère comme sportif, écologiste, qu'il a de l'indépendance et une bonne santé. Il rêve pourtant d'une belle créature des tropiques. Souvent, il noie sa nostalgie d'aventure dans l'aquavit, l'alcool blanc qui rend (parfois) romantique.

En Allemagne

Elle Greta ne drague pas. Elle est irrésistible, elle domine malgré elle. Elle n'a qu'un seul problème: ne pas trop grossir. Elle pratique donc de la gymnastique, ce qui fait d'elle une des femmes les plus musclées d'Europe.
Lui Wolfgang est un romantique qui rêve d'un être trouble et inaccessible. Mais, lorsque les femmes le ramènent à la réalité, il parvient à séduire entre cinq ou six verres de bière. Les femmes de son pays le trouvent amusant; elles sont les seules.

En Italie

Elle Luisa est peut-être la femme la plus élégante du monde et une des plus belles. Mais elle fait des efforts secrets: elle achète beaucoup de produits de beauté et encore plus d'accessoires, chaussures, ceintures, écharpes, bijoux.
Lui Gino est un séducteur doué. Il adore les femmes, mais son admiration est teintée d'inquiétude. Va-t-il plaire? Sur une terrasse de café il offre à Luisa une limonade avec du citron qu'elle accepte sans hésiter. Et il commence à parler. Séduite par sa parole et ses gestes, elle prend rendez-vous pour dîner avec lui.

En Amérique

Elle Pamela sait que c'est à elle de tout faire. La séduction c'est la guerre. Et pour vaincre, quoi de mieux que des recettes de superstar d'Hollywood? Elle se «déodore» partout, aime les odeurs artificielles. Elle évalue combien il gagne, de quelle université il sort.
Lui Rick est sûr d'être le plus fort, le plus intelligent, le plus beau. Il a cependant le goût des lotions, des «after shave», shampooings (déodorants ou colorants). Avant de sortir, il pensera à ne pas oublier sa carte de crédit.

Activités

1. Portrait d'un ami/d'une amie. (L'intonation déclarative).

a C'est à vous maintenant de décrire une personne de votre connaissance. *Travail individuel/à deux* Composez d'abord individuellement, comme dans l'*Exercice* 3 (p. 31), une fiche qui décrit un ami ou une amie que votre partenaire et vous connaissez tous les deux. Décrivez ensuite cette personne à votre partenaire qui essaiera de deviner de qui il s'agit. N'oubliez pas d'employer une variété d'expressions **descriptives** (voir *Exercices*, 3).

Vocabulaire utile:
De qui s'agit-il? *Il s'agit de* . . .
Cheveux: *blonds, châtains, roux, ondulés, frisés, raides, en brosse*
Yeux: *noisette, marron (invar.), bleu clair (invar.), gris foncé (invar.)*
Traits: *visage régulier, tête ronde, joues creuses, nez rétroussé*
Teint: *pâle, bronzé, frais, clair, avec des taches de rousseur.*

b Vous avez déjà étudié (*Exercices*, 3) la «musique» de la phrase déclarative. *Exercice oral* Le professeur vous demandera de lui rappeler cette **intonation** en parlant de Frank et de Susanna:

Frank il est grand

il a les cheveux noirs

les yeux marron

le teint pâle

et il aime les vêtements noirs.

Susanna elle est très grande

elle a les cheveux châtain foncé

raides et assez longs

elle a le teint clair

et elle porte des vêtements

classiques.

Cachez maintenant les phrases présentées ci-dessus et, **de mémoire**, décrivez Frank et Susanna au professeur. Ensuite il/elle vous demandera de décrire la personne dont vous venez de parler avec votre partenaire (*a*). N'oubliez pas d'employer **l'intonation declarative**:

Votre ami(e):

il/elle est . . .

il/elle a les cheveux . . .   etc.

c Quand on parle, on ne s'exprime pas de la même façon que lorsqu'on écrit. Si les jeunes Françaises que vous avez écoutées (*Exercices*, 3) avaient composé un **portrait écrit** elles se seraient exprimées différemment, plus économiquement, avec moins de répétition, etc. *Exercice oral → Travail individuel* A l'aide des fiches que vous avez complétées (3, p. 31) composez au tableau, avec le professeur, une version **écrite** d'un des portraits que vous avez déjà écoutés (Frank ou Susanna). Ensuite, composez individuellement un **portrait écrit** du/de la camarade dont vous avez parlé (*a*). Employez une variété d'expressions descriptives (voir *Exercices*, 3).

Début possible (Frank):
Ce jeune Français est relativement grand. En ce moment il a les cheveux noirs et courts mais en fait il change . . .

2. La séduction en Angleterre

Vous avez déjà inventé (*Découverte 1*, p. 28) des détails sur la séduction en Angleterre qui vous semblent typiques de la femme et de l'homme d'aujourd'hui. *Travail individuel* A partir de ces notes, rédigez une autre version de l'extrait qui, pour vous, correspondra plus exactement à la réalité. N'hésitez pas à ajouter d'autres détails. Vous n'avez pas besoin d'être tout à fait sérieux(-euse)!

3. La séduction à la française

Nous n'avons pas reproduit l'extrait des journalistes sur leurs compatriotes, les Françaises et les Français (un peu mieux informé peut-être?). *Travail individuel* Lisez d'abord les notes que nous présentons ci-dessous. Ensuite, essayez de reconstituer l'extrait sur le comportement des Françaises et des Français en ce qui concerne la séduction. (Relisez une dernière fois l'extrait *La séduction en Angleterre* (p. 27) et relevez des expressions qui vous seront utiles pour reconstituer l'extrait *La séduction à la française*.)

LES FRANÇAIS ET LES FRANÇAISES

La Française
Son prénom — *Julie*
Son aspect physique — *discrétion (ombre à paupières pas trop éclatante, parfum pas trop agressif, etc.)*

Son image idéale de la femme — *ensorcelante, romantique, voluptueuse, etc.*
L'origine de cette image — *publicités pour parfums, robes, maillots de bain, etc.*

Ce que fait la femme pour séduire — *hésitation, timidité (jean ou costume? jupe longue ou courte?) faible consommatrice de savons et déodorants utilise peu la salle de bains*

«Preuve» statistique
Premier contact
Endroit fréquenté — *restaurant*
Pourquoi? — *possibilité pour l'homme de montrer son «savoir-vivre»*

Conséquences? — *s'il s'impose → un «macho» aux yeux de la femme s'il s'efface → ennuyeux à ses yeux*

Le couple
La vie de la femme mariée — *déception, ennui, reproches de la femme, à qui la faute? à lui!*

Le Français
Son prénom — *Antoine*
Ce qui l'intéresse — *la conversation se montrer brillant, passionnant*

Son aspect physique — *un peu de ventre, il n'a plus beaucoup de cheveux*

Premier contact
Son attitude envers les femmes — *il a tant de charme*
Explication — *sait flatter la femme*
Le couple
Ce que désire l'homme — *silence, évasion → d'autres (jeunes) femmes, «minettes» → weekends à la campagne («voyages d'affaires» dit-il!)*

7 GENTIL PAYS DE LA MÉFIANCE

Points de repère

 Le texte qui suit, tiré des *Carnets du major Thompson* de Pierre Daninos, décrit de façon humoristique le caractère national français tel que le voit un «gentleman» anglais.

Travail individuel → Mise en commun

Lisez une première fois l'extrait, puis notez par écrit la **phrase** qui vous semble le mieux résumer le sens du texte.

Ensuite, lisez attentivement les questions ci-dessous qui auraient pu être posées par l'auteur (français) au narrateur (anglais).

(**Attention!** A l'exception de la première et de la dernière question, elles ne suivent pas l'ordre du texte.) Trouvez dans le texte, sans les écrire, des réponses aux questions ci-dessous:

I Comment, à votre avis, les Français se voient-ils?

2 Par qui le Français se sent-il persécuté?

3 Qui est-ce qui représente pour vous les deux traits de caractère nationaux, de vainqueur et de persécuté?

4 Pouvez-vous me donner un mot qui résume l'identité des persécuteurs?

5 Quelles sont les situations où se trouve typiquement la nation française?

6 Pouvez-vous me fournir un exemple concret qui illustre l'attitude du Français?

7 Comment les Français voient-ils les habitants d'autres pays?

8 Quel mot résume l'attitude du Français?

9 A quels moments de sa vie le Français est-il méfiant?

10 Comment les Français sont-ils donc?

Pour finir, le professeur vous demandera de lui dire les réponses à ces questions. Essayez en même temps de les remettre dans l'ordre du texte; vous en ferez ainsi un résumé des idées principales.

GENTIL PAYS DE LA MÉFIANCE...

Les Français sont persuadés que leur pays ne veut de mal° à personne. Les Anglais sont méprisants;° les Américains dominateurs; les Allemands sadiques;° les Italiens insaisissables;° les Russes impénétrables; les Suisses suisses. Eux, Français, sont gentils.

Il y a deux situations pour la France: dominer le monde par son rayonnement° ou bien être envahie,° vaincue.° Le premier état est son côté Napoléon, le second son côté Jeanne d'Arc.

Persécuté par ses ennemis qui lui font la guerre,° par ses alliés qui font la paix° sur son dos,° par le monde entier qui lui prend ses inventions, le Français se sent également° persécuté par les Français: par le gouvernement qui se paie sa tête,° par le fisc° qui lui fait payer trop d'impôts,° par son patron° qui paie bon marché° ses services, par les commerçants° qui font fortune à ses dépens,° par le voisin qui dit du mal de lui, bref° par *anybody* . . . Un mot très bref de son vocabulaire m'a livré° la secrète identité des persécuteurs: c'est «*ils*». Et «*ils*» c'est tout le monde. Environné° d'ennemis, le Français est toujours sur ses gardes. Il est méfiant.°

Il naît méfiant, grandit° méfiant, se marie méfiant, fait carrière° dans la méfiance et meurt méfiant. De quoi se méfie le Français? De tout.

Dès qu'il s'assied dans un restaurant, lui qui vit° dans le pays où l'on mange les meilleures choses du monde, M. Taupin commence par se méfier de ce qu'on va lui servir.

Des huîtres,° oui.

«Mais, dit-il au maître d'hôtel, sont-elles vraiment bien? Vous me les garantissez?°»

M. Taupin se méfie même de l'eau: il demande de l'eau fraîche. Il veut du pain frais, du vin qui ne soit pas frelaté.°

Good Lord! Que serait-ce dans un pays comme le mien où se mettre à table peut être une si horrible aventure!

Ayant ainsi fait un bon (petit) repas, M. Taupin refait mentalement l'addition. S'il ne trouve pas d'erreur, il semble déçu.° S'il en déniche° une, il est furieux.

Il est ainsi des millions de Français qui se méfient des additions, des huîtres, de leurs ennemis, de leurs amis, et, secrètement, d'eux-mêmes.

vouloir du mal wish harm **méprisant** contemptuous **sadique** sadistic **insaisissable** slippery **rayonnement** (m) influence **envahir** invade **vaincre** conquer **guerre** (f) war **paix** (f) peace **sur le dos (de)** to the disadvantage (of) **également** equally **se payer la tête de** take for a ride **fisc** (m) Inland Revenue **impôt** (m) tax **patron** (m) boss **bon marché** cheap(ly) **commerçant** (m) shopkeeper **aux dépens de** at the expense of **bref** (in) short **livrer** deliver up **environner** surround **méfiant** suspicious, mistrustful **grandir** grow up **carrière** (f) career **vivre** live **huître** (f) oyster **garantir** vouch for **frelaté** adulterated **déçu** disappointed **dénicher** unearth

Activités

1. Le texte en résumé. Vocabulaire

📖 **a** Les questions que vous avez remises en ordre (*Points de repère*) portent sur les points essentiels du texte. Répondre à ces questions c'est donc une manière de **résumer** le texte. *Travail individuel* Complétez mentalement les phrases qui suivent en choisissant, dans le cadre, les mots et expressions qui manquent. Recopiez ces mots et expressions dans l'ordre des phrases (**1** *estiment qu'*, **2** . . . *etc.*)

il s'agit d(e) . . . par exemple . . . en conclusion . . . estiment qu(e) . . . se sent . . . selon . . . je dirais même qu(e) . . . surtout . . . considèrent qu(e) . . . représentés . . .

1 Les Français _____ ils sont gentils.
2 Ils _____ seuls les habitants d'autres pays ont des défauts.
3 La France est typiquement, ____ le narrateur anglais, ou bien victorieuse ou bien vaincue.
4 Ces deux côtés sont _____ par Napoléon et Jeanne d'Arc.
5 Le Français _____ persécuté par les étrangers et également par les autres Français.
6 Le mot «ils» révèle l'identité de ces persécuteurs car _____ tout le monde.
7 Le Français est _____ méfiant.
8 _____ il est toujours méfiant.
9 Au restaurant, _____, un Français (de ma connaissance) se méfie de tout ce qu'on lui offre et même de l'addition.
10 _____ on peut dire (humoristiquement) que les Français se méfient des autres et aussi d'eux-mêmes.

b A vous maintenant d'employer ces mots et expressions. *Travail à deux* Avec un partenaire essayez à tour de rôle de reconstituer les points essentiels du texte *Gentil pays de la méfiance*. Gardez sous les yeux la liste de mots et expressions que vous avez notés (*a*), mais ne regardez ni le texte ni les phrases ci-dessus (*1–10*). Votre partenaire vous aidera, s'il le faut, en vous posant des questions.

2. Portrait collectif

📖 **a** Vous allez maintenant composer des réflexions sur un groupe autre que les Français, de préférence un groupe dont vous avez vous-même l'impression de faire partie: votre nation, votre communauté, votre ville, votre famille, votre club de loisirs, votre équipe sportive, votre école, etc. *Travail individuel* Au sujet du groupe que vous aurez choisi, notez d'abord par écrit les détails suivants (remarquez que vous n'avez pas besoin d'être entièrement sérieux (-euse)!):

– de quel groupe il s'agit
– comment se voient les membres du groupe
– une ou deux situations ou activités typiques de ce groupe
– quelque chose ou quelqu'un qui, pour vous, le représente
– ce que vous croyez être l'attitude d'autres gens envers le groupe en question (admiration, jalousie, approbation, désapprobation)
– un adjectif qui résume le caractère de votre groupe (voir, par exemple, *Exercices*, 2, p. 30)
– certains moments où ce caractère se manifeste
– une anecdote (une petite histoire) qui illustre ce caractère
– en résumé, une dernière réflexion personnelle sur le groupe.

b Vous allez maintenant parler, avec un(e) partenaire, des groupes que vous avez choisis (*a*). *Travail individuel → Travail à deux* Échangez les notes que vous venez de rédiger (*a*) contre celles de votre partenaire. Composez par écrit au moins une question qui correspond à chaque note de votre partenaire.

Exemple (une activité typique):
(Ce groupe) aime beaucoup jouer au football (note de votre partenaire).
→ Questions: *Est-ce que (ce groupe) aime le sport? Quel sport (ces gens) préfèrent-ils?*

A l'aide de vos questions, interrogez votre partenaire sur le groupe qu'il/elle a choisi; répondez à votre tour à ses questions sur votre groupe. Essayez tous les deux de répondre de mémoire, sans consulter vos notes.

📖 **c** L'adjectif que vous avez choisi pour votre groupe pourra servir de titre aux réflexions que vous allez écrire: «Ville mélancolique» ou bien «Ville de la mélancolie»; «Club fou» ou «Club de la folie»; «Lycée hypocrite» ou «Lycée de l'hypocrisie», etc. *Travail individuel* En vous référant à vos notes, composez vos réflexions, humoristiques ou sérieuses, sur le groupe dont vous avez l'impression de faire partie.

A vos marques

La protection de la forêt

Partout dans le monde, les scientifiques et les mouvements écologiques déplorent la destruction de la forêt. Pour quelles raisons faut-il sauvegarder la forêt? La photo présentée ici évoque deux aspects de la forêt: sa beauté, sa tranquillité.
Travail à deux → Mise en commun Regardez avec un(e) partenaire cette photo. Notez par écrit ce que la forêt offre à l'homme et au monde naturel. Comparez ensuite vos notes avec celles des autres étudiants. Le professeur écrira vos idées au tableau.

⑧ PITIÉ POUR NOS FORÊTS

Activités

1. Préparation d'une brochure: emploi des articles un(e), des; le, la, l', les

a Le ministère français de l'Agriculture publie un dépliant intitulé *Pitié pour nos forêts*. A la première réunion de la commission chargée de composer ce document, le secrétaire a noté les idées des participants sur les avantages de la forêt. Pour y mettre de l'ordre, le président de la commission propose à ses collègues trois rubriques:

- la forêt et l'homme
- la forêt et les éléments
- la forêt et la vie.

Travail à deux → Mise en commun
Trouvez avec un(e) partenaire, parmi les notes du secrétaire (ci-dessous), celles qui correspondent à chacune des trois rubriques proposées.

Comparez vos idées avec celles des autres étudiants.

Avantages de la forêt

- beauté, tranquillité, détente
- production du bois
- refuge pour oiseaux, animaux
- protection du sol contre l'érosion (vent, pluie)
- récoltes naturelles (champignons, fruits)
- suppression des inondations, obstacle aux avalanches
- possibilités d'activités sportives (camping, randonnées, etc.)
- milieu naturel pour insectes, fleurs, plantes rares
- source d'oxygène, d'air pur.

▶ La forêt est **un** refuge pour **les** oiseaux et **les** animaux. Quand le secrétaire a pris ses notes, il a supprimé le verbe et les articles dans chaque phrase. Lorsqu'on transforme des notes en phrases complètes, il faut normalement ajouter devant chaque nom l'article (*le/la/l'/les; un/une/des; du/ de la/de l'*) qui manque.
Cependant on emploie *de* devant un nom quand ensemble ces deux mots constituent une expression qui a la valeur d'un **adjectif**, c'est-à-dire qui répond à la question «quel genre de . . . ?»:

des récoltes **de** fruits et **de** champignons
une source **d'**oxygène

N'oubliez pas qu'il faut employer l'article défini (*le/la/l'/les*) devant un nom qui a un sens général: comparez par exemple ces deux phrases:

La forêt (en général) protège **les** oiseaux.
C'est **une** forêt où il y a **des** oiseaux rares. ◀

b Pour composer les deux premiers volets du dépliant, le président de la commission propose, à la réunion suivante, de faire accompagner d'images et d'un texte explicatif les trois rubriques déjà adoptées. Il distribue à ses collègues les **pages proposées** et des **questions à considérer** (*ci-dessous*).
Travail individuel/Exercice oral
Cherchez d'abord (*Vocabulaire*, pp. 204–22), les **verbes** qui correspondent aux **noms** *la suppression* et *la protection*.

Ensuite, relisez les notes du secrétaire (*a*, p. 37). Pour tous les noms qui ne sont pas pluriels, cherchez et notez le genre (*m* ou *f*).
Le professeur vous posera maintenant les questions formulées par le président de la commission (*ci-dessous*). Répondez en transformant les notes du secrétaire en phrases complètes.
📖 Pour finir, complétez par écrit le texte qui accompagnera les images du deuxième volet. Référez-vous aux notes du secrétaire (*a*) et aux questions du président de la commission.

Début possible:
La forêt fournit le bois. Elle nous donne des récoltes naturelles de fruits, de champignons . . .

Comparez ensuite vos idées avec celles des autres étudiants.

PAGES PROPOSÉES

MINISTÈRE DE L'AGRICULTURE ET DU DÉVELOPPEMENT RURAL

pitié pour nos forêts

PROVENCE CÔTE D'AZUR
LANGUEDOC—ROUSSILLON
CORSE

● LA FORÊT ET L'HOMME

La forêt fournit...

● LA FORÊT ET LES ÉLÉMENTS

● LA FORÊT ET LA VIE

La forêt est fragile. Elle est dégradée par les hommes, souillée par les déchets, détruite par le feu, les parasites, l'atmosphère polluée des villes.

QUESTIONS À CONSIDÉRER

● Qu'est-ce que la forêt donne à l'homme?

Qu'est-ce qu'elle fournit? Que nous donne-t-elle?
Quels plaisirs offre-t-elle au citadin?
Quelles possibilités présente-t-elle?

● Comment la forêt défend-elle contre les effets du mauvais temps?

Contre quoi protège-t-elle le sol?
Qu'est-ce qu'elle supprime?
Et à quoi fait-elle obstacle?

● Comment la forêt favorise-t-elle et protège-t-elle la vie?

La forêt est une source essentielle de vie. En quoi?
De quoi est-elle le refuge?
A quoi sert-elle de milieu naturel?

2. Obliger/interdire: Commandements de la forêt

a Le dépliant explique ce qu'on doit et ne doit pas faire pour sauvegarder la forêt. Pour exprimer l'**obligation** (ce qu'on doit faire) et l'**interdiction** (ce qu'on ne doit pas faire), on emploie souvent l'**impératif** (voir le *Résumé grammatical*, 47, p. 163).

Travail individuel → Travail à deux
Lisez attentivement la liste d'**impératifs** ci-dessous en regardant les images à droite. Notez le numéro de chaque image et recopiez à côté l'impératif qui convient le mieux.

Exemple: (*Image 1*)
   N'allumez pas de feux

Ne détruisez pas les jeunes plants
N'abandonnez pas de déchets
Respectez les reboisements
N'allumez pas de feux
Ne mutilez pas les végétaux
Respectez le silence
Ne fumez pas
Ne quittez pas les chemins et les
   sentiers.

(Vous noterez que, comme vous le savez déjà, **de** remplace normalement **du/de la/de l'/des** et **un/une/des** après un **négatif**).

Ensuite, comparez vos solutions avec celles d'un(e) partenaire. En cas de désaccord, consultez le professeur.

▶ A la place d'un impératif, pour exprimer l'obligation ou l'interdiction, on peut aussi employer une des formules suivantes:

Obliger

Il faut absolument . . .
Il est essentiel de . . . **+infinitif**
Il est obligatoire de . . .

Interdire

Il ne faut pas . . .
Il est défendu de . . . **+infinitif**
Il est (formellement)
  interdit de . . .   ◀

b *Exercice oral → Travail à deux* Avec le professeur, transformez chacun des impératifs que vous venez de lire (*a*) en formule d'**obligation** ou d'**interdiction** (*ci-dessus*).
Exemples:
  Respectez les reboisements.
  →Il est essentiel de respecter les reboisements.
  Ne mutilez pas les végétaux.
  →Il est défendu de mutiler les végétaux.

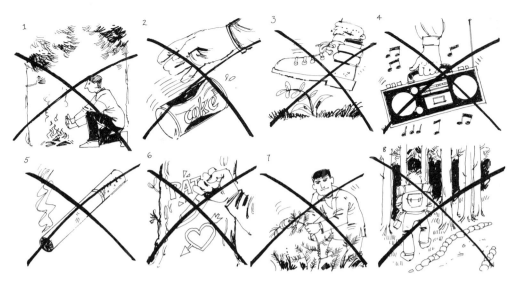

Ensuite, regardez une dernière fois la liste d'impératifs et les formules présentées ci-dessus. Reprenez de mémoire cet exercice avec un(e) partenaire.

📖 **c** La fin du dépliant (*ci-dessous*) présente les *Commandements de la forêt*.
Travail individuel → Mise en commun
Complétez par écrit le texte du volet de gauche: choisissez pour chaque image, parmi les **obligations** et les **interdictions** que vous venez de composer (*b*), les **deux** qui vous semblent convenir le mieux. Comparez ensuite votre document complété avec celui des autres étudiants.

⑨ INCENDIE MAÎTRISÉ À SAINT-RAPHAËL

Points de repère

📖 Quand, à l'époque de la grande chaleur (*la canicule*), le vent du nord-ouest (*le mistral*) commence à souffler sur la Provence, les conséquences sont souvent graves pour la région.

Travail individuel → Mise en commun Lisez attentivement le reportage ci-dessous, tiré du journal *Le Matin*, et notez brièvement par écrit ce que vous apprenez sur:

● **l'incident principal**
  – nature
  – endroit
  – moment de l'année
  – réactions des habitants
  – difficultés pour les sauveteurs

● **les conséquences de l'incident**
  – résultats de l'action des pompiers
  – dégâts (naturels/matériels)
  – victimes

Comparez les informations que vous avez relevées avec celles des autres étudiants.

INCENDIE MAÎTRISÉ À SAINT-RAPHAËL

La canicule et le mistral: Saint-Raphaël, saturé de touristes, grille au soleil. Soudain, quartier de l'Armitelle, le feu éclate.° En quelques minutes, la forêt est embrasée.° Violemment attisé° par le vent, l'incendie progresse très rapidement dans les pinèdes° asséchées° depuis fin juin. Villas et campings sont menacés. Chez les habitants, c'est la panique. Affolés,° les gens quittent leur maison ou leur tente et vont s'entasser sur° les routes. Les secours° tardent à° arriver: les routes sont encombrées de° gens et de voitures. Enfin, après plusieurs heures de lutte,° les pompiers réussissent à maîtriser les flammes.

Hier matin l'incendie était éteint,° mais la zone restait sous surveillance active. Au total, plus de 300 hectares ont été réduits en cendres.° Il n'y a pas eu de victimes, ni de dégâts° matériels. Seul un camion de pompiers° a été détruit, mais ses occupants avaient eu le temps de prendre la fuite.°

maîtriser bring under control **éclater** break out **embrasé** ablaze **attiser** fan **pinède** (f) pine wood **asséché** dried up **affolé** panic-stricken **s'entasser sur** cram on to **secours** (m pl) rescue (services) **tarder à** be a long time in **encombré de** packed with **lutte** (f) struggle **éteindre** put out, extinguish **cendres** (f pl) ashes **dégâts** (m pl) damage **pompier** (m) fireman **prendre la fuite** escape

Découverte du texte

1. Analyse des faits: la causalité

Les faits rapportés dans ce texte consistent en une série d'**effets**: certaines de leurs **causes** sont clairement exprimées, d'autres sont sous-entendues.

Travail à deux → Mise en commun
Relisez le texte, puis complétez avec un(e) partenaire le tableau (*à droite*) en fournissant ensemble les **causes**, implicites ou explicites.
Comparez ensuite les causes que vous avez proposées avec celles des autres étudiants.

EFFETS	CAUSES
Saint-Raphaël est saturé de touristes	*c'est le moment des vacances*
La ville grille	
La forêt s'embrase en quelques minutes	
L'incendie progresse rapidement	
Chez les habitants, c'est la panique	
Les gens vont s'entasser sur les routes	
Les secours tardent à arriver	

2. Vocabulaire: les incendies

📖 **a** Le reportage suivant décrit un autre incendie qui a eu lieu en Provence.

Travail individuel En consultant l'article *Incendie maîtrisé à Saint-Raphaël*, faites une liste des mots et des expressions qui manquent au reportage suivant. Ensuite, mémorisez-les.

b *Travail à deux* Complétez oralement ensemble ce reportage **sans** consulter votre liste de mots et d'expressions.

c *Exercice oral* Avec l'aide du professeur, essayez de reconstituer le reportage **à partir de votre liste de mots et d'expressions seulement.**

Exercices

1. On raconte des incidents: le passé composé

▶ Pour raconter une série d'**incidents** qui se sont produits dans le passé, on emploie normalement aujourd'hui le **passé composé**.
Comme vous le savez déjà, le passé composé se compose de trois éléments:

sujet	+ verbe auxiliaire (*avoir* ou *être*, au présent)	+ participe passé
Nous	+ **avons**	+ **mangé**
Le train	+ **est**	+ **parti**

VIOLENT INCENDIE À LA CROIX-VALMER

Environ deux cents hectares de pins ont été _____ par un incendie dans la région de la Croix-Valmer, près de Saint-Tropez. Vers cinq heures mercredi soir, voici ce qui se passe: le feu _____ dans une de ces _____ qui sont _____ depuis début juillet. Violemment par le mistral qui souffle depuis trois jours, les flammes _____ rapidement: en moins d'une heure la forêt entière est _____. Le feu détruit trois maisons isolées mais il n'y a pas de _____ car leurs habitants ont eu le temps de _____
A onze heures, après _____ de _____, les pompiers réussissent à _____ les flammes. Ce matin, l'incendie est _____ mais les services de lutte contre le feu demeurent en alerte.

• A COMPLÉTER, A NOTER ET A MÉMORISER •

Vous avez déjà complété des phrases et cherché des formes comme celles qui suivent. Consultez au besoin un dictionnaire en faisant cet exercice.

Expressions et structures
une ville saturée __ touristes
des routes encombrées __ gens
__ soleil (cp. *sous la pluie*)
__ quelques minutes (= *avant la fin de quelques minutes*)
depuis ____ juin (cp. *depuis début août, mi-janvier*)
____ total plus __ 300 hectares
il n'y a pas eu __ victimes

Constructions verbales
ils ne tardent pas __ arriver
ils réussissent __ maîtriser le feu
ils avaient eu le temps __ prendre la fuite

Formes
feu (m) → pl
violemment → adj
matériel → f

Noms et verbes
progresser → les _____ (m) du feu
menacer → sous la _____ des flammes
panique (f) → les habitants ont _____
s'affoler → l'_____ général
s'entasser → un _____ de véhicules
encombrer → l'_____ (m) des routes
réussir → la _____ des pompiers
détruire → la _____ d'un camion
fuite (f) → les occupants ont ____

N'oubliez pas que quand on emploie au passé composé l'un des verbes qui s'accompagnent de l'auxiliaire **être**, il faut faire l'**accord** entre le *sujet* et le *participe passé*:

Les pompiers sont arriv**és**.
Les gens se sont entass**és** sur les routes. ◄

📖 **a** *Travail individuel → Travail à deux* Apprenez par coeur la liste des verbes qui s'accompagnent au **passé composé** de l'auxiliaire **être** (*Resumé grammatical*, 39, p. 161.) Ensuite, recopiez et révisez les participes passés des verbes principaux (*Tableau de verbes*, pp. 184–7).
Maintenant, testez votre partenaire en lui demandant de prononcer et d'épeler les **participes passés** de certains verbes. Il/Elle vous demandera de faire la même chose pour d'autres participes passés.

b *Travail individuel → Travail à deux*
Relisez le premier paragraphe d'*Incendie maîtrisé à Saint-Raphaël*. Faites une liste, au présent, des incidents de ce drame. Ne notez pas les circonstances (le temps, les sentiments des habitants, le danger qui les menace, la description des routes): pour décrire des circonstances dans le passé, on emploie l'**imparfait** (voir *Exercices*, 2, p. 53).
Comparez ensuite votre liste avec celle d'un(e) voisin(e). En cas de désaccord, consultez le professeur.

📖 **c** *Travail individuel* Récrivez maintenant au **passé composé** les incidents de l'incendie à Saint-Raphaël que vous venez de noter (*b*). Vérifiez attentivement les formes des verbes que vous emploierez.

2. La mouette «incendiaire»: du rapport à l'article de journal (le passé composé)

Ⓛ 📖 **a** A Plouhinec, dans le Finistère (Bretagne), soixante-six hectares de landes ont pris feu pendant l'été 1989. Ce jour-là le chef d'un corps de sapeurs-pompiers a écrit un rapport qui explique, au présent, ce qui se passe.
Travail individuel → Travail à deux
Le professeur vous donnera une version de ce rapport où il manque un certain nombre de détails. Votre partenaire aura une autre version avec

les détails que vous n'avez pas (*Livret*, pp. 16 et 17). Lisez attentivement votre version. Dans la colonne de droite, récrivez **au passé** les détails qu'elle vous donne, en vérifiant toutes les formes des verbes. Ensuite, posez à votre partenaire des questions qui vous permettront de compléter par écrit **au passé** votre version (*colonne de droite*). Répondez à votre tour aux questions de votre partenaire.

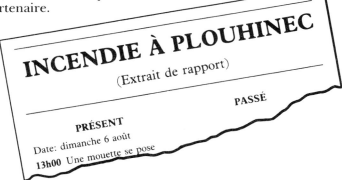

INCENDIE À PLOUHINEC
(Extrait de rapport)

PRÉSENT   PASSÉ

Date: dimanche 6 août
13h00 Une mouette se pose

Exemples:
Qu'est-ce qui est arrivé (d'abord/ensuite/à 13h30)?
Et après, qu'est-ce qui s'est produit?
Sais-tu ce qui s'est passé avant/après cela?

Ne regardez pas la version de votre partenaire!

b *Travail individuel/à deux → Exercice oral* Mémorisez votre récit complété des incidents de ce drame. Ensuite, avec votre partenaire, reconstituez à l'oral (*au passé*) l'histoire de l'incendie de Plouhinec. Regardez le moins possible vos notes. Pour finir, le professeur vous demandera de reprendre de mémoire cet exercice devant la classe.

📖 **c** *Travail individuel* En vous basant sur vos notes (*a*), rédigez maintenant au passé un article de journal sur l'incendie de Plouhinec.

Début possible:

INCENDIE À PLOUHINEC:
LA MOUETTE «INCENDIAIRE»

Dimanche dernier, 66 hectares de landes ont brûlé près de Plouhinec (Finistère).
Voici le déroulement du drame: à 13h, une mouette

3. L'interrogation

► Les reportages de crimes, d'accidents, d'incendies sont, en quelque sorte, une série de réponses à des questions sous-entendues. Regardez par exemple le début du texte *Violent incendie à la Croix-Valmer* (*Découverte*, 2):

Environ deux cents hectares de pins ont été réduits en cendres.

Cette phrase représente la réponse à une question qui cherche à savoir si beaucoup d'arbres ont été détruits. La question peut se poser de trois façons:

1 (*Langue courante*) Avec **est-ce que**:

Est-ce que l'incendie a détruit beaucoup d'arbres?

2 (*Langue familière*) Avec l'**intonation interrogative** (voir p. 9):

L'incendie a détruit beaucoup d'arbres?

3 (*Langue soignée*) Avec l'**inversion** du verbe (l'auxiliaire, dans le cas du passé composé) et de son **sujet**:

L'incendie a-t-**il** détruit beaucoup d'arbres?
(Notez que quand le sujet est un **nom**, il faut ajouter un **pronom** après le verbe pour faire l'inversion.) ◄

a Vous savez déjà que les questions constituent un élément très important de la communication. Pour poser toutes sortes de questions avec confiance, il faut employer souvent les différentes **formules interrogatives**.

Travail individuel → Travail à deux
Relisez votre texte complété de l'article *Violent incendie à la Croix-Valmer*. Composez par écrit des questions en **langue soignée** pour savoir si:

- l'incendie a causé des victimes
- les flammes ont détruit des maisons
- les pompiers ont lutté longtemps contre les flammes
- la forêt entière a brûlé
- les services de lutte ont quitté les lieux.

Comparez vos questions avec celles d'un(e) voisin(e). Maintenant reprenez vos questions et posez-les à un(e) partenaire différent(e): cette fois, employez **est-ce que** ou l'**intonation interrogative**. Répondez à votre tour aux questions de votre partenaire, en consultant le texte.

▶ Pour les questions qui demandent une réponse précise (et non seulement *oui* ou *non*), la position du **mot interrogatif** (*qui, que, combien, etc.*) varie suivant la forme de question adoptée (voir (a) ci-dessus):

1 **Combien** d'arbres est-ce que l'incendie a détruit?
  (*mot interrogatif au début de la question*)
2 L'incendie a détruit **combien** d'arbres?
  (*mot interrogatif à la fin de la question*)
3 **Combien** d'arbres l'incendie a-t-il détruit?
  (*mot interrogatif au début*)

Il faut noter que le mot **que** ne se place jamais à la fin d'une question. Dans cette position, il est remplacé par **quoi**:

  L'incendie, qu'a-t-il détruit?
  L'incendie a détruit quoi?

Quand la question porte sur le sujet de la phrase, on emploie **Qui (est-ce qui)** . . . ? pour les **personnes** ou **Qu'est-ce qui** . . . ? pour les **choses**:

  Qui (est-ce qui) a pris la fuite?
  Qu'est-ce qui a été détruit par le feu? ◀

b Les phrases qui suivent sont basées sur le reportage *Incendie maîtrisé à Saint-Raphaël*.

Exercice oral → Travail individuel
Retrouvez avec le professeur les questions qui auraient pu donner lieu à ces phrases. Les mots en caractères gras indiqueront le genre de question à poser (*Quand? Où? Pourquoi? etc.*). Variez autant que possible la forme des questions (*langue soignée/courante/familière*).

- Le feu a éclaté **quartier de l'Armitelle**.
- Le feu a progressé rapidement **parce qu'il était attisé par le vent**.
- Les pinèdes étaient asséchées **depuis fin juin**.
- L'incendie menaçait **villas et campings**.
- Les secours ont été ralentis **par des embouteillages**.
- **Des gens et des voitures** encombraient les routes (*une seule question possible*).
- Le feu a été maîtrisé **par les pompiers**.
- Le feu a détruit **300 hectares** de pins.
- **Les sauveteurs** demeurent en état d'alerte.

📖 Composez maintenant par écrit, en **langue soignée** si possible, la question qui correspond à chacune de ces phrases.

Ⓛ **c** *Travail individuel/à deux → Exercice oral*
📖 Le professeur vous donnera un fait divers. Votre partenaire aura un fait divers différent (*Livret*, p. 18). Vous allez vous poser des questions entre vous pour savoir de quoi on parle dans le fait divers de l'autre. Composez d'abord par écrit des questions qui vont vous permettre de découvrir:

- ce qui s'est passé (la nature de l'incident)
- où l'incident s'est passé et quand
- la cause de l'incident
- le nombre de victimes
- leur identité
- s'il y a eu des dégâts matériels
- les autres conséquences

Ensuite, posez vos questions à votre partenaire et notez par écrit ce que vous apprenez. Répondez à votre tour à ses questions. Pour finir, le professeur vous demandera de communiquer aux autres étudiants les détails du fait divers de votre partenaire.

Révision

Dernier rappel! Le présent (tu/il/ils)
Vérifiez les formes *tu/il/ils* du présent de tous les verbes du *Tableau de verbes*, pp. 184–7. Recopiez ces formes et faites-vous tester par un(e) camarade de classe.

Révisez aussi:
- certaines constructions avec l'infinitif. Relisez d'abord vos notes sur ces constructions (*Exercices* 1, p. 16, *A compléter*, p. 9, p. 15). Ensuite, testez-vous (*Révision* 6, p. 191).
- la formation des adverbes (*Révision* 7, p. 191).

4. Rapports entre noms et verbes: *Comment sauver la forêt?*

a Comment prévenir les incendies de forêt? Comment lutter contre le feu d'une manière plus efficace? Les opinions présentées à droite ont été exprimées par les membres du Comité pour la Protection de la Forêt Provençale. Certaines d'entre elles représentent des mesures de **prévention**, les autres des moyens de **lutte**.

Travail à deux → Mise en commun
Classez ensemble ces opinions de la manière indiquée à droite. Comparez ensuite vos notes avec celles des autres étudiants.

▶ En français, beaucoup de **verbes** peuvent se transformer en **noms**. Ces formes nominales figurent souvent dans des documents officiels. ◀

b Chacune des opinions que vous venez de classer contient un/des verbe(s).
Travail à deux → Mise en commun En employant, s'il le faut, un dictionnaire, trouvez ensemble le **nom** qui correspond à chacun des verbes. Ensuite, vérifiez-les avec le professeur.

Exemple: *intensifier → **intensification** (f)*

PRÉVENTION	LUTTE
1. intensifier la lutte contre le camping sauvage 2.	1. construire des coupe-feu 2. aménager des réserves d'eau

> Le plus simple serait d'entretenir la forêt par le nettoyage des sous-bois.

> Il faut réinstaller les hommes – bergers et paysans – dans la forêt.

> Le seul moyen, c'est d'accroître la flotte des avions Canadair.

> Ce qu'il faut faire d'abord, c'est créer des zones de protection de la forêt.

> Je crois qu'on ferait bien d'établir des milices anti-pyromanes dans toutes les communes de la région.

> Il faut aussi intensifier la lutte contre le camping sauvage.

> Augmenter le nombre de pompiers et de militaires disponibles, voilà la première chose à faire.

> Il est évident que l'on doit développer le réseau des guetteurs.

> Il sera nécessaire de construire des coupe-feu, d'aménager des réserves d'eau et d'installer des pistes d'accès à la forêt.

★ COMMENT SAUVER ★ LA FORÊT PROVENÇALE

Au cours de l'été 1989, plusieurs milliers d'hectares de pinèdes et de garrigues se sont envolés en fumée. La forêt ne repoussera plus avant trente ou cinquante ans.
Le cauchemar que nous venons de vivre doit être le dernier.
Il faut que le gouvernement renforce sérieusement les moyens de <u>prévention</u> et de <u>lutte</u> contre les incendies.
Voici les mesures que nous préconisons:

prévention	lutte
●	●
●	●
●	●
●	●

 Ecrivez au président de la République pour lui demander de mobiliser tous les moyens possibles.

Notre forêt provençale brûle. Aidez-nous à la sauver.

---

c Pour mobiliser la population provençale, le Comité de Protection a envisagé de lancer un tract, *Comment sauver la forêt provençale (à gauche).*
Exercice oral → Travail individuel
Relisez les notes que vous avez déjà prises (*a*) et les noms que vous avez trouvés (*b*). Ensuite, fournissez, avec l'aide du professeur, les mesures de **prévention** et de **lutte** qui ne figurent pas sur le tract.
(N'oubliez pas de faire les changements grammaticaux nécessaires.)

Exemples:

*intensifier **la** lutte contre le camping sauvage* → ***intensification de la** lutte contre le camping sauvage*
(article défini)

*construire **des** coupe-feu . . .* → ***construction de** coupe-feu . . .*
(article indéfini)

📖 Composez ensuite par écrit les deux listes d'éléments qui ne figurent pas sur le tract.

Activité

Conversation téléphonique et reportage: incendie à Sainte-Anastasie

a Les notes suivantes ont été prises par un journaliste parisien au cours d'une conversation téléphonique avec le correspondant provençal de son journal.

Exercice oral   Le professeur (le journaliste) vous posera des questions sur l'incendie à Sainte-Anastasie à partir de ces notes. Répondez pour le correspondant provençal. Le professeur notera au tableau les grandes lignes de vos réponses. (N'oubliez pas de transformer les noms en verbes, et de supprimer **de** devant l'objet du verbe.)

Exemple (destruction totale de 300ha de pins/mimosas):
— *Qu'est-ce qui est arrivé au juste?*
— *Un incendie a détruit trois cents hectares de pins et de mimosas.*

Pour finir, le professeur effacera une partie des réponses notées au tableau. Il/Elle demandera à certains étudiants de reposer des questions: d'autres répondront.

b Vous trouverez ci-dessous le début et la fin du reportage écrit par le journaliste parisien.

Travail individuel   Relisez d'abord une dernière fois le texte complété de *Violent incendie à la Croix-Valmer* (p. 41). Ensuite, complétez ce reportage à partir des notes présentées ci-dessous. Utilisez au besoin des phrases relevées dans le texte complété que vous venez de relire, ainsi que ces mots et expressions:

> au début de l'après-midi
> immédiatement
> à la tombée de la nuit
> il n'a fallu pas moins de 12 heures
>   pour . . .

VILLAGE DE SAINTE-ANASTASIE MENACÉ PAR LES FLAMMES

Hier, à Ste-Anastasie (Var), le feu a détruit 300ha de pins et de mimosas. L'incendie

Ste-Anastasie (Var). hier- incendie- destruction totale de 300h de pins/ mimosas- Commencement du feu- 14h- pinède près de Forcalquiéret. Transformation des pins en grandes torches- Feu vu par un touriste : alerte donnée 14h30- Intervention rapide de 200 pompiers : mobilisation immédiate de 2 'Canadair'au terrain militaire du Luc- Aucun ralentissement du feu- 22h : arrivée des flammes à 100m des premières maisons de St.A. Suppression des flammes après plus de 12h de lutte- Réduction en cendres de quelques maisons isolées, destruction de 5 voitures par le feu- pas de victimes: départ à temps des habitants du village. Pompier : «diminution du vent. Sans ça extinction du feu extrêmement difficile. Vent + sécheresse → arrêt des flammes impossible. »

«Heureusement que le vent est tombé, a déclaré un des pompiers. Sans ça, on n'aurait pas pu éteindre le feu. Quand il y a le vent et la sécheresse, il est pratiquement impossible d'arrêter les flammes.»

🔟 LES CONSÉQUENCES D'UN FLÉAU TRADITIONNEL

Points de repère

Ⓛ Au cours d'un reportage radiophonique sur des incendies de forêt, l'envoyé spécial de France-Inter a parlé de l'étendue et des conséquences du désastre.

Travail individuel/à deux → Mise en commun Avec ou sans partenaire, écoutez une première fois l'enregistrement en regardant la transcription 'à trous' (*Livret*, pp. 19–20).

Les titres suivants correspondent aux sujets abordés par l'envoyé spécial. Arrangez-les dans l'ordre du reportage.

- **Le reboisement des zones brûlées**
- **Une véritable catastrophe**
- **Un fléau traditionnel de l'été**
- **Les conséquences de nouveaux incendies**

Comparez vos conclusions avec celles des autres étudiants.

Activités

1. Le reportage en détail

Ⓛ ***Travail individuel/à deux*** Dans la transcription 'à trous', inscrivez d'abord chacun des titres que vous venez de classer dans le cadre qui convient. Ensuite, avec ou sans partenaire, complétez le texte en réécoutant l'enregistrement.

2. Extrait de dépliant: *Le feu, principal ennemi de la forêt*

Un autre volet du dépliant *Pitié pour nos forêts* (*à droite*) parle de la destruction causée par les incendies.

Travail individuel Avec votre transcription complétée sous les yeux, écoutez de nouveau l'enregistrement. Ensuite, mettez la transcription de côté et complétez le texte de ce volet: suivez les indications fournies entre parenthèses.

LE FEU est le principal ennemi de la Forêt. L'incendie parcourt chaque année 25 000 ha dans les régions méditerranéennes.

En été 1989, en particulier, dans la seule région Provence-Côte d'Azur (*nombre d'hectares brûlés, en combien de temps*).

La forêt est lente à se reconstituer: (*temps nécessaire pour retrouver un aspect normal*). Et si le feu passe trop souvent au même endroit (*conséquences de cette fatalité*). Rien n'empêche la disparition de la terre, emportée par la pluie; (*ce qui apparaît bientôt*).

Pour empêcher que la forêt méditerranéenne se transforme en (*ce que le paysage risque de devenir*), il faut mettre en oeuvre (*ce que recommande le chef des Verts*). «La forêt doit être préservée à n'importe quel prix», dit-il. «C'est le poumon de notre planète.»

A vos marques

La superstition dans votre vie

Croyez-vous au surnaturel? Etes-vous influencé(e) par la superstition?

Travail individuel → Travail à deux/Discussion Lisez les questions posées ci-dessous et notez par écrit vos réponses. Pour justifier vos réponses, notez brièvement des exemples d'incidents que vous avez vécus ou d'anecdotes que vous avez entendues:

Lisez-vous quelquefois (ou souvent) les horoscopes dans des magazines ou dans des journaux? Pourquoi, ou pourquoi pas?
Croyez-vous (un peu) à ce qu'ils vous disent? Etes-vous influencé(e) par leurs prédictions?
Y a-t-il des choses que vous faites, ou que vous évitez de faire, par superstition? Lesquelles?
Croyez-vous à l'existence des fantômes ou à d'autres phénomènes surnaturels? Lesquels?

Comparez maintenant vos réponses avec celles d'un(e) partenaire et, pour finir, avec celles des autres étudiants.

11 ÊTES-VOUS SUPERSTITIEUX?

Activités

1. *Les astres et vous.* Demander/donner une opinion (sur quelqu'un), ce qu'on apprécie ou n'apprécie pas. 'Si' affirmatif

▶ Pour demander à quelqu'un son opinion sur lui-même, ou pour donner sa propre opinion sur soi-même, on peut dire:

– **(Est-ce que) tu es** (méthodique, etc.)?	**Oui, je le crois/je crois que oui.** **Non, je crois que je suis plutôt** (impétueux/-se, etc.)
– **Comment est-ce que tu te vois?**	**J'ai l'impression d'être** (méthodique, impétueux/-se, etc.) ◀

a Presque tout le monde connaît son signe du zodiaque, même les personnes qui ne s'estiment pas superstitieuses.

Travail individuel/à deux Mettez-vous avec un(e) partenaire. Parcourez rapidement la colonne (i) (*CARACTÈRE*) du tableau présenté à la page 48. Choisissez individuellement le groupe de mots (1, 2, 3, etc.) qui décrit le mieux **votre personnalité**. Ensuite, choisissez le groupe de mots qui décrit le mieux, à votre avis, **la personnalité de votre partenaire**. Notez ces deux numéros. Regardez de nouveau la colonne (i) du tableau

(p. 48). Interrogez maintenant votre partenaire sur son caractère et répondez à votre tour à ses questions (vous n'avez pas besoin de vous limiter à ce qu'indique le tableau). Employez des formules comme celles présentées à gauche.

Composez un tableau de la manière indiquée ci-dessous. Dans la première colonne (*SON CARACTÈRE*) notez les réponses de votre partenaire.

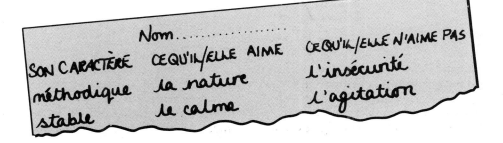

Nom.............
SON CARACTÈRE	CE QU'IL/ELLE AIME	CE QU'IL/ELLE N'AIME PAS
méthodique	la nature	l'insécurité
stable	le calme	l'agitation

QUEL CARACTÈRE?

(i) **CARACTÈRE:** Ce qu'est ce caractère (et ce qu'on dit de lui)	(ii) **GOÛTS:** Ce qu'il aime	(iii) **GOÛTS:** Ce qu'il n'aime pas
1 méthodique, logique (on peut compter sur lui)	l'ordre, les vêtements sobres, la musique classique	l'insécurité, les maladies, l'agitation
2 aimable, généreux (rit et pleure beaucoup)	les confidences, la confiance des autres, protéger les faibles	les critiques et les reproches
3 tendre, méfiant, solitaire (profond, il ne réagit pas)	les montagnes, les hauteurs, les gens qu'il connaît bien	les situations nouvelles, le changement, être jeune
4 changeant, impétueux (pas toujours honnête, mais fascinant)	des expériences inattendues, les folies, les vêtements bizarres	les gens ennuyeux, la stabilité, la sécurité
5 enthousiaste, imprudent, souvent amoureux (dynamique, brutal)	l'aventure et les obstacles, la musique rock	le calme, la routine et les habitudes
6 imaginatif, inquiet, pessimiste (ami constant, trop sensible)	les souvenirs, histoires/films tendres, ou tristes	la violence, la colère, les difficultés
7 sensuel, obstiné (un peu masochiste, mystérieux)	écouter les autres, l'amour, la bonne cuisine	l'effort et la fatigue, les gens pratiques
8 élégant, impressionnable (facile à vivre, quelquefois lâche)	la satisfaction, le calme, étoffes/mélodies douces	les cris, les disputes, les désaccords
9 doué de bon sens, stable (franc et dévoué, ne pardonne pas)	les enfants, la nature, les vêtements traditionnels, la musique 'folk'	les pays étrangers, les voyages, la cuisine exotique
10 doué d'imagination et d'originalité (se moque des conventions)	la liberté, les problèmes du monde, la vitesse, le rythme	la morale, les conventions, l'hypocrisie
11 courageux, persistant, un peu vaniteux (possessif, jaloux)	l'effort, les difficultés, le soleil, les pays tropicaux	ceux qui s'opposent à lui, la pitié, la douceur
12 capable d'excès et de sacrifices (admirable ou inquiétant)	les caractères forts, les sensations, la musique latino-américaine	les erreurs ou les faiblesses des autres

▶ Pour **demander** à quelqu'un ce qu'il **apprécie** ou **n'apprécie pas**, ou pour exprimer ses propres **goûts**, on peut dire:

– **(Est-ce que) tu aimes** (la nature, etc.)?	**Oui, je l'aime (bien, beaucoup)/ je l'adore.**
– **(Est-ce que)** (la nature, etc.) **t'intéresse?**	**Oui** (il/elle) **m'intéresse beaucoup. Non, j'aime plutôt** (le sport, etc.)
– **Qu'est-ce que tu aimes?**	**J'aime/J'adore** (le calme, etc.) **(Mais je n'aime pas/je déteste . . .)**
– **Qu'est-ce qui t'intéresse?**	(La musique, etc.) **m'intéresse beaucoup.** ◀

b Vous allez maintenant parler de vos **goûts**.
Travail à deux Regardez maintenant la colonne (ii) du tableau (*GOÛTS: ce qu'il aime*). Demandez à votre partenaire s'il/si elle **apprécie** réellement les choses indiquées (pour le numéro 1, 2, 3, etc. que vous avez choisi pour lui/elle). Employez des formules comme celles données à gauche.
Notez ses réponses dans les deuxième et troisième colonnes de votre tableau (*a*, p. 47) – *ce qu'il/elle aime, ce qu'il/elle n'aime pas*.

▶ Pour **répondre affirmativement** à une **question** formulée **au négatif**, il faut employer **si**:

– **Tu n'aimes pas** (la sécurité, etc.)?	**Si**, j'aime (beaucoup) la sécurité. *ou bien*: C'est ça, je ne l'aime pas beaucoup (etc.) ◀

c *Travail à deux* Regardez maintenant la colonne (iii) du tableau (*GOÛTS: ce qu'il n'aime pas*). Demandez à votre partenaire s'il/si elle **n'apprécie pas** les choses indiquées. Employez des formules comme celles ci-dessus.

Notez ses réponses dans les deuxième et troisième colonnes de votre tableau. Consultez maintenant la clef (p. 58). Avez-vous choisi, l'un et l'autre, le caractère qui correspond à votre signe du zodiaque?

2. Un portrait astrologique

Dans les journaux et les magazines, les astrologues s'adressent souvent directement à leurs lecteurs comme dans le portrait présenté ci-dessous.
▱ *Travail individuel* Lisez attentivement ce portrait. Faites particulièrement attention aux expressions soulignées (**opinions**, **goûts**). Puis composez de la même manière un portrait de votre partenaire.

Si vous êtes né(e) entre le 12 et le 22 juillet vous êtes rêveur (-euse) et sensible. Vous avez de l'imagination et vous possédez des dons créateurs. On vous trouve très indépendant(e) et on est souvent frappé par votre originalité. Vous aimez les émotions fortes et le travail intellectuel ne vous intéresse pas beaucoup. Ce qu'on trouve de bien chez vous, c'est votre enthousiasme mais on vous reproche d'être quelquefois de mauvaise humeur: on vous considère comme un peu trop susceptible. Mais en fait, à votre avis, c'est la sensibilité qui compte. Vous êtes attaché(e) au travail, à l'ordre et aux traditions. Vous adorez votre famille mais vous n'appréciez pas toujours la vie quotidienne que vous trouvez trop banale. On a l'impression que vous êtes romantique de nature mais que l'amour vous fait souffrir.

3. Le futur

▶ Pour la plupart des verbes, le **futur** se forme à partir de **l'infinitif** (sans -*e* final, s'il y en a):

dormir → je **dormirai**
prendre → je **prendrai**, etc.

Voici les terminaisons:

-ai, -as, -a, -ons, -ez, -ont (pensez au présent du verbe *avoir*).

Il y a seulement une vingtaine d'**exceptions** qu'il faut apprendre par coeur, en particulier: *aller, s'asseoir, avoir, courir, devoir, envoyer, être, faire, il faut, mourir, il pleut, pouvoir, recevoir, savoir, tenir/venir, valoir, voir, vouloir.*
Les verbes comme **acheter** prennent un accent grave au futur (comme pour *je, tu, il(s)/elle(s)* du présent):

j'achèterai, tu mèneras, il/elle lèvera, etc.
Les verbes comme **appeler** ont une consonne double au futur:
j'appellerai, tu jetteras, etc.
Pour les verbes en **-yer**, **y** se transforme normalement en **i**:
j'emploierai, etc. ◀

📖 **a** Les signes du zodiaque s'emploient pour prédire ce qui se passera à l'avenir.
Travail individuel Mémorisez d'abord toutes les formes du futur, y compris les verbes irréguliers (*Tableau de verbes*, pp. 184–7).

📖 **b** Vous allez maintenant vérifier par écrit les formes que vous avez mémorisées (*a*) en complétant un «horoscope» pour la semaine prochaine.
Travail individuel Rédigez par écrit, au **futur**, des phrases annonçant ce qui se passera dans les jours qui viennent.

Exemple:
*Je **remettrai** de l'ordre dans ma vie et je . . .*

En ce qui vous concerne, expliquez à un(e) autre étudiant(e):

– que vous allez .. (→*je*)	remettre de l'ordre dans votre vie et mener une vie raisonnable, faire cependant de nouveaux projets, être prête à critiquer vos projets et vouloir vous empêcher de faire des bêtises, éviter des conflits avec vos proches, avoir besoin de l'amitié de votre partenaire.
– et que votre famille va	
– que vous n'allez donc pas .. (→*je*)	
– c'est pourquoi vous allez .. (→*je*)	

En ce qui concerne l'autre étudiant(e), expliquez-lui:

– qu'il/elle va .. (→*tu*)	mourir d'envie de changer d'air, courir ainsi des risques, aller vers des problèmes sentimentaux et devoir donc se méfier de ses émotions,
– que ses amis ne vont pas	
– mais qu'il/elle va .. (→*tu*)	savoir quels conseils lui donner, ni pouvoir l'aider, résoudre ses problèmes grâce à vous, voir se réaliser un rêve qui lui est cher, falloir apprécier vos qualités remarquables.
– et qu'en général il va	

4. *Un horoscope.* **Faire des prédictions: emploi du futur. Conseiller quelqu'un**

▶ Pour **faire des prédictions** on emploie évidemment le **futur** (*Activités*, 3). Pour **conseiller** quelqu'un on peut choisir parmi ces expressions:

Essaie/Essayez de . . .	**Evite/Evitez de . . .**
Efforce-toi/ Efforcez-vous de . . .	**Il ne faut pas . . .** ◀
Sois/Soyez sûr(e) de . . .	
N'oublie pas/ N'oubliez pas de . . .	
Il faut . . .	

📖 **a** Les tableaux qui suivent se composent d'éléments pris dans des horoscopes.
Travail individuel → Travail à deux Préparez pour un(e) partenaire cinq ou six **prédictions** et **conseils** pour le mois prochain. Aidez-vous des tableaux, si vous le voulez.

Exemple:
*La semaine prochaine tu te sent**iras** paresseux(-euse) (**prédiction**), mais efforce-toi de t'absorber dans ton travail (**conseil**).*

Communiquez ensuite à votre partenaire les prédictions et les conseils que vous aurez préparés.

★★ **PRÉDICTIONS:** ★★
ce qu'il/elle fera peut-être

travailler sans relâche/se sentir paresseux(-euse)/
s'ennuyer/être tendu(e)/être décontracté(e)/
réussir dans ses études/être critiqué(e) par un professeur/
se montrer aimable avec tout le monde/ irriter les autres/
chercher la solitude/avoir besoin d'amitié/
avoir du succès auprès des garçons, filles/ne plaire à personne/
se disputer avec tout le monde/s'entendre bien avec ses ami(e)s/
faire une rencontre inoubliable/ne voir personne d'intéressant/
tomber amoureux (-euse)/être déçu(e) par les gens qu'on connaît

★★ **CONSEILS:** ★★
ce qu'il faut/ne pas faire

dormir longtemps/se reposer/se coucher tard/
céder à l'irritation/minimiser la tension/
cacher ses sentiments/rester calme/perdre son sang-froid/
s'absorber dans son travail/sortir beaucoup/ s'intéresser à la famille/
se mettre en colère/reprendre courage/ retrouver son enthousiasme/
se montrer amical(e)/dire des mots durs/ s'impatienter/
créer une atmosphère agréable/être tolérant(e)/contrôler ses émotions/
mener une vie régulière/boire trop d'alcool/
se faire des illusions/être flatté(e)/se décourager

📖 **b** Un horoscope est un mélange de **prédictions** et de **conseils**. On y trouve donc de nombreux verbes au **futur** avec des expressions comportant des **conseils**.

Exemples:
Une confidence spontanée détruira votre sérénité.
Efforcez-vous de surmonter votre timidité.
Une affaire avantageuse se présentera.

Travail individuel Composez, en 120–130 mots, l'horoscope de votre partenaire pour la semaine prochaine. Inspirez-vous, si vous le voulez, d'exemples authentiques pris dans des journaux ou magazines récents.

5. *Une soirée.* La condition probable:
si + présent + futur

▶ **Si** vous **invitez** (*présent*) des amis,
vous **aurez** (*futur*) quelquefois des
difficultés.
On emploie cette structure pour
indiquer qu'un fait (*avoir des difficultés*)
est **probable** parce qu'un autre fait, la
condition (*inviter des amis*), est probable
aussi. ◀

a Avec un(e) partenaire, vous
organisez une soirée.
Travail à deux D'abord, composez
ensemble une liste de huit invités, des
personnes que vous connaissez
personnellement ou de réputation.
Regardez maintenant le cadre

(*CONDITION*) à gauche de la photo.
Pour chacun(e) de vos invité(e)s,
composez une phrase disant (au **futur**)
ce qu'il/elle fera probablement ce soir-
là.

Exemples:
    Pauline **paraîtra** timide
    Mark **critiquera** la coiffure de Julie
    Le Prince Charles **parlera** de
        l'enseignement de l'anglais

b Le comportement de vos invités aura
sans doute des **conséquences**.
*Travail à deux/Exercice oral → Travail
individuel* Regardez maintenant le
cadre à droite de la photo
(*CONSÉQUENCE*). Avec votre
partenaire, composez oralement, avec
si, des phrases sur vos invités.

Choisissez un premier fait (**condition**:
présent) et un deuxième fait
(**conséquence**: **futur**) qui vont
ensemble.

Exemples:
    Si Pauline **paraît** (*présent*) *timide, je
    me* **sentirai** (*futur*) *gêné(e).*
    Si Mark **critique** *la coiffure de Julie, elle
    s'indignera.*

Ensuite, le professeur vous demandera
de lui communiquer certaines des
phrases que vous aurez composées.
▱ Pour finir, rédigez par écrit
huit phrases avec **si + présent + futur**
au sujet de votre soirée.

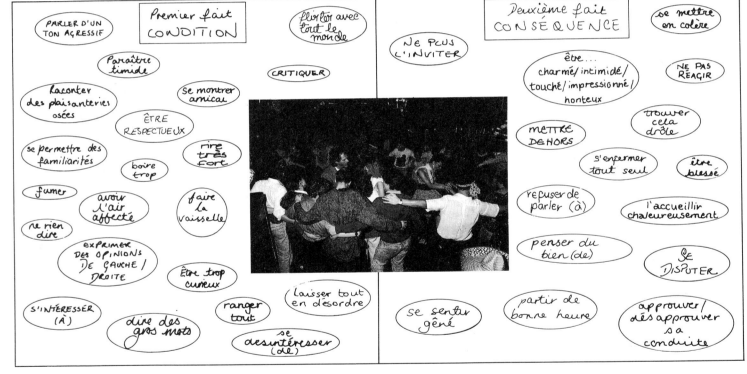

PARLER D'UN TON AGRESSIF — Premier fait CONDITION — Flirter avec tout le monde — Deuxième fait CONSÉQUENCE — se mettre en colère — Paraître timide — CRITIQUER — NE PLUS L'INVITER — être... charmé/intimidé/touché/impressionné/honteux — NE PAS RÉAGIR — Raconter des plaisanteries osées — se montrer amical — ÊTRE RESPECTUEUX — trouver cela drôle — se permettre des familiarités — rire très fort — boire trop — METTRE DEHORS — s'enfermer tout seul — être blessé — fumer — avoir l'air affecté — faire la vaisselle — refuser de parler (à) — l'accueillir chaleureusement — ne rien dire — exprimer des opinions de gauche/droite — Être trop curieux — penser du bien (de) — SE DISPUTER — S'INTÉRESSER (À) — Laisser tout en désordre — ranger tout — dire des gros mots — se désintéresser (de) — se sentir gêné — partir de bonne heure — approuver/désapprouver sa conduite

Vos invités . . . ?

12 LE DÉMON INCENDIAIRE DE SÉRON

Points de repère

Le surnaturel attire toujours l'intérêt du grand public. Cet article du *Nouvel Observateur* raconte des incidents mystérieux qui ont eu lieu dans une ferme des Hautes-Pyrénées.

Travail individuel → Mise en commun Relevez brièvement dans l'article ce que nous apprenons sur:

● **le cadre**
  – la ferme, sa situation géographique
● **les personnages**
  – les habitants de la ferme
  – les habitants de la commune
  – les enquêteurs de toutes sortes
● **le mystère**
  – ce qui se passe à Séron
● **les suspects**
  – habitants de la ferme et autres.

Comparez ensuite vos notes avec celles des autres étudiants.

■ Nous bavardions° dans la «maison vieille» du mystère qui, depuis une quinzaine, hantait° cette ferme des Hautes-Pyrénées. Il y avait là, dans le désordre de la pièce, le fils cadet° des Lahore, Roger, et deux gendarmes de garde avec leur machine à écrire° installée sur un bureau improvisé.

Au milieu de la cour boueuse° la mère Lahore, Marie-Louise, triait° du linge° blanc; près d'elle, par terre, des tissus° et des vêtements calcinés.° De l'autre côté, Edouard, le père, parlait avec le curé. Dans les chambres de la «villa» moderne, le benjamin° Jean-Marc et Michèle, une jeune bonne à tout faire° placée chez les Lahore par les services sociaux, passaient l'encaustique.° Après quatre jours sans incidents, la vie reprenait son cours. Il était 16h 30, le vendredi 17 août.

Soudain une voix d'homme affolée a traversé la cour: «Le feu, nom de Dieu! Ça recom-mence!» Le maire qui passait en voiture avait vu la fumée s'échapper d'une fenêtre de la villa. Sur une chaise un bleu de travail° et une nappe° rouge s'étaient mis à brûler. Comme ça. Sorcellerie? Magie noire? Pour la quatre-vingtième fois en moins de deux semaines, le feu attaquait les Lahore.

Le curé était venu une semaine plus tôt pour bénir° chaque pièce de cette maison ensorcelée° dont les armoires et les tiroirs° des meubles prenaient feu tout seuls. «Le Malin se cache dans les oreillers° et les matelas,° avait dit le curé, si vous brûlez tout ce qui est plume, il s'enfuira.» La famille a brûlé dans la cour ce qu'il fallait brûler, mais les incendies ont continué. Impuissant,° le curé s'est retiré dans son jardin fleuri et son église austère. Il a laissé la place aux exorcistes, aux voyants,° aux sourciers,° munis de° prières, de cartes, de baguettes.° Puis vint l'homme de science. Petit, barbu,° en sandales et chemisette.° Ce professeur de parapsychologie a fait subir° des tests à la famille, mais il n'a rien trouvé. L'un après l'autre, tous ces individus sont repartis, leurs dons vaincus° par l'inexplicable.

Ici dans les Pyrénées, entre Lourdes et Tarbes, on ne croit ni au mauvais œil ni aux sortilèges.° Toutes les nuits, des hommes de Séron veillent° à côté des seaux° d'eau et des extincteurs. Mais le feu est toujours un personnage en quête° d'auteur: ni Dieu, ni Diable. Un homme? Une femme? Cette fille blonde de dix-neuf ans, Michèle, dont les vêtements ont plusieurs fois pris feu sur elle et qui hurlait° un soir: «Je ne suis pas une sorcière»? Le père à l'air tellement inoffensif, la mère qui, dit-on, fait de bonnes affaires avec ces enfants des services sociaux? Le plus jeune fils, vingt-cinq ans, employé à l'université de Créteil, arrivé en vacances quelques jours avant le premier incendie? Roger, le cadet, un routier° barbu au regard tourmenté? Ce voisin, ami de Roger, qui a «pris les choses en main» et semble toujours présent?

Quelles jalousies, quelles passions secrètes, quelles obsessions, quelles rancunes° ont pu faire éclater plus de trente feux en une journée? Un homme lui, se tait.° Celui qui a le pouvoir d'éteindre les feux: le juge d'instruction° chargé de l'affaire.

bavarder chat **hanter** haunt **cadet(te)** second, younger **machine (f) à écrire** typewriter **boueux(-euse)** muddy **trier** sort **linge** (m) laundry **tissu** (m) cloth **calciné** burnt to a cinder **benjamin** (m) youngest **bonne** (f) **à tout faire** maid **(passer) l'encaustique** (f) polish **bleu** (m) **de travail** (workman's) overalls **nappe** (f) tablecloth **bénir** bless **ensorcelé** bewitched **tiroir** (m) drawer **oreiller** (m) pillow **matelas** (m) mattress **impuissant** powerless **voyant** (m) clairvoyant **sourcier** (m) water diviner **muni de** equipped with **baguette** (f) twig, rod **barbu** bearded **chemisette** (f) short-sleeved shirt **subir** undergo **vaincre** defeat **sortilège** (m) spell **veiller** keep watch **seau** (m) bucket **en quête de** in search of **hurler** howl **routier** (m) truck driver **rancune** (f) grudge **se taire** keep silent **juge** (m) **d'instruction** examining magistrate

Découverte du texte

1. L'article en détail: le mystère de Séron

Le journaliste n'explique pas tout de suite le sujet de son article; il ne raconte pas les incidents dans leur ordre chronologique. Au premier paragraphe, par exemple, nous apprenons où, et à quel moment, le mystère a commencé, mais non pas de quel mystère il s'agit.

📖 **Travail individuel** Expliquez précisément, en composant un tableau comme celui présenté ci-dessus à droite, ce que nous apprenons du mystère dans chacun des quatre premiers paragraphes.
Racontez ensuite, **en suivant l'ordre chronologique**, en deux ou trois phrases, les faits du mystère tels que nous les connaissons.

Début possible:
Le feu a éclaté pour la première fois à . . .

2. Vocabulaire. Genre des noms

📖 **a** Chaque fois que vous faites une faute de **genre (masculin-féminin)** dans un travail écrit, il est utile de noter le mot en question avec un article (*un/une, le/la*, etc.) qui convient. Gardez une liste complète de tous ces mots.
Si vous n'avez pas encore commencé cette liste, commencez-la maintenant. Dans les cas où l'article n'indique pas le genre, marquez (*m*) ou (*f*):
de l'huile (f), etc.

(i) PARAGRAPHE	(ii) CE QUE NOUS APPRENONS

Au premier paragraphe . . . .
 Au . . . .
 . . . .
 . . . .
 . . . .
	le mystère avait commencé il y a . . . . . .
	 les incidents s'étaient arrêtés
	 un bleu de travail et une nappe se
	    sont . . . .
	 soixante-dix-neuf autres incidents
	    avaient eu lieu en . . . .
	 les armoires et les tiroirs prenaient . . . .
	 . . . .

Travail individuel/Exercice oral
Classez par écrit les mots présentés dans les cadres ci-dessous. Notez d'abord les mots **masculins** et ensuite les **féminins**. Mettez chaque fois un article, + (*m*) ou (*f*) s'il le faut. Ensuite, vérifiez le genre de ces mots à l'aide d'un dictionnaire ou avec le professeur.

b La classe se divisera en deux équipes.
Jeu-concours Pour préparer ce jeu-concours, trouvez individuellement dans ce dossier *Mystérieuses puissances* ou dans les dossiers précédents, quatre ou cinq noms, masculins ou féminins.

Notez-les, puis vérifiez le genre de chacun de ces mots.
Ensuite chaque membre des deux équipes proposera à son tour un **nom sans article**; un membre de l'équipe opposée, choisi (à tour de rôle) par le professeur, répétera le **nom avec** un **article** qui convient (en précisant le genre s'il le faut). Pour chaque «réponse» correcte, le professeur marquera un point pour l'équipe en question. A la fin, l'équipe qui aura le plus grand nombre de points gagnera le jeu-concours.

UN/UNE?	**LE/LA/L'** (*m/f*)?	**DU/DE LA/DE L'** (*m/f*)?
côté, chambre, armoire, meuble, incendie, individu, seau, air, affaire, université, main	mystère, désordre, cour, passion, feu	linge, fumée, air, eau

---

• A COMPLÉTER, A NOTER ET A MÉMORISER •

Expressions et structures
depuis une _____ (= *15 jours*)
le fils _____ (*vient après l'aîné*)
____ terre (≠ *en l'air*)
__ l'autre côté de la cour
le _____ (= *le plus jeune*) de la famille
il passe __ voiture (cp. __ *bicyclette*, __ *moto*)
__ moins __ deux semaines
des voyants munis __ cartes
__'__ après __'_____ (= *successivement*) ils sont repartis
le père __ __'_____ (= *qui paraît*) inoffensif (cp. *il a l'air inoffensif*)
un routier __ regard tourmenté
plus __ trente feux

Constructions verbales
il a vu la fumées s'_____ d'une fenêtre
ils s'étaient mis __ brûler
il a laissé la place __ exorcistes
il a fait subir des tests __ la famille
on ne croit pas __ mauvais oeil

Formes
vieux → f
boueuse → m
blanc → f
social → pl
sorcière (f) → m
inoffensif → f
secret → f

Noms et verbes
trier → elle faisait le _____ du linge
reprendre → la _____ de leurs activités
venir → la _____ du curé
bénir → il a donné sa _____
prière (f) → il allait _____ pour eux
victoire (f) → ils ont essayé de _____ l'inexplicable
extincteur (m) → il sert à _____ les incendies
hurler → les _____ (m) de la jeune fille
obsession (f) → quelle idée paraît l'_____?

Exercices

1. Place des pronoms personnels: le, la, les, lui, leur

▶ Lisez attentivement ces deux phrases en réfléchissant à l'ordre des mots.

Le curé est venu **les** voir.
Il **leur** a donné ce conseil.

Normalement, les pronoms personnels (*le*, *la*, *les*, *lui*, *leur*, etc.) se placent ainsi:

- temps simples: devant le verbe (*je le vois*)
- temps composés: devant l'auxiliaire (*être/avoir*) (*je l'ai vu*)
- verbe + infinitif: devant l'infinitif (*je veux le voir*)

N'oubliez pas que dans les temps composés (*passé composé*, etc.) le participe passé doit **s'accorder avec l'objet** du verbe si l'objet **précède le verbe**.

Comparez ces deux phrases:

Il a **incité les Lahore** à brûler les matelas.
(L'objet suit le verbe: le participe ne s'accorde pas)
Il **les** a **incités** à brûler les matelas.
(L'objet **précède** le verbe: le participe doit **s'accorder**) ◀

Pour répondre de façon naturelle à des questions, sur les événements de Séron par exemple, on a souvent besoin de pronoms personnels.
Exercice oral → Travail individuel En consultant le texte, composez oralement, sous la direction du professeur, des réponses à ces questions. Employez chaque fois un **pronom personnel**.

Exemple:
Les gendarmes ont-ils installé leurs affaires dans la villa?
*Non, ils **les** ont installées dans la «maison vieille».*

1 Les gendarmes ont-ils installé leurs affaires dans la villa?
2 Mme Lahore était-elle en train de laver le linge dans la cour?
3 Qu'avait-on fait aux vêtements qui étaient par terre?
4 Est-ce Mme Lahore qui parlait au curé?
5 Est-ce que le curé était venu inspecter toutes les pièces de la maison?

6 Le curé a-t-il suivi ou précédé les exorcistes à la ferme?
7 Lequel des «experts» a réussi à éclaircir le mystère?
8 Quand est-ce que le benjamin de la famille avait commencé ses vacances?

📖 Rédigez maintenant vos réponses par écrit **sans consulter le texte**.

2. L'imparfait

▶ On peut facilement former **l'imparfait** à partir de la première personne du pluriel du **présent (nous)** du verbe (exception: *j'étais*):

Nous **recevons** → Je **recevais**.

Voici les terminaisons:
-ais, -ais, -ait, -ions, -iez, -aient.

Attention aux verbes en **-ger** et **-cer** (**ge + a, ç + a**):

je man**ge**ais
il commen**ç**ait etc.
mais: nous mangions
vous commenciez

L'imparfait s'emploie:
1 pour une **action** au passé qui n'est **pas terminée** quand une autre action arrive
2 pour les **circonstances** qui accompagnent un récit.

Exemples:
*Nous **bavardions** (action non terminée) quand une voix a crié au feu.*
*Le mystère **hantait** (circonstance) la ferme.*

On emploie aussi l'imparfait pour les **actions habituelles** au passé (voir *Activités*, 2, p. 68). ◀

a Quand le feu a éclaté à 16h30 le vendredi 17 août, que **faisaient** toutes les personnes présentes dans la ferme?
Exercice oral → Travail individuel
Regardez de nouveau le texte. Mémorisez ce que faisaient à ce moment-là les personnes mentionnées ci-dessous et à la page 54; puis communiquez vos réponses **de mémoire** au professeur:

– le journaliste

– Roger

– la mère

– les deux gendarmes

– le père

– le curé

– Jean-Marc et Michèle

– le maire

21 août, 11h30
Je vois (avec difficulté)
par le trou de la serrure
une personne qui entre
dans la chambre.
Je n'arrive pas à
déterminer l'identité
de cette personne.

11h56
Je sens de la fumée.
Je sors de ma cachette
et je vois que le grand
lit a pris feu. Je réussis
à éteindre le feu. Puis
je procède immédiatement
à une reconstitution
des faits.

Ensuite composez à **l'imparfait** quatre ou cinq phrases écrites, expliquant où étaient toutes ces personnes, avec qui, et ce qu'elles faisaient au moment où le feu a éclaté. **Ne regardez pas le texte.**

b Quatre jours après l'événement raconté dans l'article, un gendarme caché dans une armoire de la chambre de M. et Mme Lahore est témoin d'un incident qui lui semble révéler l'identité probable du ou des coupables. Vous trouverez ci-dessus à droite un extrait de ses notes.

Exercice oral En vous référant à ces notes, dites au professeur **au passé** ce que le gendarme a fait à 11h30, à 11h56 et par la suite.

Ⓛ **c** Le professeur vous distribuera à chacun(e) un plan de la ferme avec une autre page du carnet du gendarme (*Livret*, p. 22). Ensuite, chacun(e) d'entre vous prendra le rôle d'un des suspects: **M. Lahore**, **Mme Lahore**, le cadet **Roger** (l'aîné habite maintenant ailleurs), **Bernard** l'ami de Roger, le benjamin **Jean-Marc**, la bonne **Michèle**. (Au besoin, deux ou trois étudiants prendront le même rôle). Au moins une de ces personnes est coupable d'«incendie volontaire». C'est vous peut-être?
Le professeur vous donnera aussi une fiche (*Livret*, p. 23) avec les informations suivantes:

– où vous étiez à 11h56, et à 11h30
– avec qui vous vous trouviez
– ce que vous faisiez.

Jeu de rôles/Mise en commun Le gendarme (le professeur) interrogera tous les suspects sur ce qui se passait à 11h56 quand il a découvert le feu. Il vous demandera à chacun de lui donner les trois informations mentionnées ci-dessus; répondez en consultant votre fiche.
Sur votre plan, marquez (avec des initiales) où se trouvait chaque suspect.
Sur le carnet du gendarme, notez à **l'imparfait** ce que faisait chacun d'eux.

Exemple (M. Lahore, 11h56):
Vous marquez *ML* sur le plan (dans la salle à manger).
Vous notez sur le carnet:
*M. Lahore **fumait** une cigarette dans la salle à manger.*

Ensuite, vous ferez la même chose pour 11h30, le moment où quelqu'un est entré dans la chambre de M. et Mme Lahore. (Marquez les initiales sur le plan avec une couleur différente.) Pour finir, regardez les informations à votre disposition. Essayez de deviner qui est le coupable, ou qui sont les coupables. Donnez les raisons de vos choix.

3. Pronoms accentués: moi, toi, lui, elle, etc.

▶ Les pronoms personnels, sujets (*je, tu, il, elle*, etc.) et objets (*me, te, le, la,* etc.), s'attachent toujours au verbe. Mais quand un pronom personnel est **séparé du verbe**, on emploie un pronom accentué: **moi, toi, lui, elle, nous, vous, eux, elles.** Remarquez, par exemple, les cas suivants:

après une **préposition:** pour **accentuer le sujet:**	ses vêtements ont pris feu **sur elle un homme, lui,** se tait

pour un **double sujet**:

devant un **relatif** (*qui, que,* etc.):

avec «**aussi**»:

lui et Michèle passaient l'encaustique

c'est **lui qui** a pris les choses en main

ils sont partis, **eux aussi**. ◀

📖 **a** Lorsque le gendarme est entré vers midi dans la salle à manger, il a noté mentalement où se trouvaient les personnes présentes.
Travail individuel Complétez ce passage comme si vous étiez le gendarme. Employez chaque fois un **pronom accentué**:

«Quand je suis entré, j'ai vu devant ＿＿＿ M. Lahore assis à la table. Assis à côté de ＿＿＿ se trouvait mon collègue Ricard. Les deux hommes bavardaient. Derrière ＿＿＿ dans un fauteuil, le voisin Bernard lisait le journal. Debout, en face de M. Lahore, se tenait la bonne Michèle. C'est toujours ＿＿＿ qui met la table à cette heure-là. Jean-Marc était ＿＿＿ aussi dans la maison, à la cuisine. Les deux autres, Roger et sa mère, étaient dehors. ＿＿＿ et ＿＿＿ se trouvaient tous les deux dans la cour. Mme Lahore donnait à manger aux poules alors que Roger, ＿＿＿, rentrait le tracteur.»

Relisez attentivement ce passage; puis dessinez rapidement un plan de la salle à manger à ce moment-là. Tenez compte des détails présentés dans le passage et marquez, avec des initiales, la position de chaque individu. Marquez aussi les personnes qui se trouvaient dans la cuisine et la cour.

b Plus tard, le commandant de la gendarmerie interroge le deuxième gendarme, Ricard, sur les personnes présentes à la ferme.
Exercice oral Avec le professeur, trouvez dans la deuxième colonne la réponse qui correspond à chaque question:

Où se trouvait M. Lahore à ce moment-là?

Et Bernard, il parlait avec vous?

La bonne, Michèle, lavait du linge dans la cuisine, n'est-ce pas?

– Non. C'est **elle qui** mettait la table, dans la salle à manger.

– **Elle et Roger** se trouvaient dans la cour.

– Non, **Bernard, lui**, lisait le journal **derrière nous**.

– **A côté de moi**, à la

Roger était table. dehors, je crois. – **Elle aussi**. Et sa mère? Où était-elle au juste?

c Le commandant (le professeur) interroge maintenant M. et Mme Lahore.
Travail individuel/Exercice oral Lisez les questions qui suivent en consultant le plan que vous avez dessiné (*a*). Réfléchissez un peu. Comment ces deux personnes répondraient-elles (avec des **pronoms accentués**)? Le professeur vous demandera maintenant de répondre oralement pour M. et Mme Lahore. Employez chaque fois un pronom accentué.

– **Monsieur Lahore**, le gendarme Ricard se trouvait dans la cuisine?
– Et Michèle?
– Elle lisait le journal, c'est ça?
– Bernard était là, devant vous?
– Roger était dans la maison, et sa mère aussi?

– **Madame Lahore**, où étiez vous, vous et Roger?
– Roger donnait à manger aux poules?
– Votre mari se trouvait dehors aussi?
– Et Ricard, mon gendarme?
– Michèle se trouvait avec vous, ou avec votre mari et les autres?

📖 Pour finir répondez par écrit à ces questions, chaque fois avec un pronom accentué, comme si vous étiez d'abord M. Lahore, puis Mme Lahore.

4. Pronoms relatifs: qui, que

▶ Regardez ces deux phrases:

Un sourcier est quelqu'un **qui** découvre les sources.
Une baguette est une chose **qu**'un sourcier utilise.

Pour définir la fonction d'une personne ou d'une chose ou emploie souvent un **pronom relatif** comme **qui** ou **que**:

qui (*invariable*) est le **sujet** du verbe qui suit (**qui + verbe**)
que (**qu'**) est l'**objet direct** du verbe qui suit (**qu(e) + sujet + verbe**)

Après **qu(e)**, si le sujet est un **nom**, on fait souvent l'**inversion** du verbe et de son sujet:

Une baguette est quelque chose **qu'utilise** un sourcier.

Mais cette inversion ne se fait pas si le sujet est un **pronom** (*je, tu, il, elle, nous,* etc.):

Un dictionnaire est quelque chose **que** nous **utilisons** beaucoup.

Dans les temps composés (passé composé, etc.), n'oubliez pas l'**accord** du participe après **que** (parce que l'**objet précède** le **participe**):

C'est **une source que** le sourcier a découvert**e**. ◀

a Le tableau *Qui est-ce?* présente six personnes et, dans la colonne de droite dans un ordre différent, des phrases qui les décrivent.
Travail à deux Avec un(e) partenaire, trouvez la phrase qui correspond à chaque personne; lisez ces phrases ensemble en les mémorisant. Ensuite, cachez les phrases et composez oralement, avec **qui**, une définition de la fonction de chaque personne.

Exemple:
*Une astrologue est une femme **qui** étudie l'influence des astres.*

QUI EST-CE?	
un sourcier	il chasse les démons
une astrologue	elle pratique la magie
une cartomancienne	il guérit par des procédés naturels
un exorciste	elle étudie l'influence des astres
une sorcière	elle prédit l'avenir avec des cartes
un guérisseur	il découvre les sources

QU'EST-CE QUE C'EST?	
le zodiaque	un exorciste l'emploie
un crucifix	un sourcier la tient à la main
des sortilèges	une cartomancienne les interprète
une baguette	une astrologue l'utilise
des herbes médicinales	une sorcière les prépare
les tarots	un guérisseur les cueille

b Le tableau *Qu'est-ce que c'est?* indique certaines choses que les six personnes utilisent dans leur travail.

Travail à deux → Exercice oral
Trouvez les phrases qui correspondent aux choses indiquées. Ensuite, cachez la deuxième colonne; composez oralement, avec **que**, une phrase disant quelle personne utilise chacune de ces choses.

Exemple:
> *Le zodiaque est une chose **qu'**une astrologue utilise/**qu'**utilise une astrologue (inversion possible).*

Pour finir, le professeur vous demandera de composer oralement, de mémoire, avec **qui** ou **que**, des phrases qui expliquent ce que font les six personnes et ce qu'elles utilisent.

c Les phrases **relatives**, introduites par **qui** ou **que**, servent à décrire des noms: des personnes ou des choses.
Travail individuel Combinez chaque groupe de deux phrases (ci-dessous). Dans la deuxième phrase, remplacez le(s) mot(s) en italique par **qui** ou **que**.

Exemple (4):
> *Le maire, **qui** passait en voiture, a vu la fumée.*

1a Nous bavardions du mystère.
b *Le mystère* hantait la ferme.
2a Il y avait là deux gendarmes avec leur machine à écrire.
b Ils avaient installé *la machine à écrire* sur une table.
3a Devant la mère Lahore il y avait du linge.
b Elle était en train de trier *le linge*.
4a Le maire a vu la fumée.
b *Le maire* passait en voiture.

5a Jean Marc et la bonne passaient l'encaustique dans les chambres.
b Les services sociaux avait placé *la bonne* chez les Lahore.
6a Les pièces avaient l'air d'être ensorcelées.
b Le curé a béni *les pièces*.
7a Les tests n'ont rien prouvé.
b La famille a subi *des tests*.
8a Les hommes de Séron ne croyaient pas aux sortilèges.
b *Les hommes de Séron* ont veillé toutes les nuits.

Attention! Avez-vous vérifié tous les participes passés?

Révision

Dernier rappel! Le passé composé
Révisez:
- la liste des verbes qui prennent l'auxiliaire *être*
- les participes passés de tous les verbes présentés dans le *Tableau de verbes*, pp. 184–7
- les règles pour l'accord du participe passé.

Voir le *Résumé grammatical*, 39, 40 et 45, pp. 161, 163.

Révisez aussi:
- d'autres constructions avec l'infinitif (*Révision* 8, p. 192). Consultez d'abord vos notes (*A compléter* p. 15, etc.).
- expressions avec *avoir* (*Révision* 9, p. 192).

Activités

1. Reportage: *La sorcière qui n'existait pas*

Le passage enregistré est un reportage radiophonique, diffusé presque cinq ans après l'article du *Nouvel Observateur*, sur les mystérieux incendies de Séron.
Ⓛ ***Travail individuel/à deux →***
Mise en commun Avec ou sans partenaire, écoutez le reportage et complétez la transcription (*Livret*, pp. 24–5). Ensuite le professeur vous demandera de résumer oralement, de mémoire, la conclusion de l'affaire: *fin de l'enquête, coupables, motifs, moyens techniques, leçon à tirer*.

> Presque cinq ans après les mystérieux incendies de Séron, l'affaire reparaît à la une des journaux . . .

2. *Les mystérieux incendies.* Emission télévisée

Cinq ans après le procès qui résulte de cette affaire, une équipe de journalistes prépare une émission télévisée. Celle-ci rappellera aux téléspectateurs les points essentiels du mystère et des enquêtes. Pour ce faire, les journalistes reviennent sur les lieux des mystérieux incendies. Ils interrogent quatre témoins qui ont assisté au drame: **Mme Lahore**, le **curé**, un(e) **habitant(e)** de Séron, un **gendarme**.
Travail individuel/Jeu de rôles
Mettez-vous en groupe(s), de cinq si possible. L'un(e) d'entre vous prendra le rôle du/de la journaliste qui présente l'émission. Les autres étudiant(e)s prendront chacun(e) un rôle différent (au besoin, deux étudiant(e)s prendront le même rôle ou un(e) étudiant(e) prendra deux rôles). Chacun d'entre vous préparera d'abord son rôle: retrouvez et notez toutes les informations dont vous aurez besoin en suivant les indications

suivantes. Consultez l'article (*Le démon incendiaire*), votre tableau (*Découverte, 1*), *Exercices, 2 et 3*, et le reportage radiophonique (*Activités, 1*).

Le/La journaliste notera toutes les **questions** qu'il faudra poser pour obtenir les informations suivantes:

– **L'habitant(e)** de Séron: la nature du mystère, le moment, l'endroit, les personnages, les soupçons à leur sujet

– **Mme Lahore**: les premiers incidents, ce qui se passait à la ferme, la personnalité des coupables, leurs motifs possibles

– **Le curé**: les «spécialistes», ce qu'on a fait pour combattre le mal, les résultats de ces efforts

– **Le gendarme**: l'enquête, ce qu'on a fait pour révéler l'identité des coupables, la conclusion de l'affaire.

Le/la journaliste préparera aussi quelques phrases qu'il/elle emploiera pour **conclure** l'émission.

Ensuite, réunissez-vous en groupe. Le/La journaliste interrogera tour à tour les témoins. Ceux-ci répondront à ses questions; ils pourront aussi intervenir pour corriger ou compléter des informations. En conclusion, le/la journaliste dira quelques mots pour terminer l'émission.

Il sera peut-être intéressant pour vous d'**enregistrer** votre émission, **au magnétoscope** ou au magnétophone. Pour finir, vous pourrez «visionner» votre «performance»!

⑬ VOYAGE DANS LE TEMPS

Points de repère

🔲 Dans le témoignage que vous allez écouter, une auditrice de France-Inter raconte une expérience étrange qu'elle a vécue en Sologne, une région de France située au Sud de la Loire.

Ⓛ **Travail individuel → Mise en commun** Le professeur vous distribuera une transcription intégrale (*Livret*, p. 63) du témoignage. Ecoutez une première fois ce récit en suivant la transcription.

Ensuite, cachez la transcription et notez en deux minutes les premiers détails qui vous reviennent à l'esprit.

Pour finir, le professeur vous demandera à tous/toutes de lui rappeler ces détails. Il les notera au tableau en essayant, avec vous, d'y mettre de l'ordre.

Activités

1. Le récit en détail: prise de notes

🔲 *Travail individuel/à deux* Lisez d'abord les indications qui suivent. Ensuite, avec ou sans partenaire, écoutez une deuxième fois

l'aventure: en 1964 – l'hiver – au mois de janvier – un dimanche matin

l'enregistrement avec la transcription sous les yeux; puis **sans regarder la transcription**, repassez la bande en l'arrêtant quand vous le voudrez. Prenez des notes selon les indications ci-dessous; notez des mots-clef plutôt que des phrases, de la manière indiquée ci-dessus.

- **l'aventure** année – saison – mois – jour
- **la narratrice et son mari** domicile – détails sur les personnes – vêtements – sentiments et réactions
- **la promenade** en voiture (distance) – à pied (durée) – retour
- **la première transformation** paysage avant (temps qu'il faisait) – paysage après (temps qu'il faisait)
- **le village** cadre (rivière, pont) – maisons – église – rues – signes de vie, de mouvement

- **la deuxième transformation** paysage après (temps qu'il faisait)
- **tentatives pour retrouver le village** sur place – archives – disparition – groupe de recherche – savant – traces – canal – refus de participer – danger.

2. Reconstitution orale et écrite

Exercice oral → Travail individuel Écoutez une dernière fois le témoignage. Ensuite, sous la direction du professeur, reconstituez-le oralement, en détail, en consultant vos notes.

Pour finir, reconstituez par écrit cette histoire.

Début possible:
Cet incident extraordinaire a eu lieu en 1964, en plein hiver, au mois . . .

3. Narration: *une histoire étrange*

Connaissez-vous des personnes qui ont eu des expériences qui sortent de l'ordinaire? Avez-vous vécu vous-même quelque chose d'inexplicable? Croyez-vous aux fantômes ou à des puissances surnaturelles?
Discussion → Travail individuel
Discutez avec l'ensemble de la classe les questions posées ci-dessus.

Ensuite, racontez par écrit une histoire, réelle ou imaginaire, au cours de laquelle il se passe quelque chose de bizarre ou d'étrange. Vous présenterez par exemple:

- la situation (lieu – moment – cadre, etc.)
- les personnages (domicile – détails sur les personnes, sur leur physique, etc.)
- l'incident/les faits (ce qui se passe de normal et d'anormal – détails descriptifs – émotions et réactions, etc.)
- conclusions ou explications.

1 = Vierge
2 = Sagittaire
3 = Capricorne
4 = Gémeaux
5 = Bélier
6 = Cancer
7 = Poissons
8 = Balance
9 = Taureau
10 = Verseau
11 = Lion
12 = Scorpion

A vos marques

Vous et vos émotions

Les sentiments jouent-ils un rôle important dans votre vie? Êtes-vous quelquefois victime de vos émotions?

Travail individuel → ***Travail à deux***   Notez brièvement par écrit vos réponses aux questions suivantes:

Qu'est-ce qui vous rend gai(e) . . . et triste?

Riez-vous souvent? Qu'est-ce qui vous fait rire?

Vous est-il arrivé d'avoir très peur? Quand?

Souffrez-vous quelquefois de timidité? Dans quelles situations?

Aimez-vous être seul(e)? Pourquoi, ou pourquoi pas?

Quelles sont vos émotions les plus fortes? Sont-elles, à votre avis, utiles ou dangereuses?

Interrogez maintenant un(e) partenaire, en lui posant ces mêmes questions, et répondez à votre tour. Employez *tu* plutôt que *vous*. (*Qu'est-ce qui te rend gai(e)? Ris-tu souvent? T'est-il arrivé d'avoir très peur? Te sens-tu quelquefois jaloux(-ouse)? etc.*)

⑭ JOIES ET CHAGRINS

Activités

1. La force des émotions

 a Vous allez entendre trois étudiantes françaises, et un étudiant français, qui nous parlent de certains moments d'**émotions fortes** qui ont beaucoup compté dans leur vie. Chacune des phrases présentées ci-dessous a été fragmentée en quatre parties: (i) *Emotions*, (ii) *Moment*, etc. A l'intérieur de chaque colonne, on a mélangé les fragments, et quelques mots ont été omis.

(i) Emotions	(ii) Moment	(iii) Raison	(iv) Résultat
Emmanuel a connu une grande joie	un jour où elle s'était _____ la _____ en tombant de cheval	parce qu'elle s'est trouvée au _____ d'un _____ ;	par conséquent ses amis et ses _____ ont partagé sa joie
Paradoxalement, Christèle a été complètement euphorique	à l'âge de _____ ans sur un _____ entre Chicago et Orlando	parce qu'il avait beaucoup _____ alors qu'elle était _____ la même, pensait-elle;	elle a donc écrit ses dernières _____ sur un _____
Isabelle a éprouvé à la fois de la joie et de la peine	à l'âge de _____ ans dans son _____ de natation	parce que son cheval n'avait _____ de cassé	cela a tout remis en cause et elle s'est posé des _____ sur sa propre vie
Madeleine a eu très peur	quand elle a retrouvé un _____ qu'elle n'avait pas _____ depuis un _____	parce qu'il avait été _____ pour le _____ de France à Cahors	si bien qu'elle sentait qu'elle n'avait pas _____ du _____

Travail individuel → Mise en commun
Passez la bande en regardant la **première partie** de chaque phrase, colonne (i): *Emotions*. Identifiez la personne qui parle et, une fois les témoignages terminés, transcrivez la première partie de chacune des phrases dans l'ordre où vous les aurez entendues:

Laissez trois lignes entre chacune de ces débuts de phrase.
Vérifiez vos débuts de phrase avec les autres étudiants.

b A vous maintenant de remettre en ordre les fragments qui restent, colonnes (ii), (iii), (iv), et de reconstituer les phrases.
Travail individuel Repassez la bande en l'arrêtant quand vous le voudrez. Cette fois-ci, résumez ce qu'ont dit les étudiants en transcrivant les phrases en entier:

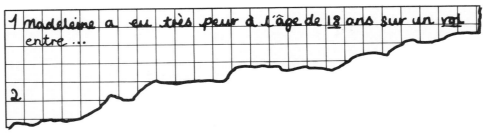

2. La parole est aux timides
(L'infinitif/L'infinitif négatif. La condition réelle).

Tout le monde, ou presque, souffre parfois de timidité. Le magazine *Antirouille* a demandé à certains de ses jeunes lecteurs s'ils étaient souvent timides et dans quelles situations. Voici, quelques-unes de leurs réponses.

Chaque fois que je suis en face de quelqu'un que j'aimerais connaître, je suis incapable de lui parler. Je me dis: il suffirait de faire un petit effort. Mais je ne peux pas.

Sylvie

Moi, quand on m'adresse la parole, j'ai la tête qui se vide complètement. Je souris bêtement. Au lycée, je n'arrive pas à parler devant les trente personnes de ma classe.

Natacha

Jean-Michel

A la rigueur, j'arrive à causer avec des gens pas très intéressants. Avec les gens intéressants j'ai peur de raconter des bêtises. Je suis convaincu de ne pas avoir leur attention: je me sens inférieur.

Quand je sens qu'on m'observe, je suis gêné, je ne regarde personne. Je ne sais plus m'exprimer. Mais en sortant le soir je suis plus à l'aise. Je ne suis presque plus timide. La nuit, on te voit moins bien.

Loïc

Une fois qu'on te croit timide tu as le sentiment de ne plus exister. Quand les grandes gueules parlent de tout le monde sauf moi, j'ai l'impression d'être un zéro. Je ne dis plus rien.

Paul

> J'ai toujours le sentiment que les garçons ne s'intéressent pas à moi. Je n'ai jamais assez de confiance pour leur parler. J'aime me faire draguer par un garçon. Ça prouve que je plais à quelqu'un.

Anne

▶ Pour Sylvie, la timidité c'est **vouloir** connaître quelqu'un mais **ne pas pouvoir** faire un petit effort pour lui parler, **ne rien dire**, etc.

Remarquez que **ne** et **pas** (**rien**, **plus**, etc.) se placent normalement ensemble devant un **infinitif** employé au **négatif**. Notez cependant que **personne** se place après l'infinitif: *ne rencontrer personne.* ◀

a Qu'est-ce que la timidité pour Sylvie, Loïc, Natacha et les autres jeunes?
Exercice oral → Travail individuel
A partir de leurs réponses, composez oralement des phrases, avec des **infinitifs positifs** ou **négatifs** (comme dans les exemples ci-dessus). Dites aussi au professeur, avec des infinitifs, ce qu'est la timidité pour vous:

Pour moi, la timidité c'est ...

📖 Pour finir, composez par écrit quatre phrases, avec des infinitifs, expliquant ce qu'est la timidité pour certains de ces jeunes, pour vos camarades de classe ou pour vous.

▶ **Si** Sylvie **se trouve** en face de quelqu'un qu'elle aimerait connaître elle n'**arrive** pas à lui parler.
On emploie cette structure (**si** + **présent** + **présent**) pour indiquer qu'un fait a lieu chaque fois qu'une **condition** se réalise. ◀

b Dans quelles **conditions** ces jeunes souffrent-ils de timidité?
Exercice oral Lisez attentivement les phrases conditionnelles ci-dessous, puis complétez-les oralement avec le professeur en vous référant aux déclarations des jeunes Français.

1 *Sylvie*
Si . . . . . . elle n'arrive pas à faire un effort pour lui parler.
2 *Natacha*
Si . . . . . . sa tête se vide et elle ne trouve rien à dire.
3 *Jean-Michel*
Si . . . . . . il a peur qu'ils ne l'écoutent pas.
4 *Loïc*
Si . . . . . . il a l'impression qu'on le voit moins bien.
5 *Paul*
Si . . . . . . il a le sentiment d'être totalement insignifiant.
6 *Anne*
Si . . . . . . il lui semble qu'elle plaît enfin à quelqu'un.

📖 **c** Vous arrive-t-il quelquefois de vous sentir intimidé(e) ou peu sûr(e) de vous?
Travail individuel → Travail à deux
Composez par écrit **cinq** phrases conditionnelles (**si** + **présent** + **présent**): précisez dans quelles situations vous avez du mal à vous exprimer, la tête qui se vide, etc. Référez-vous, si vous le voulez, aux questions présenteés dans les cadres ci-dessous.

Exemple:
> *Si j'ai l'impression que tout le monde m'écoute, j'ai du mal à m'exprimer.*

Partagez ensuite vos réflexions avec un(e) partenaire.

Dans quelles situations avez-vous:
– du mal à vous exprimer?
– la tête qui se vide?
– peur de dire des bêtises?
– le sentiment d'être insignifiant(e)?

Dans quelles situations êtes-vous:
– nerveux(-euse) ou agité(e)?
– mal à l'aise?
– trop conscient(e) des autres?
– confus(e), gêné(e), embarrassé(e)?

15 LE WEEKEND DE SOPHIE

Le vendredi soir, tous les vendredis soir, après avoir encapuchonné° sa machine à écrire, Maryse dit à Sophie: «Bon week-end». Sophie répond: «Bon week-end». Un rite. Maryse n'attend pas l'ascenseur, descend l'escalier en courant et rejoint,° sur le trottoir d'en face, un garçon. Pas toujours le même.

Sophie traîne,° range° son bureau, sort, revient, déplace° quelques papiers, regarde le téléphone. Et part, enfin. Personne n'attend Sophie dont les weekends ne sont ni bons ni mauvais, ils ne sont rien, ils ne sont pas. Du vendredi soir au lundi matin, Sophie, couchée, somnole,° lit un peu, dort. Sophie est seule.

Il y a bien longtemps qu'elle est seule. Lorsqu'elle pense à son en-fance, c'est d'abord sa solitude qui accompagne et ternit° les souvenirs. «Solitude … ce n'est pas exactement cela. La solitude c'est quelque chose de noble, c'est un mot de poète; moi je suis simplement seule, isolée. Je ne connais personne, personne ne me connaît. Il y a des jours où je me demande si j'existe».

Sophie n'est pas une vieille dame abandonnée mais une jeune femme solide et ronde, au regard un peu voilé.° Elle vit° dans un petit studio encombré de mille choses inutiles. C'est là, au milieu de ces objets, qu'elle se protège,° comme derrière un rempart. Elle s'exprime° avec effort: «C'est vrai que je ne parle pas beaucoup. J'ai l'impression qu'on ne m'écoute pas. Je parle toute seule quelquefois pour entendre autre chose que la radio … ou le silence».

Elevée dans une famille aisée° à quatre personnages, le père, la mère, l'ambition du père, l'amant de la mère, elle n'y a jamais vraiment trouvé sa place. On l'a soignée,° nourrie,° embrassée° même quelquefois, mais jamais écoutée. Cette petite fille, trop peu aimée, est devenue une adolescente qui avait peur de parler et une femme qui n'avait plus grand'chose à dire. Mais il n'y a pas de solitaire de naissance.° Si quelqu'un, un jour, allait à la rencontre de° Sophie, s'il faisait le premier pas° et elle le second, s'il lui parlait et surtout l'écoutait elle serait sauvée.

Points de repère

📖 Le magazine *Elle* a enquêté sur la condition de «tous ceux qui vivent seuls, tous ceux que la vie, leur situation économique, la vieillesse, la maladie ou notre indifférence ont enfermé dans leur solitude». Voici un extrait de l'article qui a résulté de cette enquête.

Travail individuel → Mise en commun Lisez attentivement cet extrait; ensuite, résumez par écrit, en quelques mots, ce que vous apprenez sur Sophie:

- son travail
- son domicile
- son enfance et son adolescence
- sa famille
- comment elle passe le weekend
- comment elle se voit
- comment la journaliste la décrit physiquement
- comment sa famille l'a traitée

Ensuite, comparez les détails que vous aurez notés avec ceux notés par les autres étudiants

encapuchonner put the cover on **rejoindre** go and meet **traîner** hang about **ranger** tidy **déplacer** move **somnoler** doze **ternir** tarnish **voilé** misty **vivre** live **se protéger** protect oneself **s'exprimer** express oneself **aisé** well off **soigner** look after **nourrir** feed **embrasser** kiss **solitaire de naissance** born lonely **aller à la rencontre de** go out to meet **pas** (m) step

Découverte du texte

1. Ce que veut dire l'article: les intentions de la journaliste

Le weekend de Sophie est un texte émotif: la journaliste y emploie des détails narratifs et descriptifs pour faire sentir au lecteur la condition morale de Sophie, pour toucher.

📖 ***Travail individuel → Mise en commun*** Essayez d'interpréter les intentions de la journaliste en complétant le tableau présenté ci-contre.

Comparez ensuite vos interprétations avec celles des autres étudiants.

2. Vocabulaire: un être solitaire

📖 **a** Le portrait présenté dans le cadre à la page ci-contre (p. 63), en haut, décrit quelqu'un «que la vieillesse a enfermé dans la solitude».

Travail individuel Recopiez les mots et expressions qui suivent dans l'ordre nécessaire pour compléter le texte. N'oubliez pas de faire les changements qui conviennent. Ensuite, mémorisez les mots et expressions.

> déplacer – encombré de – s'exprimer – parler tout seul – se protéger – ranger – rejoindre – à la rencontre de – solitaire – somnoler – un studio – traîner

b *Travail à deux* Complétez oralement le texte sans regarder votre liste de mots et d'expressions.

Le petit vieillard _____ qui tenait le café en face de mon _____ n'avait presque plus de clients. Le matin on le voyait, seul, _____ des verres sous le comptoir, _____ quelques cendriers. Il _____ dans la salle déserte _____ de chaises et de tables qui servaient à peine, _____ un peu dans un vieux fauteuil de bois. A midi, si par hasard il y avait du monde, il se réfugiait derrière son comptoir comme pour __ _____.

L'après-midi, devant le café à nouveau désert, on voyait arriver un autre vieillard; c'est alors que le vieux patron ressuscitait, s'animait, allait _ __ _____ son ami, le _____ sur le trottoir; on le voyait causer avec vivacité, lui qui, ordinairement, n'avait pas l'occasion de _'_____ et finissait par _____ _____ _____. Une heure plus tard, son ami le quittait. La solitude s'installait comme avant.

• A COMPLÉTER, A NOTER ET A MÉMORISER •

Expressions et structures
elle travaille __ vendredi (*normalement*)
elle travaille ____ _____ vendredis (*toujours*)
_____ _____ (= *ayant*) encapuchonné sa machine
elle descend l'escalier __ _____ (= *précipitamment*)
__ vendredi ____ __ lundi _____ (= *pendant le weekend*)
les _____ de son enfance sont gravés dans sa _____ (*souvenir ≠ mémoire*)
quelque chose __ noble (cp. *il n'a rien __ vil*)
des jours __ (= *au cours desquels*) elle reste seule
une femme __ (= *qui a le*) regard triste
elle veut entendre _____ _____ (= *qqc de différent*) que la radio
elle n'a pas _____-_____ (= *pas beaucoup*) à dire

Formes
bureau (m) → pl
vrai → adv
mille → deux _____

Constructions verbales
à, **de** ou **rien**?
elle attend __ l'ascenseur
elle répond __ son amie
Sophie regarde __ son téléphone
ils n'ont jamais écouté __ Sophie
cp. elle ne demande pas __ beaucoup, elle cherche __ une amitié sincère
elle pense __ son enfance (*réflexion*)
cp. que pense-t-elle __ Maryse? (*opinion*)

Noms et verbes
attendre → son _____ (f) sur le trottoir
descendre → la _____ précipitée de Maryse
sortir → après la _____ de son amie
regarder → elle jette un _____ sur le téléphone
lire → les _____ (f) de Sophie
isoler → l'_____ (m) ternit sa vie
connaître → elle n'a pas fait de _____ (f)
soigner → ils ont pris ____ (m) d'elle
nourrir → ils lui ont fourni sa _____
naissance (f) → elle n'est pas ____ solitaire

CE QUE DIT LA JOURNALISTE	CE QUE VEUT DIRE LA JOURNALISTE
Maryse descend l'escalier en courant.	
Sophie traîne, range son bureau, sort, revient.	
Maryse rejoint sur le trottoir un garçon. Pas toujours le même.	
Sophie regarde le téléphone.	
Sophie, couchée, somnole, lit un peu, dort.	
Sophie n'est pas une vieille dame abandonnée.	*Etant jeune, elle devrait avoir des amis, mener une vie active*
Elle s'exprime avec effort.	
Une famille à quatre personnages: le père, la mère, l'ambition du père, l'amant de la mère.	
On l'a embrassée même quelquefois.	

Exercices

1. **La négation: pas de, aucun(e) (de), etc.**

📖 **a** Vous avez déjà révisé un certain nombre de négatifs (*Exercices*, 5, p. 32).
Travail individuel En consultant *Le weekend de Sophie*, répondez par écrit aux questions suivantes. Employez chaque fois un **négatif**.

Exemple:
– *Pourquoi Maryse préfère-t-elle prendre l'escalier le vendredi soir?*
– *Parce qu'elle **ne** veut **pas** attendre l'ascenseur.*

1 Pourquoi Maryse préfère-t-elle prendre l'escalier le vendredi soir?
2 Qui est-ce qui attend Sophie après le travail?
3 Selon la journaliste, les weekends de Sophie sont-ils bons ou mauvais?

4 Habite-t-elle encore chez ses parents?

5 A qui Sophie se confie-t-elle d'habitude?

6 A quel moment ses parents ont-ils appris à l'écouter?

7 Pourquoi Sophie a-t-elle pratiquement cessé de parler?

► N'oubliez pas qu'**après un négatif** l'article indéfini (*un, une, des*) et le partitif (*du, de la, de l'*) sont remplacés normalement par **de**:
Elle n'a **pas d'**amis
Elle ne fait **jamais de** sport.
On ne modifie pas l'article défini (*le, la, les*):
Elle ne comprend **pas la** cause de sa tristesse.

Notez particulièrement les constructions **quelqu'un/quelque chose de + adjectif** et **ne . . . rien/ personne de + adjectif**:
Elle ne fait **rien d'intéressant**.
Quelqu'un de sympathique l'aidera un jour. ◄

b Maryse a fini ses études il y a deux ans. Toutes les déclarations qui suivent sont incorrectes.
Exercice oral → Travail individuel Corrigez oralement ces déclarations en employant chaque fois un **négatif** (+ **de**, s'il le faut).

Exemple:
En ce moment, Maryse ne fait pas d'études.

1 En ce moment, Maryse fait des études.

2 Elle étudie encore l'anglais.

3 Elle suit encore des cours de dactylographie.

4 Maintenant, au travail, elle fait quelque chose de stimulant.

5 Elle passe souvent des soirées entières à la maison.

6 Elle a toujours le temps de lire le journal.

7 Quelqu'un d'ennuyeux trouble sa gaieté.

📖 Rédigez maintenant par écrit les phrases corrigées.

► **Aucun(e)** a à peu près le même sens que **pas de**. Mais **aucun(e)** s'emploie toujours avec un **nom singulier**:
Il n'y a **pas de réponse** = Il n'y a **aucune réponse**.
Comme **sujet** du verbe, on emploie **aucun(e) + nom** plutôt que *pas de*:
Aucune amie ne la console.

Remarquez aussi l'emploi de **aucun(e) de**:
Aucune de ses activités (= **Pas une seule de** ses activités) **ne** la distrait.

Ne . . . nul(le) a le même sens que **ne . . . aucun(e)**. Mais **nul(le)** ne s'emploie qu'en français écrit littéraire. ◄

📖 c Les déclarations suivantes, comme les déclarations précédentes (*b*), ne sont pas vraies.
Travail individuel Récrivez ces phrases au négatif avec **ne + pas (de)** ou **aucun(e) (de)**. Vérifiez votre travail en consultant les exemples ci-dessus.

1 Maryse a du temps à perdre avant de quitter le travail.

2 Un ami attend Sophie.

3 Une de ses collègues lui demande ce qu'elle fera ce soir.

4 Elle trouve certains de ses weekends intéressants.

5 Un souvenir d'enfance la console.

6 Plusieurs membres de sa famille l'ont comprise.

7 Elle a eu des conversations intimes avec ses parents.

2. La durée: il y a/ça fait . . . que + présent; présent + depuis . . .

► En parlant de Sophie, la journaliste nous apprend qu'**il y a** bien longtemps **qu'**elle **est** seule.
Pour indiquer la durée d'une action ou d'un état qui est **inachevé** au présent, on emploie **il y a . . . que/ça fait . . . que** (plus familier) + **présent** ou **présent + depuis . . .**:

Il y a/Ça fait bien longtemps (*durée*) **qu'**elle **est** seule. (*action/état inachevé*).
Elle **est** seule (*action/état inachevé*) **depuis** bien longtemps (*durée*) ◄

a Vous parlerez, avec le professeur, de certaines activités que vous faites **depuis** quelque temps.
Exercice oral En employant les formules ci-dessus, répondez au professeur. Il vous demandera:

– depuis combien de temps vous fréquentez votre école actuelle

– depuis quand vous étudiez le français

– si vous connaissez la France et depuis combien de temps

– où vous habitez et depuis combien de temps

– si vous savez conduire une moto ou une voiture et depuis combien de temps

– ce que vous faites comme passe-temps et depuis quand

– quels sports vous pratiquez et depuis quand

– quel(le)s étudiant(e)s vous connaissez le mieux et depuis quand

b Le directeur du Collège d'Enseignement Technique (CET) où Sophie a fait ses études veut savoir ce que sont devenus ses anciens élèves. Il s'informe donc auprès de plusieurs d'entre eux sur leur vie personnelle, leur travail et leur formation professionnelle. Vous trouverez ci-dessous un extrait des notes du directeur.

Nom: Sophie Godard
Age: 22
Célibataire
Domicile: Chateaudun (depuis l'âge de 6 ans)
Profession: sténodactylo (depuis l'âge de 20 ans)
Passe-temps/sports: la lecture, la gymnastique, le cinéma

Nom: Paul Robert
Age: 21
Marié à 20 ans
Domicile: Bonneval (depuis sa naissance)
Profession: mécanicien (depuis l'âge de 18 ans)
Passe-temps/sports: joue au basket, au football, joue aussi de la guitare

Exercice oral   Prenez d'abord le rôle de Sophie, ensuite celui de Paul. Le directeur (le professeur) vous demandera votre nom, votre âge, si vous êtes marié(e) (et, si oui, depuis combien de temps), où vous habitez, ce que vous faites dans la vie (et depuis combien de temps). Il vous demandera aussi quels sont vos sports et passe-temps préférés (et depuis combien de temps vous les pratiquez).

Exemples:
- *Tu **habites** Chateaudun **depuis** longtemps?*
- ***Depuis** 16 ans/**Depuis** l'âge de 6 ans.*
- ***Il y a** combien de temps **que** tu es sténodactylo?*
- ***Il y a/Ça fait** (maintenant) deux ans.*

Ⓛ   c   Le professeur vous donnera des notes sur un(e) ancien(ne) élève (*Livret*, p. 27). A votre partenaire il donnera des notes différentes (*A* ou *B*). **Travail à deux → Travail individuel** Prenez tour à tour le rôle du directeur. D'abord, faites une fiche comme celles Sophie et de Paul (*à gauche*, p. 64). Ensuite, interrogez l'ancien(ne) élève devant vous sur:
● son nom, son âge
● s'il/si elle est marié(e) (si oui, depuis combien de temps)
● où il/elle habite (depuis combien de temps)
● ce qu'il/elle fait dans la vie (depuis quand)
● ses passe-temps et ses sports préférés (pratiqués depuis quand?)

Notez ses réponses sur votre fiche. Repondez à votre tour, pour l'ancien(ne) élève, aux questions du directeur. (En posant les questions et en répondant, variez les formules que vous utiliserez.)

⬚   Pour finir, rédigez par écrit une question et une réponse concernant le **domicile**, la **profession**, le **passe-temps** et le **sport** préférés de la personne que vous avez interrogée. Employez les mêmes formules en les variant.

3.   Pronoms possessifs: le mien, le tien, le sien (etc.)

a   Vous avez deviné que Sophie et sa collègue Maryse sont très différentes l'une de l'autre.
Travail à deux   Dans la liste qui suit, choisissez ensemble les mots qui caractérisent Maryse et Sophie. En

parlant de ces caractérisques employez **celui/celle/ceux/celles (de)**.

Exemple:
*La personnalité de Maryse est exubérante; **celle de** Sophie est molle.*

Personnalité
  molle/exubérante?
Expression
  animée/timide?
Comportement
  ouvert/réservé?
Voix
  douce/assurée?
Maquillage
  discret/vif?
Vie
  très mondaine/sans intérêt?
Soirées
  monotones/variées?
Weekends
  chargés/vides?

▶   En parlant de Maryse, la journaliste nous apprend que **sa vie** est intéressante, tandis que Sophie considère **la sienne** comme solitaire et vide.
On emploie un **pronom possessif (le mien, la mienne, les miens, les miennes**, etc.) pour éviter de répéter un nom accompagné d'un possessif (**mon, ma, mes**, etc.) (*Résumé grammatical*, 22, p. 156) ◀

b   Si Sophie se comparait (franchement) avec Maryse, voici ce qu'elle pourrait dire:
- Sa personnalité est exubérante *alors que/tandis que* **la mienne** est molle.
- Ma personnalité est molle *mais* **la sienne** est exubérante.

(On emploie **alors que/tandis que** et **mais** pour exprimer un contraste).
Exercice oral → Travail individuel
Imaginez que vous êtes Sophie. Reprenez les caractéristiques que vous avez choisies (*a*): *personnalité, expression*, etc. Composez oralement des phrases de la manière indiquée ci-dessus. Commencez tantôt par votre caractéristique (*Sophie*), tantôt par celle de Maryse. Employez **le mien, le sien**, etc. pour éviter la répétition.

⬚   Pour finir, rédigez vos phrases par écrit.

c   Vous allez maintenant vous comparer avec un(e) partenaire.
Travail individuel → Travail à deux   Composez, comme pour Maryse et Sophie, une liste de **cinq** choses qui vous caractérisent, vous et votre partenaire (*personnalité, comportement, vêtements, vie*, etc.).
Ensuite, communiquez vos idées à votre partenaire. Employez le **tien/le mien, la tienne/la mienne**, etc.).

Exemple:
*Ma personnalité est agitée alors que **la tienne** est calme.*

Pour finir, composez comme si vous étiez Sophie et non pas Maryse six phrases comparant les deux maisons. Employez trois fois **le/la/les nôtre(s)**, trois fois **le/la/les leur(s)**.

5. Pronom relatif: dont

▶ Personne n'attend Sophie **dont** les weekends ne sont rien, nous explique la journaliste.

On emploie le pronom relatif **dont** pour éviter la répétition d'un nom, dans une construction (souvent avec **de**) qui exprime la **possession**:

> Personne n'attend Sophie.
> Les weekends **de Sophie** (= **ses** weekends) ne sont rien.
> → Personne n'attend Sophie **dont** les weekends ne sont rien ◀

Dans certains magazines, des lecteurs révèlent, dans le courrier du cœur, comme ci-dessous, leurs problèmes personnels.

> Du vendredi soir au lundi matin, je reste toute seule. Mes weekends ne sont ni bons, ni mauvais. Ils ne sont rien.
> Sophie D

> Mes oreilles sont très laides et cela me donne un terrible complexe. J'ai l'impression que les gens me regardent.
> Paul B

> Samedi, ma copine a voulu absolument aller au bal. Mais je ne sais pas danser et je suis restée toute la soirée assise sur une chaise.
> Brigitte H

> Mon fiancé me dit qu'il m'adore. Mais il n'arrête pas de se retourner sur les filles dans la rue. Je suis terriblement jalouse.
> Marie M

> Que dois-je faire? J'ai 17 ans mais je suis obligée de rentrer tous les soirs avant 10h, tellement mes parents sont autoritaires.
> Patricia Q

4. Pronoms possessifs: le nôtre, le vôtre, le leur, etc.

Maryse est allée une fois voir Sophie chez ses parents. Elle a été impressionnée par leur maison, à l'extérieur comme à l'intérieur; mais elle en a trouvé l'atmosphère un peu froide. Voici ce qu'elle en a pensé:

«Les Godard ont une *maison* assez vaste et confortable. Leur *jardin* est grand et joliment aménagé et tout l'*extérieur* est bien entretenu. Leur *garage* a assez de place pour trois voitures!
A l'intérieur, toutes les *pièces* sont spacieuses; la *salle de séjour* est confortable, la *salle à manger* est imposante, la *cuisine* a tous les appareils imaginables. Leurs *meubles* sont anciens et très élégants mais, par contre, leur *équipement* est tout neuf: une *chaîne hi-fi* impressionnante, un *téléviseur* énorme.»

📖 ***Travail individuel → Exercice oral*** Imaginez que Maryse parle de la maison où elle habite encore avec ses parents, son frère et ses deux sœurs. Ce n'est point comme la maison des Godard.
Composez par écrit un passage comme celui à gauche. Trouvez, pour sept ou huit des noms en italiques, une description différente:

Début possible:
> «*Notre **maison** est assez petite, mais accueillante. Elle n'a pas beaucoup de confort. Notre **jardin** est toujours plein de vélos et de jouets. Dans le **garage** . . .*»

Le professeur vous demandera maintenant de faire des comparaisons entre ce que possède la famille de Sophie et celle de Maryse. Parlez comme si vous étiez Maryse.

Exemples:
> *Leur maison est assez vaste alors que **la nôtre** est petite.*
> *Notre maison est petite mais **la leur** est assez vaste.*

L'autre jour, ma petite amie a refusé de me montrer une lettre et je me suis mis en colère. En réalité ce n'était qu'une lettre de sa soeur.
Jean-Claude V

Je veux à tout prix m'acheter une mobylette d'occasion. Mais ma mère est contre; elle dit que je me casserai la figure.
Alain D

Je suis fiancé depuis un an. Nous aurons tous les deux 18 ans avant Noël. Mes parents ne veulent pas entendre parler de mariage. Pourrons-nous nous marier sans leur consentement?
Victor S

Exercice oral → Travail individuel Sous la direction du professeur, faites une phrase qui exprime le problème mentionné dans chacun de ces extraits. Employez chaque fois **dont** pour remplacer le **possessif** souligné.

Exemple:

Sophie, **dont** les weekends ne sont rien, reste toute seule.

Pour finir, rédigez par écrit les huit phrases que vous venez de composer.

6. *Que ferais-tu si . . . ?* La condition possible: si + imparfait + conditionnel

▶ Selon la journaliste, **si** quelqu'un **allait** à la rencontre de Sophie, il la **sauverait**.
On emploie cette structure (**si** + **imparfait** + **conditionnel**) pour indiquer qu'un fait (*sauver Sophie*) peut se réaliser parce que la **condition** (*aller à sa rencontre*) est **possible**.

Le **conditionnel** se forme **de la même façon que le futur** (*Exercices*, 3, p. 48) mais les **terminaisons de l'imparfait** (**-ais, -ais, -ait, -ions, -iez, -aient**) remplacent celles du futur, par exemple:

FUTUR	→ CONDITIONNEL
je **donner**ai	je **donner**ais
tu **vendr**as	tu **vendr**ais
il/elle **aur**a	il/elle **aur**ait
nous **ir**ons	nous **ir**ions
vous **recevr**ez	vous **recevr**iez
ils/elles **voudr**ont	ils/elles **voudr**aient. ◀

a *Travail individuel* Révisez toutes les formes du **futur** ainsi que les terminaisons de l'**imparfait** (*à gauche, en bas*). (*Exercices*, 3, p. 48, et *Tableau de Verbes*, pp. 184–7).

b Imaginez que deux jeunes, une fille et un garçon, ont pris rendez-vous pour sept heures du soir devant le restaurant «Quick-Snack». Il est cependant possible que la soirée ne se passe pas comme ils l'ont imaginée. *Exercice oral* Vous allez interroger une de ces personnes (votre partenaire) sur ses réactions possibles dans chacune des dix **situations** présentées ci-dessous. Le professeur vous demandera d'abord de composer oralement, avec **si** + **imparfait**, des **questions** que vous pourriez poser sur toutes ces situations.

Exemple:

Que **ferais**-tu **si** ton ami n'**était** pas là?

a A sept heures, vous arrivez. *Votre ami(e) n'est pas là.*

b Il/Elle *arrive* finalement *avec 45 minutes de retard.*

c Dans le restaurant, à la caisse il/elle *dit qu'il n'a pas d'argent* sur lui/elle.

d Au cinéma, plus tard, trop tard! Toutes *les places sont prises.*

e Plus tard encore, dans la discothèque, *il/elle passe son temps à bavarder avec des ami(e)s.*

f *Vous voyez quelqu'un* (du sexe opposé) qui vous plaît (Qui?).

g *Vous trouvez* tous les deux *la musique «super».*

h *Votre ami(e) voit* (enfin!) *que vous vous amusez plus avec l'autre personne qu'avec lui/elle.*

i Après, dans la rue, *votre ami(e) essaie de faire la paix.*

j De retour chez vous, vers deux heures, quelqu'un vous attend (Qui?). *Il/Elle vous demande pourquoi vous rentrez si tard.*

c A vous maintenant d'imaginer vos réactions dans les situations ci-dessus. *Travail individuel* Composez par écrit dix phrases, avec **si** + **imparfait** + **conditionnel** expliquant ce que vous feriez dans chacune de ces situations.

Exemple:

Si mon ami n'**était** pas là je l'**attendrais**.

d Vous comparerez maintenant vos réactions avec celles d'un(e) partenaire. *Travail à deux* L'un(e) d'entre vous posera des questions sur les dix situations données ci-dessus (*b*). L'autre donnera les réponses qu'il/elle a déjà notées (*c*).

Exemple:

– Que ferais-tu ton ami n'**arrivait** pas?
– Je l'**attendrais**.
– Et s'il **arrivait** enfin avec 45 minutes de retard?
– . . .

Pour finir, changez de rôle et répétez cette partie de l'exercice.

Dernier rappel! Le futur
Dans le _Tableau de verbes_, pp. 184–7,
vérifiez le futur de: aller, s'asseoir,
avoir, courir, devoir, envoyer, être,
faire, il faut, mourir, il pleut, pouvoir,
recevoir, savoir, tenir, valoir, venir,
voir, vouloir.

Recopiez le futur de ces verbes,
apprenez-le et faites-vous tester par
un(e) camarade.

Révisez aussi:

– l'interrogation. Vérifiez toutes les
différentes formes de questions.
Voir le _Résumé grammatical_, 65,
p. 170.

– les démonstratifs (_ce/cet/cette/
ces: celui/celle_ etc.) (_Révision_ 10,
p. 193).

L'AGENDA DE SOPHIE

OCTOBRE
1 V
2 S

17 D
18 L M gymnastique
19 M
20 M? Bibliothèque

Activités

1. Interview et narration: _La routine
de Sophie_ (La fréquence)

▶ Selon l'article d'_Elle_, '**le vendredi
soir, tous les vendredis soir**, Maryse
dit à Sophie: «Bon weekend»'.
Pour indiquer qu'une action se répète
régulièrement, on emploie des
expressions telles que:

**le matin, l'après-midi, le soir
tous les jours (sauf . . .)
tous les lundis (matin, après-
midi, soir)
le lundi/chaque lundi (matin,
etc.)
tous les deux/trois, etc., jours
une/deux, etc., fois par semaine/
mois
souvent, régulièrement,
toujours.** ◀

Ⓛ **a** Le professeur vous donnera
(_Livret_, p. 28) une version de l'agenda
de Sophie (_A ou B_) pour le mois
d'octobre où elle n'a pas encore rempli
certains jours; à votre partenaire, il
donnera une autre version où d'autres
jours manquent.
Travail individuel/à deux Regardez
attentivement votre version de
l'agenda, puis composez par écrit une
question qui vous permettra de
découvrir la **fréquence** des activités de

Sophie pour les jours que vous n'avez
pas. Employez des expressions comme
celles données à gauche.

Exemples:
Est-ce que Sophie fait de la gymnastique
tous les lundis?
Va-t-elle **_régulièrement_** _au
supermarché?_
Combien de **_fois par mois_** . . . ? etc.

Ensuite interrogez votre partenaire et
essayez de compléter la partie de
l'agenda de Sophie qui vous manque.

b Vous composerez votre agenda pour
le mois dernier en imitant celui de
Sophie (_a_).
**_Travail individuel → Travail à
deux_** Composez votre agenda par
écrit, pour le mois entier, indiquant des
activités que vous faites en dehors de
l'horaire scolaire. Ensuite, interrogez
votre partenaire pour découvrir ses
activités ce mois-là. A l'aide de ses
réponses, essayez de composer son
agenda (sans regarder sa version bien
entendu!) Pour finir, comparez vos
versions des agendas.

▭ **c _Travail individuel_** Ecrivez
au présent deux ou trois paragraphes
intitulés _Ma routine_, ou bien _La routine
de (votre partenaire)_, ou bien _La routine de
Sophie_.

Début possible (pour Sophie):
Tous les vendredis soir, _Sophie quitte le
bureau sans enthousiasme. Pour éviter
d'être seule chez elle, elle va_ **_toujours_**
_au . . ._

2. _Sophie évoque sa jeunesse:_
L'imparfait (les actions habituelles)

▶ Vous savez déjà (_Exercices_, 2, p. 53)
que l'imparfait s'emploie pour décrire
des actions non terminées et des
circonstances dans le passé. Ce temps
de verbe s'emploie aussi pour décrire
des **actions habituelles** dans le passé:

Pendant son enfance, les parents de
Sophie l'**embrassaient** quelquefois
mais ne l'**écoutaient** jamais. ◀

a Une dizaine d'années après l'article *Le weekend de Sophie*, Sophie est devenue – à force de travailler – une femme de carrière heureuse et admirée. Une journaliste l'a interviewée pour un deuxième article intitulé *La jeunesse d'une femme d'affaires*. ***Travail à deux → Mise en commun*** Vous allez préparer cet article en suivant les indications de la journaliste (*La jeunesse de Sophie, ci-dessous*). Consultez d'abord vos notes sur Sophie (*Points de repère* et *Découverte*, 1, p. 62, et *Activités*, 1). Pour chacune des indications de la journaliste, notez par écrit et à l'imparfait, les actions habituelles de Sophie et de ses parents qui ont fait d'elle une jeune femme solitaire et sérieuse.

Exemple (les préoccupations de ses parents):
Son père travaillait sans cesse.
Sa mère passait son temps avec son amant.

Inventez, si vous le voulez, d'autres actions habituelles de la jeunesse de Sophie (par exemple ses études, ses passetemps de petite fille, etc.). Comparez ensuite vos notes avec celles des autres étudiants.

📖 **b** Pour le rendre plus personnel, l'article de la journaliste sera pour la plupart rédigé à la première personne.
Travail individuel Complétez maintenant, à la première personne, le texte de l'article sur la jeunesse de Sophie (*La jeunesse d'une femme d'affaires*, ci-dessous).

3. Extrait d'article de magazine: *Le weekend de Maryse*

📖 ***Travail individuel*** Ecrivez quatre ou cinq paragraphes intitulés *Le weekend de Maryse*: inspirez-vous de l'extrait *Le weekend de Sophie*. Décrivez le logement de Maryse, la façon dont elle passe le weekend, où elle va, les personnes qu'elle voit. Faites allusion aussi à sa famille et à son passé.

LA JEUNESSE D'UNE FEMME D'AFFAIRES

Sophie K., 32 ans, est une jeune femme d'affaires dont la carrière provoque une vive admiration. Pourtant, son enfance était assez triste. C'est peut-être à cause de ses débuts de petite fille malheureuse qu'elle s'est réfugiée dans le travail pour devenir la star du business d'aujourd'hui. Voici son témoignage.
Sophie: Ma famille était plutôt aisée. Nous habitions

LA JEUNESSE DE SOPHIE
- la situation économique de sa famille
- les préoccupations de ses parents
- le comportement de ses parents envers elle
- la personnalité de Sophie adolescente
- à partir de 18 ans, sa vie en studio (déscription de ce qu'elle possède)
- son travail au bureau
- son manque d'amis
- sa routine: visites chez ses parents, cours de gym, etc.
- ses weekends

⑯ UNE EXPÉRIENCE TROUBLANTE

Points de repère

📖 Au début de *L'Immoraliste* d'André Gide, le narrateur, Michel, tombe gravement malade en voyage de noces avec sa jeune femme Marceline.

a Dans cet extrait, guéri finalement de sa maladie, Michel se promène à pied dans la campagne italienne. Marceline le suit en carrosse.
Travail individuel Lisez attentivement l'extrait une première fois et notez, en trois phrases courtes:

- **la situation** au commencement de l'extrait
- **l'événement** qui se produit
- **la conclusion** de l'incident

b Dans ce passage, les **émotions** du narrateur se transforment aussi rapidement que la situation.
Travail individuel Relisez l'extrait et notez l'émotion principale du narrateur:

- **avant** l'apparition du carrosse (*1er paragraphe*)
- **au cours de** l'incident (*3e paragraphe*)

c *Mise en commun* Cachez le texte ainsi que vos notes; puis communiquez au professeur l'essentiel de ce qui se passe dans l'extrait et la manière dont les émotions du narrateur changent.

VIII

La route de Ravello à Sorrente est si belle que je souhaitais ce matin rien voir de plus beau sur la terre. L'âpreté° chaude de la roche, l'abondance de l'air, les senteurs,° la limpidité,° tout m'emplissait du charme adorable de vivre et me suffisait à ce point que rien d'autre qu'une joie légère ne semblait habiter en moi; souvenirs ou regrets, espérance ou désir, avenir et passé se taisaient;° je ne connaissais plus de la vie que ce qu'en apportait, en emportait l'instant. — O joie physique! m'écriais-je; rythme sûr de mes muscles! santé!

J'étais parti de grand matin,° précédant Marceline dont la trop calme joie eût° tempéré la mienne, comme son pas° eût ralenti° le mien. Elle me rejoindrait en voiture, à Positano, où nous devions déjeuner.

J'approchais de Positano lorsqu'un bruit de roues, formant basse° à un chant bizarre, me fit tout à coup retourner. Et d'abord je ne pus rien voir, à cause d'un tournant de la route qui borde° en cet endroit la falaise;° puis brusquement une voiture surgit,° à l'allure désordonnée;° c'était celle de Marceline. Le cocher° chantait à tue-tête,° faisait de grands gestes, se dressait debout sur son siège,° fouettait° férocement le cheval affolé.° Quelle brute! Il passa devant moi qui n'eus que le temps de me ranger,° n'arrêta pas à mon appel . . . Je m'élançai:° mais la voiture allait trop vite. Je tremblais à la fois d'en voir sauter brusquement

Marceline, et de l'y voir rester; un sursaut° du cheval pouvait la précipiter dans la mer. Soudain le cheval s'abat.° Marceline descend, veut fuir;° mais déjà je suis auprès d'elle. Le cocher, sitôt qu'il me voit, m'accueille° avec d'horribles jurons.° J'étais furieux contre cet homme; à sa première insulte, je m'élançai et brutalement le jetai bas de son siège. Je roulai par terre avec lui, mais ne perdis pas l'avantage; il semblait étourdi° par sa chute, et bientôt le fut plus encore par un coup de poing° que je lui allongeai° en plein visage quand je vis qu'il voulait me mordre. Pourtant je ne le lâchai° point, pesant du genou sur sa poitrine et tâchant° de maîtriser° ses bras. Je regardais sa figure hideuse que mon poing venait d'enlaidir° davantage;° il crachait,° bavait,° saignait,° jurait, ah! l'horrible être!° Vrai! l'étrangler° paraissait légitime . . . du moins je m'en sentis capable; et je crois bien que seule l'idée de la police m'arrêta.

Je parvins, non sans peine,° à ligoter° solidement l'enragé.° Comme un sac, je le jetai dans la voiture.

Ah! quels regards après, Marceline et moi nous échangeâmes. Le danger n'avait pas été grand; mais j'avais dû montrer ma force, et cela pour la protéger. Il m'avait aussitôt semblé que je pourrais donner ma vie pour elle et la donner toute avec joie . . . Le cheval s'était relevé. Laissant le fond de la voiture à l'ivrogne,° nous montâmes sur le siège tous deux, et, conduisant tant bien que mal,° pûmes gagner Positano, puis Sorrente.

Activités

1. Les émotions du narrateur

Comment l'auteur exprime-t-il les émotions du narrateur et leur transformation?

📖 *Travail individuel → Mise en commun* Relevez dans le texte des détails qui à votre avis communiquent au lecteur ce que ressent Michel, en particulier:

– sa **joie** (faites attention aux *sensations*, *impressions* et *réactions*: 1er paragraphe)
– sa **colère** (les *actions* de Michel et la *description* du cocher: 3e paragraphe).

Notez ces détails de la manière indiquée à droite.
Pour finir, comparez vos conclusions avec celles des autres étudiants.

2. Analyse des idées

Quelles réflexions le narrateur fait-il sur sa nouvelle condition? Nous présentons ici, en les simplifiant un peu, certaines des idées qui sont développées dans l'ensemble du roman de Gide.

📖 *Travail individuel → Discussion* Lisez attentivement les phrases qui suivent, puis relisez le texte. Selon vous, lesquelles de ces idées sont présentes dans cet extrait? Le narrateur les exprime-t-il directement ou sont-elles seulement sous-entendues? Vous ne trouverez pas tous les thèmes du roman dans ce court extrait, mais notez par écrit ceux que vous y verrez ainsi qu'un ou deux détails qui les illustrent.

LA JOIE (sensations, impressions, réactions, etc.)	LA COLÈRE (actions, description du cocher, etc.)
route... si belle	quelle brute!
je souhaitais... rien voir de plus beau	horribles jurons
	j'étais

1 Michel est un intellectuel qui a étudié surtout le *passé*: «des ruines ou des livres».
2 Il commence à découvrir, avec la santé, le monde *présent*.
3 Cette découverte est quelque chose de *solitaire*: «c'est toujours seul qu'on invente».
4 Le bonheur qu'il ressent est surtout *sensuel*: «une exaltation des sens et de la chair».
5 Il découvre, en même temps que la *beauté* de la nature, celle *de sa femme*.
6 La libération physique le *rapproche moralement* de Marceline.

IDÉE RETROUVÉE DANS LE TEXTE	DÉTAILS QUI ILLUSTRENT CETTE IDÉE
2... le monde présent	a) avenir et passé se taisaient
	b) ce qu'apportait... l'instant

7 Cette même libération le *sépare moralement* d'elle.
8 L'éducation *protestante* de Michel s'oppose au *catholicisme* de Marceline.
9 Les nouvelles forces que Michel découvre en lui ont un côté *sinistre et violent*.
10 Peu à peu, il comprend que ce que la société appelle le *vice* l'attire plus que la vertu.

Discutez maintenant avec le professeur et l'ensemble de la classe les idées et les détails que vous avez trouvés.

âpreté harshness **senteur** (f) scent **limpidité** (f) clarity **se taire** be silent **de grand matin** very early **eût** (*subjonctif = aurait*) would have **pas** (m) pace **ralentir** slow down **basse** (f) bass line **border** run beside **falaise** (f) cliff **surgir** tear into view **allure (f) désordonnée** breakneck speed **cocher** driver **à tue-tête** at the top of his voice **siège** (m) seat **fouetter** whip **affolé** panic-stricken **se ranger** get out of way **s'élancer** run forward **brusquement** suddenly **sursaut** (m) sudden movement **s'abattre** fall to the ground **fuir** flee **accueillir** greet **juron** (m) oath, swear word **étourdi** dazed **poing** (m) fist **allonger** deal (blow) **mordre** bite **lâcher** let go **peser** press down **tâcher** attempt **maîtriser** control **enlaidir** make ugly **davantage** more **cracher** spit **baver** foam at mouth **saigner** bleed **être** (m) creature **étrangler** strangle **peine** (f) difficulty **ligoter** tie up **enragé** (m) madman **ivrogne** (m) drunkard **tant bien que mal** the best (we) could

3. Secoué(e) par l'émotion

a On vous demandera de raconter, à l'oral et par écrit, un événement au cours duquel vous avez été saisi(e) d'une forte émotion: la joie, la peur, la colère, le rire, le chagrin, la jalousie, etc.

Travail individuel Réfléchissez d'abord à l'incident en question puis notez en quelques mots:

Les faits
– la situation (avant)
– l'événement (ce qui s'est passé)
– la conclusion (quel changement s'est-il produit pour vous?)

Les émotions
– l'état de vos émotions (avant)
– comment vos émotions ont changé (pendant/après)

b Comment vos émotions se sont-elles traduites ou exprimées?
Travail individuel Notez des détails qui illustrent vos émotions, par exemple:

avant
– des actions (ce que vous faisiez)?
– des sensations (ce que vous voyiez, entendiez, etc.)?
– des pensées (à quoi vous pensiez)?
pendant/après
– vos reactions, sensations, pensées, etc.
conclusion (une réflexion sur ce qui s'est passé) par exemple:
– ce moment vous a-t-il changé(e)?
– a-t-il encore de l'importance pour vous?
– en avez-vous tiré une leçon?

c Vous partagerez maintenant votre expérience avec d'autres étudiant(e)s.
Travail en groupe Mettez-vous, si possible, en groupes de trois ou quatre. A tour de rôle, racontez votre histoire, (*a*) et (*b*), aux autres membres du groupe. Au besoin, ils/elles vous poseront ensuite des questions sur cet événement.

d Vous essayerez finalement de communiquer par écrit ce qui s'est passé, la manière dont vos émotions ont évolué et comment elles se sont exprimées.
Travail individuel Relisez le texte d'André Gide. Ensuite, en vous référant à vos notes, (*a*) et (*b*), écrivez votre histoire.

A vos marques

La mort d'un brigand

Cette photo choquante, publiée dans un journal français, cherche à susciter notre horreur et notre curiosité. Quelles questions soulève-t-elle pour vous?

Travail individuel → Mise en commun Notez par écrit quatre ou cinq questions qui vous viennent à l'esprit. Ensuite, comparez vos questions avec celles des autres étudiants. Vous trouverez les réponses à ces questions au cours de ce dossier.

Je suis Mesrine

« Je suis Mesrine, vous avez sans doute entendu parler de moi.» Le caissier° du casino de Deauville fixe le grand costaud° qui le menace d'un pistolet, et s'évanouit.° C'est le troisième hold-up au cercle de jeux, depuis dix-huit mois. Mais le bandit a sûrement savouré, dans l'émotion de l'employé, un hommage à sa légende.

Mesrine revient en scène

Il est minuit moins dix, ce vendredi 26 mai, lorsque Jacques Mesrine revient en scène. Trois semaines après son évasion° de la prison de la Santé. Mesrine, tout le monde connaît. C'est le tueur qui a longuement raconté ses trente-neuf crimes dans un livre. C'est le truand° qui a déclenché° la colère du président de la République en faisant le mur de sa prison grâce à de troublantes complicités.

Dix minutes avant son entrée au casino de Deauville, Mesrine, ce vendredi soir, s'est présenté au commissariat de la ville. Perruque° rousse° et casquette blanche, il pousse la porte: «Commissaire Dorner, de la brigade des Jeux, clame-t-il, je veux voir l'inspecteur de permanence.—Il est absent.—Je repasserai demain», dit Mesrine, s'éloignant en direction du casino avec un autre homme.

Bravade, calcul, le geste est idiot et inutile. Qu'aurait-il fait de l'inspecteur s'il l'avait trouvé?

Deux inconnus entrent au casino

Le même homme entre au casino, brandissant une carte verte officielle: «J'appartiens au ministère de la Justice, je cherche un tricheur.°» On laisse monter les deux inconnus dans la salle de jeux, au premier étage.

«Notre homme n'est pas là», dit Mesrine, entraînant M. Marzin, le directeur des jeux, à l'écart° afin de lui montrer les pistolets qu'il cache sous sa veste. Très pâle, M. Marzin accompagne les deux hommes à la caisse. Mesrine chuchote° comme une menace: «Je suis Mesrine, vous avez sans doute entendu parler de moi.» Son complice fourre° 70 000 francs dans un sac en simili-cuir,° tandis que quelque part un doigt appuie sur° une sonnette d'alarme. Décidément, Mesrine joue plus gros qu'il ne gagne. Le butin° compte moins que la renommée . . .

Ils dégainent et tirent

Une voiture de police attend les deux hommes à la sortie. Sans hésiter, ils dégainent° et tirent. En deux minutes, un passant est blessé à la jambe, une jeune fille a la poitrine perforée. Pour sauver sa peau, Mesrine, qui se vante de° n'avoir jamais voulu de mal aux femmes ou aux enfants, tire n'importe où. Les deux truands sont blessés. Ils sautent dans une Simca Rallye blanche, volée dans l'Eure. Ils disparaissent. Sur le front de mer, les enquêteurs retrouvent une crosse° éclatée° de pistolet et des débris de verre de montre. L'un des gangsters est blessé à la main. Des barrages° sont mis en place par les gendarmes dans le Calvados et dans l'Eure. Ils explosent sous les roues de la voiture folle. A Cormeilles, une «voiture relais» les attend. Ils abandonnent la Simca transpercée de balles et tachée de sang. Samedi, à 2 heures du matin, ils franchissent° un barrage à Orbec. Ils abandonnent la deuxième voiture à La Folletière-Abenon.

Leur refuge: une ferme isolée

Cette fois, les deux bandits traqués partent à pied dans la nuit. A l'aube,° dimanche matin, un homme qui promène son chien dans le bois de Ferrières aperçoit deux personnages hirsutes° et visiblement mal en point.° Ils suivent une ligne SNCF désaffectée° pour percer le brouillard. Une estafette° de la gendarmerie arrive. Mesrine sent le danger. Il marche dans une rivière et repère° une ferme isolée en pleins champs, à Saint-Aubin-le-Vertueux.

Il est 6 heures du matin: le couple de cultivateurs s'éveille à peine quand les deux hommes forcent leur porte. D'abord, affalés° sur des chaises, ils récupèrent. Ils sont blessés: Mesrine à la main et à la hanche,° son complice à la jambe. Ils demandent des vêtements et des vivres,° puis obligent le couple à les emmener en voiture. Aplatis° à l'arrière, ils guident leurs otages. Mesrine connaît bien la région. Il fait prendre à son chauffeur forcé des chemins de traverse. Enfin, sur la RN 13 entre Chauffour et Jeufosse (Yvelines), ils descendent.

La chance du diable

Avant de laisser partir ses prisonniers, Mesrine leur a lancé: «Laissez-nous douze heures avant de prévenir° la police, sinon . . .»

Il est 10 heures, les braves gens ont eu peur. Ils ne donnent l'alerte que dimanche soir, à 22 heures. Trop tard pour retrouver la piste.° D'autant que Mesrine a la chance du diable: quand ses otages l'ont déposé dans la campagne, près de Chauffour, il est passé à quelques centaines de mètres du méchoui° annuel des gendarmes de Mantes-la-Jolie, à Mousseaux. Il est vrai que le sort° aurait pu tourner, puisqu'un habitant du bord de la Seine, à Jeufosse, les aperçoit par hasard vers midi, dans ses jumelles:° les deux hommes se laissent dériver° vers Port-Villez. Et l'on signale une barque° volée à Jeufosse. Deux heures plus tard, des témoins° croient voir Mesrine et son complice à Pressagny-l'Orgueilleux.

Leurs traces sont perdues

Finalement, les traces des deux hommes sont perdues. Ils sont blessés et à bout de fatigue. Mais Mesrine a des amis à Mantes-la-Jolie. Il y a habité à son retour du Canada. Même si le milieu° se méfie de° lui, il est devenu une telle vedette° qu'il doit en imposer aux petits malfrats.° Dans ce monde-là, Mesrine fait rêver et fait peur.

---

caissier (m) cashier **costaud** (m) tough **s'évanouir** pass out **évasion** (f) escape **truand** (m) crook **déclencher** arouse **perruque** (f) wig **roux (rousse)** ginger **tricheur** (m) cheat **entraîner à l'écart** take to one side **chuchoter** whisper **fourrer** stuff **simili-cuir** (m) imitation leather **appuyer sur** press **butin** (m) loot **dégainer** draw (gun) **se vanter de** pride oneself on **crosse** (f) butt **éclater** splinter **barrage** (m) road block **franchir** go through **aube** (f) dawn **hirsute** dishevelled **mal en point** in bad shape **désaffecté** disused **estafette** (f) van **repérer** spot **s'affaler** slump **hanche** (f) hip **vivres** (m pl) food **s'aplatir** flatten oneself **prévenir** tip off, inform **piste** (f) trail **méchoui** (m) barbecue **sort** (m) fate **jumelles** (f pl) binoculars **dériver** drift **barque** (f) rowing boat **témoin** (m) witness **milieu** (m) underworld **se méfier de** be suspicious of **vedette** (f) 'personality' **malfrat** (m) crook

Activités

1. L'article en détail: un coup audacieux

📖 **a** Jacques Mesrine, l'homme dont vous venez de regarder la photo, reste le malfaiteur français le plus célèbre de la deuxième moitié du vingtième siècle. Vous allez étudier plusieurs aspects de la vie de ce personnage extraordinaire.
Le 8 mai 1978, Jacques Mesrine s'est évadé du quartier de haute sécurité de la prison de la Santé. Quelques semaines plus tard, il a réussi l'exploit décrit dans l'article «Je suis Mesrine . . .».
Travail individuel → Mise en commun
Lisez attentivement l'article et, à l'aide du tableau ci-dessous, résumez les étapes principales de ce coup. Notez par écrit, comme dans le tableau à droite, l'**événement** (ii) et l'**endroit** (iii) qui correspondent à chaque **moment** (i). Comparez maintenant vos notes avec celles des autres étudiants.

b Les images à droite correspondent aux étapes principales de l'exploit que vous venez de résumer.

2. Vocabulaire: le hold-up et la fuite

📖 **a** *Travail individuel* En vous référant au texte, s'il le faut, trouvez

MOMENT	ÉVÉNEMENT	ENDROIT
Vendredi 26 mai, minuit moins dix:	Mesrine et son complice attaquent le casino de Deauville; ils partent dans une Simca blanche qu'ils abandonnent	à Cormeilles.

Travail à deux → Exercice oral A l'aide de votre tableau et de ces images, recomposez ensemble, au **passé composé**, l'essentiel de l'histoire.

Début possible:
> *Le vendredi 26 mai, à minuit moins dix, Mesrine et son complice **ont attaqué** le casino de Deauville . . .*

Ensuite, **en ne regardant que les images**, reprenez l'exercice avec le professeur.

dans la colonne (ii) du tableau présenté à la page suivante le groupe de mots qui accompagne chaque verbe de la colonne (i). Faites une liste des phrases ainsi complétées et mémorisez-les.

Exemple:
> *Il fourre 70 000 Francs dans un sac en simili-cuir.*

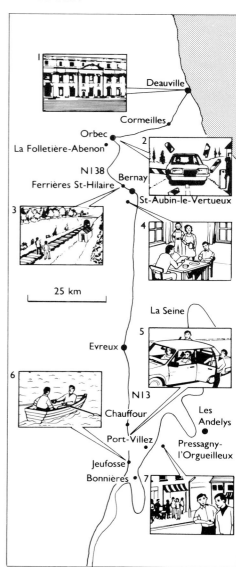

(i) MOMENT	(ii) ÉVÉNEMENT	(iii) ENDROIT
Vendredi 26 mai, minuit moins dix:	• le couple de cultivateurs les dépose sur la RN 13	• à Saint-Aubin-le-Vertueux.
Samedi 27 mai, deux heures du matin:	• Mesrine et son complice attaquent le casino de Deauville; ils partent dans une Simca blanche qu'ils abandonnent	• à Jeufosse.
Dimanche 28 mai, à l'aube:	• Mesrine vole une barque; un habitant voit les deux hommes dans ses jumelles	• à Cormeilles.
Dimanche, six heures du matin:	• des témoins croient voir Mesrine et son complice	• à la Folletière-Abenon.
Dimanche, vers dix heures:	• on les voit sur la ligne SNCF désaffectée dans le bois	• entre Chauffour et Jeufosse.
Dimanche, vers midi:	• à Orbec, ils franchissent un barrage de gendarmerie et abandonnent une deuxième voiture	• à Pressagny-l'Orgueilleux.
Dimanche, deux heures plus tard:	• Mesrine et son complice se réfugient dans une ferme isolée	• de Ferrières.

(i)	(ii)
il fourre	dans une voiture volée dans l'Eure
il les oblige	à la main et à la hanche
il saute	un barrage mis en place par les gendarmes
on perd	70 000 Francs dans un sac en simili-cuir
il brandit	et commence à tirer
il leur recommande	les pistolets cachés sous sa veste
il lui montre	de ne pas prévenir la police avant 10 heures du soir
on appuie	les traces de Mesrine et de son complice
il dégaine	la carte verte du ministère de la justice
il est blessé	à les emmener en voiture
il franchit	sur une sonnette d'alarme

Révision

Dernier rappel! L'imparfait
Vérifiez votre connaissance de la formation et des différents emplois de l'imparfait (*Résumé grammatical*, 35, p. 159; *Exercices*, 2, p. 53).

Révisez aussi:
- jours, mois, saisons (*Révision* 11, p. 194)
- les parties du corps (*Révision* 12, p. 194).

b *Travail à deux* Avec un(e) partenaire, complétez oralement le résumé suivant: choisissez pour chaque blanc, parmi les expressions que vous venez de mémoriser, celle qui convient le mieux. **Ne consultez pas la liste de phrases que vous venez d'établir.** (N'oubliez pas de faire les changements grammaticaux nécessaires.)

Le 26 mai, à 23 heures 50, Mesrine, avec un complice, arrive au casino de Deauville. Il _____ __ _____ _____ du ministère de la Justice et demande à voir M. Marzin, le directeur des jeux. Quelques instants plus tard, Mesrine _____ _____ _____ _____ _____ sa veste et se dirige vers la caisse où son complice _____ _____ _____ _____ __ _____ en simili-cuir. Mais quelque part un doigt _____, _____: une voiture de police attend les deux hommes à la sortie du casino. Sans hésiter, ils _____ __ _____ __ tirer. Blessés eux-mêmes, les deux truands _____ _____ __ _____ _____ dans l'Eure et disparaissent.
A Orbec, deux heures plus tard, ils réussissent à _____ __ _____ _____ __ _____ _____ les gendarmes. Le lendemain matin, les deux fugitifs forcent la porte d'une ferme isolée. Transi, _____ _____ __ _____ __ hanche, Mesrine demande des vêtements, des vivres, puis il _____ le cultivateur et sa femme _____ _____ _____ voiture. En descendant, entre Chauffour et Jeufosse (Yvelines), Mesrine _____ _____ __ __ _____ _____ la police avant dix heures du soir, sinon . . . Un peu plus tard, des témoins croient voir les deux hommes à Pressagny-l'Orgueilleux, mais finalement les enquêteurs _____ _____ _____ __ Mesrine et de son complice.

3. Extrait d'un article: *Le roman noir de Jacques Mesrine*

📖 *Travail individuel* Relisez votre tableau complété (*Activités*, 1) et les phrases que vous venez de composer (*Activités*, 2). Ensuite, complétez de mémoire cet extrait, tiré d'un résumé de la carrière de Mesrine, qui a paru dans un journal français:

UN COUP AUDACIEUX

Ils dégainent et tirent

Leur refuge: une ferme isolée

En s'évadant de la Santé, Mesrine a ridiculisé l'autorité judiciaire. Mais de nouveau libre, il lui fallait des moyens d'existence.

Mesrine à la Prison de la Santé

Le 26 mai, c'est-à-dire quelques semaines plus tard, à minuit moins dix, au casino de Deauville, deux hommes sont entrés, correctement vêtus. L'un des deux, Jacques Mesrine . . .

. . . à Pressagny-l'Orgueilleux, mais les traces de Mesrine et de son complice ont été définitivement perdues.
Fin juin, eut lieu l'attaque de la succursale de l'agence de la Société générale du Raincy.

18 LA MORT D'UN ENNEMI PUBLIC

«L'ennemi public numéro 1»

Découverte du texte

1. Le reportage en détail

⊡ Ⓛ ***Travail individuel*** Ecoutez de nouveau la bande et relevez les informations essentielles en complétant la transcription à trous. Arrêtez la bande quand il le faut.

2. Les actions des protagonistes: le, la, l', les; lui, leur (révision)

Vous connaissez déjà l'emploi des pronoms **le**, **la**, **l'**, **les**; **lui**, **leur** (*Exercices*, 1, p. 16) et leur position dans la phrase. L'exercice suivant vous permettra de réviser ces choses.

Travail individuel → Mise en commun Relisez la transcription que vous venez de compléter (*1*) et répondez aux questions suivantes. Pour éviter la répétition, employez **le**, **la**, **l'**, **les**, **lui** ou **leur** dans chaque réponse.

1 Les inspecteurs suivaient-ils Mesrine depuis une demi-heure?
2 Est-ce que c'est Mesrine ou Sylvie Jeanjacquot qui conduisait la voiture?
3 Le commissaire Bouvier a-t-il caché ses policiers dans les bâtiments du quartier?
4 Qu'est-ce que les policiers ont dit à Mesrine avant de tirer?

5 Ont-ils tué Sylvie?
6 A-t-on accompagné Sylvie chez elle après l'incident?
7 Qu'est-ce que les policiers ont fait dans l'appartement de la rue Belliard?
8 Qu'est-ce que le commissaire Bouvier a expliqué aux journalistes?
9 Combien d'importance la police accordait-elle à Mesrine?

Comparez ensuite vos réponses avec celles des autres étudiants.

3. Vocabulaire: l'action policière

a *Travail individuel* En consultant la transcription que vous avez complétée, faites une liste des mots qui manquent à ce résumé. Ensuite, mémorisez-les.

Hier, à trois heures et quart de l'après-midi, porte de Clignancourt à Paris, Jacques Mesrine a été _____ par une cinquantaine de _____ qui étaient cachés dans plusieurs véhicules _____.
Les _____ de la Police Judiciaire suivaient Mesrine, qui _____ trente-six _____, depuis quarante-huit heures. Lorsque les _____ sont intervenus, Mesrine n'a pas eu le temps de _____ un pistolet: _____ de balles, il s'est écroulé sur le volant de sa voiture. Quelques heures seulement après la mort du

_____, l'un de ses derniers _____, Charlie Bauer, a été _____ près de la gare St-Lazare. En _____ plus tard l'appartement de Mesrine, les policiers ont retrouvé des documents et une importante somme d'argent.

b *Travail à deux* Complétez oralement ensemble le résumé **sans consulter ni votre liste de mots ni la transcription**.

c *Exercice oral* Avec l'aide du professeur, essayez de reconstituer le résumé **à partir de votre liste de mots seulement**.

Exercices

1. Rapports de temps: l'imparfait + quand .../lorsque ... + le passé composé

► Un témoin de la mort de Mesrine a dit à un journaliste:

«Je **regardais** tranquillement par la fenêtre **quand** des hommes armés **ont surgi** d'un camion bâché.»

Si une action au passé est inachevée au moment où une autre action a lieu, on emploie l'**imparfait** pour l'**action inachevée** (*je regardais*) et le **passé composé** pour la deuxième action (*des hommes ont surgi*) ◄

a Les croquis présentés ici montrent ce que faisaient d'autres témoins quand cette série d'événements a eu lieu.
Exercice oral Sous la direction du professeur, décrivez au **présent** ce que vous voyez dans chaque groupe de deux croquis.

Exemple (n° 5):
> *Il y a une ménagère qui **regarde** par la fenêtre. Des hommes armés **surgissent** d'un camion bâché.*

Vous identifierez ensuite celle des deux actions illustrées qui était inachevée lorsque l'autre action a eu lieu.

b *Travail à deux → Travail individuel*
A partir de ces groupes de croquis, composez oralement avec un(e) partenaire la déclaration de chaque témoin. Employez l'**imparfait** (pour l'action inachevée) + **quand . . ./lorsque . . .** + **le passé composé** (pour l'autre action).

Exemple (n° 5):
> «*Je **regardais** par la fenêtre **quand** des hommes armés **ont surgi** d'un camion bâché.*»

Rédigez ensuite par écrit la déclaration de chaque témoin.

1. la concierge

2. une voisine de Mesrine

3. un homme d'affaires

4. un garçon de café

5. une ménagère

6. un inspecteur de la brigade antigang

2. La durée: imparfait + depuis . . .

▶ **Au moment de l'action de la porte de Clignancourt**, les inspecteurs du commissaire Bouvier **étaient** sur les traces de Mesrine **depuis** 48 heures. Pour indiquer la **durée** d'une **action inachevée** à un moment donné dans le **passé**, on emploie l'**imparfait + depuis . . .** :

> Au moment de l'action de la porte de Clignancourt,
> (**moment dans le passé**)
>
> ils **étaient** sur ses traces
> (**action inachevée**)
>
> **depuis** quarante-huit heures.
> (**durée**) ◀

a Le soir du vendredi 2 novembre, un journaliste, qui veut s'assurer de certains faits, interroge le commissaire Bouvier sur les détails de la dernière «cavale» de Jacques Mesrine.
Exercice oral → Travail à deux Le journaliste (le professeur) vous posera des questions basées sur les détails du

---

• A COMPLÉTER, A NOTER ET A MÉMORISER •

Expressions et structures
15h 15 → *trois heures et quart de l'après-midi*
  20h 30, 1h 05, 12h 30 → ? (*de même*)
une _____ (≃ 50) de policiers
ils étaient ___ ___ traces (= *ils le suivaient*)
il part ___ weekend
___ _____ ___ (= *conduisant*) sa BMW
il ___ un pistolet de sa poche
il est mort criblé ___ balles
son état est considéré _____ grave
il s'est évadé ___ ___ ___ 18 mois
Bauer était ___'___ ___ _____ complices de Mesrine
nous l'avons entendu ___ ___ ___'_____ (= *il y a peu de temps*)

Constructions verbales
il s'apprêtait ___ partir
il n'a pas eu le temps ___ tirer
elle a échappé ___ la mort
la police s'est débarrassée ___ lui

Formes
central → pl
avec prudence → adv
directeur (m) → f
criminel → f

Noms et verbes
directeur (m) → celui qui _____ les opérations
revendiquer → sa _____ des 36 meurtres
partir → son _____ en weekend
intervenir → l'_____ (f) des policiers
action (f) → ils ont ___ avec préméditation
fouiller → ils ont fait la _____ de l'appartement
craindre → les _____ (f) de la police
évasion (f) → il s'est _____ de la Santé
arrêter → l'_____ (f) de Bauer
se débarrasser → bon _____ !

tableau ci-dessous: il emploiera l'**imparfait + depuis** . . . Vous répondrez pour le commissaire Bouvier.

Exemple:

> *Journaliste* **Depuis** quand/combien de temps **était**-il en liberté, Mesrine?
>
> *Bouvier* **Depuis** le mois de mai 1978./ **Depuis** 18 mois.

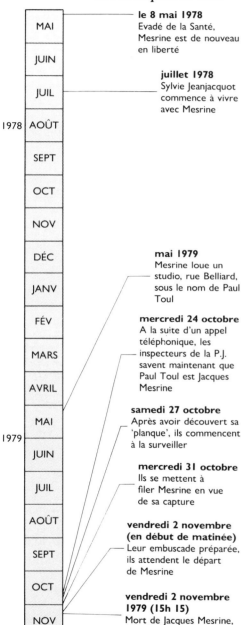

MAI	**le 8 mai 1978** Evadé de la Santé, Mesrine est de nouveau en liberté
JUIN	
JUIL	**juillet 1978** Sylvie Jeanjacquot commence à vivre avec Mesrine
1978 AOÛT	
SEPT	
OCT	
NOV	
DÉC	**mai 1979** Mesrine loue un studio, rue Belliard, sous le nom de Paul Toul
JANV	
FÉV	
MARS	**mercredi 24 octobre** A la suite d'un appel téléphonique, les inspecteurs de la P.J. savent maintenant que Paul Toul est Jacques Mesrine
AVRIL	
MAI	**samedi 27 octobre** Après avoir découvert sa 'planque', ils commencent à la surveiller
1979 JUIN	
JUIL	**mercredi 31 octobre** Ils se mettent à filer Mesrine en vue de sa capture
AOÛT	
SEPT	**vendredi 2 novembre (en début de matinée)** Leur embuscade préparée, ils attendent le départ de Mesrine
OCT	
NOV	**vendredi 2 novembre 1979 (15h 15)** Mort de Jacques Mesrine, Porte de Clignancourt

Reprenez maintenant l'exercice avec un(e) partenaire en jouant tour à tour les deux rôles.

📖 **b** *Travail individuel* Rédigez maintenant par écrit **sept** phrases, avec l'**imparfait + depuis** . . ., qui auraient pu paraître dans le reportage du journaliste. Basez-vous sur les détails présentés dans le tableau.

Exemple:

> *Jacques Mesrine* **était** en liberté **depuis** 18 mois.

3. Le passé simple

▶ Dans un récit littéraire ou historique, et dans certains articles de journal où l'action n'a plus aucun contact avec le présent, le passé simple remplace souvent le passé composé. C'est donc un temps de verbe qui appartient à la langue soignée. Vous aurez besoin de *reconnaître* et de *comprendre* le passé simple.

Comme le passé simple ne s'emploie pas en français parlé, les formes *tu* et *vous* n'existent pratiquement pas.

Pour tous les verbes avec un infinitif en **-er** (*aller*, *parler*, *envoyer*, etc.) on supprime ces deux lettres et on ajoute les terminaisons suivantes:

j'all**ai**	nous all**âmes**	je parl**ai**
(tu all**as**)	(vous all**âtes**)	(tu parl**as**)
il all**a**	ils all**èrent**	il parl**a** (*etc.*)

Pour les verbes comme vendre (*entendre*, *rompre* etc.) avec un infinitif en **re**, et pour la plupart des verbes en **ir** (*finir*, *partir* etc.), les terminaisons sont:

je vend**is**	nous vend**îmes**
(tu vend**is**)	(vous vend**îtes**)
il vend**it**	ils vend**irent**

je part**is**
(tu part**is**)
il part**it** (*etc.*)

Pour certains verbes dont le participe passé se termine en **-u** (lire, avoir, vouloir, devoir, croire → lu, eu, voulu, dû, cru), le passé simple se forme à partir de ce participe. Les terminaisons sont **-s**, **(-s)**, **-t**, **-mes**, **(-tes)**, **-rent** (notez l'ajout du circonflexe pour les formes *nous* et *vous*):

je l**us**	nous l**ûmes**	j'**eus**
(tu l**us**)	(vous l**ûtes**)	(tu **eus**)
il l**ut**	ils l**urent**	il **eut** (*etc.*)

Il faut faire particulièrement attention à la formation du passé simple des verbes suivants: *battre, conduire, (détruire, produire etc.) craindre (plaindre, atteindre etc.), dire, écrire, être, faire, mettre, mourir, naître, ouvrir (couvrir, découvrir etc.), prendre, vaincre, voir* (*Tableau de verbes*, pp. 184–7).

Même pour les verbes les plus irréguliers, les terminaisons sont toujours les mêmes, à part les verbes en -er. Il faut enfin noter et apprendre le passé simple de *venir, tenir*:

je vin**s**	nous vîn**mes**	je tin**s**
(tu vin**s**)	(vous vîn**tes**)	(tu tin**s**)
il vin**t**	ils vin**rent**	il tin**t** (*etc.*) ◀

Quelle bavure!

Lundi 10h Mesrine sortit de sa cellule faire une promenade surveillée dans la cour. A 10h 15 un surveillant appela Mesrine à haute voix et l'amena au parloir où l'attendait une de ses avocates. Souriant, Mesrine demanda au «maton» d'aller chercher dans son dossier un papier que lui demandait son avocate. En son absence Mesrine sauta tout à coup sur une table devant son avocate et ouvrit une grille d'aération. Il en sortit trois pistolets, une corde, un grappin et une bombe anesthésiante. Lorsque le gardien revint au parloir Mesrine avait un pistolet à la main.

Braquant son arme sur le gardien Mesrine l'obligea à l'accompagner dans le couloir. Là, il rejoignit François Besse, qui s'y trouvait comme par hasard, avec deux autres gardiens. Un deuxième pistolet changea de main. Besse tint en échec les gardiens, Mesrine prit leurs clefs et libéra Carman Rives. Puis les détenus obligèrent les gardiens à se déshabiller et mirent leurs uniformes. Enfermant leurs otages dans une cellule les gangsters se précipitèrent hors du quartier de haute surveillance.

Dans la cour ils maîtrisèrent un quatrième gardien avec la bombe anesthésiante, ainsi qu'un ouvrier qui posait des barreaux à certaines fenêtres. Les fuyards s'emparèrent de son échelle avec l'aide de laquelle ils franchirent le mur. Le grappin solidement accroché ils descendirent vers la liberté. Mesrine et Besse s'enfuirent en courant, mais malencontreusement le fusil de Rives, volé à un gardien, se prit dans une plaque fixée au mur. Rives lâcha prise. Il tomba sur un tas de gravats. Deux policiers de garde à l'extérieur accoururent. L'un d'eux abattit Rives d'une balle de 7,65 à bout portant.

A 10h 40 la Police Judiciaire fut prévenue de cette spectaculaire évasion.

📖 **a** *Travail individuel* Notez et apprenez par coeur la première et la troisième personne du singulier et du pluriel (*je, il, nous, ils*) du passé simple de tous les verbes mentionnés ci-dessus et à gauche.

Revenu(e) en classe, mettez-vous avec un(e) partenaire et testez-vous l'un l'autre.

b Le 8 mai 1978, le commissaire Devos, nouveau chef de la Brigade anti-banditisme, eut affaire à un fameux client: Jacques Mesrine s'évada de la prison de la Santé.

Travail individuel → Exercice oral En lisant attentivement l'extrait ci-dessus d'un article sur la vie de Mesrine, identifiez tous les verbes employés au **passé simple**. Rédigez une liste de ces verbes au **passé composé**. Le professeur vous interrogera maintenant, surtout au **passé composé**, sur le déroulement de cette évasion.

c Le lendemain de son évasion de la Santé, ces dessins racontèrent, dans un journal français, l'exploit de Mesrine.

Exercice oral → Travail individuel

Relisez l'extrait *Quelle bavure!* (p. 79) Ensuite, reprenez oralement le récit **de mémoire**, au **passé composé**, à partir des dessins.

Pour finir, avec les dessins sous les yeux, reconstituez le récit par écrit, au **passé simple**, comme dans l'article sur la vie de Mesrine. Référez-vous à votre liste de verbes au passé composé. Ne regardez pas l'extrait *Quelle bavure!*

1. *Des armes dans une cache*

2. *Un gardien en otage*

3. *Libération de Rives*

4. *Déguisés en gardiens*

5. *Une bombe anesthésiante*

6. *Franchir le mur*

7. *Mesrine et Besse libres*

8. *Mort du 3ᵉ homme, Rives*

4. Pronoms: y, en

▶ Au parloir de la Santé, Mesrine a ouvert le conduit d'aération. Il a sorti **du conduit** un véritable arsenal qu'il avait pu cacher **dans ce conduit**. Pour éviter cette répétition du nom **conduit**, on emploie les pronoms **y** et **en**:

Mesrine a ouvert le conduit d'aération.
Il **en** a sorti un véritable arsenal qu'il avait pu **y** cacher.

En remplace **de/du/de la/de l'/des** + **nom** ou **de** + **infinitif**.
En remplace aussi un nom qui suit un **nombre** (**une** bombe, **trois** pistolets, etc.): par exemple dans la réponse à une question avec **combien**.

Y remplace **à/au/à la/à l'/aux** + **nom** ou **à** + **infinitif**.
Y remplace aussi une expression de lieu (**dans** + nom, **chez** + nom de personne, etc.):

Sylvie a essayé **de fuir** mais elle ne s'**en** souvient pas.
Combien **de grenades** y avait-il? Il y **en** avait trois.

Mesrine a tenté de sortir ses grenades mais il n'**y** a pas réussi (Il n'a pas réussi **à sortir ses grenades**).
Dans la cour ils maîtrisèrent un gardien qui s'**y** trouvait.

Notez que les pronoms **y**, **en** se placent comme **le**, **la**, **l'**, **les**; **lui**, **leur** (voir p. 16 et *Résumé grammatical*, 18, p. 154). ◀

a Les questions posées ci-dessous se réfèrent à l'évasion de Mesrine (*Exercices*, 3).

Exercice oral   En vous basant sur les dessins, et sur l'extrait *Quelle bavure!*, répondez oralement à ces questions. Employez dans chaque réponse **y** ou **en**.

Exemple:
— *Est-ce que Mesrine est sorti de sa cellule à neuf heures trente?*
— *Non, il **en** est sorti à dix heures.*

1 Est-ce que Mesrine est sorti de sa cellule à neuf heures trente? (*Non, il . . .*)
2 Est-il allé tout de suite au parloir? (*Non, il . . .*)
3 Est-ce que Mesrine a envoyé son avocate à la recherche d'un papier? (*Non, il . . .*)
4 Mesrine a profité de l'absence du gardien pour faire quoi? (*Il . . .*)
5 Qui est-ce que Mesrine a emmené dans le couloir? (*Il . . .*)
6 Les gangsters sont-ils sortis vite ou lentement du quartier de haute sécurité? (*Ils . . .*)
7 Y avait-il beaucoup de gardiens dans la cour? (*Non, il . . .*)
8 Mesrine n'a-t-il pensé à s'évader que ce matin-là, 8 mai? (*Non, il . . .*)

9 Les gangsters avaient-ils réfléchi à leurs moyens d'évasion? (*Oui, ils . . .*)

10 Combien de prisonniers Mesrine a-t-il pu libérer? (*Il . . .*)

📖 **b** *Travail individuel* Répondez par écrit aux questions sans regarder l'extrait *Quelle bavure!*

Activités

1. Qui a dit quoi? Discussion

a Mesrine avait souvent dit: «On ne m'aura pas vivant.» Nous savons qu'il était armé d'un pistolet et de deux grenades, mais l'action de la police, porte de Clignancourt, pouvait-elle se justifier?

Les déclarations qui suivent donnent une idée des réactions diverses des Français après cette affaire.

Travail à deux → Mise en commun
Lesquelles de ces déclarations, prises dans des journaux français, sont **pour** l'action de la police et lesquelles sont **contre**? Classez-les oralement ensemble, puis comparez vos conclusions avec celles des autres étudiants.

«Aux yeux de la loi, la police est allée trop loin en tuant Mesrine avec préméditation.»

«Il aurait été impossible de le prendre vivant.»

«Il aurait pu y avoir des blessés, des gosses peut-être.»

«Il ne fallait prendre aucun risque pour arrêter un homme que nous savions armé.»

«Ils ne lui ont laissé aucune chance: c'est honteux.»

«Mesrine était prêt à tuer à tout moment. Les policiers ont dû se défendre.»

▶ Quand on donne son opinion, on emploie souvent l'une de ces formules:

A mon avis . . ./ A mon sens . . .
Selon moi . . .
Je trouve/pense, moi, que . . .
J'ai l'impression que . . .
Il me semble (bien) que . . . ◀

b Les déclarations que vous venez de classer ont été faites par les personnes présentées ci-dessous.
Travail à deux → Mise en commun
Essayez ensemble de déterminer laquelle de ces personnes aurait fait chaque déclaration. Justifiez votre choix.
Comparez ensuite vos solutions avec celles des autres étudiants, en employant une des formules présentées en bas à gauche pour donner votre opinion.

Exemple:

Je pense, moi, que . . . a fait la déclaration numéro un, parce que cette personne considère surtout la situation légale . . .

G. Morisot, 50 ans, ancien militaire

S. Henriot, 27 ans, avocate stagiaire

H. Guérin, 58 ans, porte-parole de la Police Judiciaire

F. Roche, 19 ans, étudiante en sociologie

S. Bourgeois, 25 ans, maîtresse d'école

M. le Goff, 22 ans, fiancée à un policier

▶ Est-ce que la police **aurait dû** tuer Mesrine? Est-ce qu'elle **aurait pu** le prendre vivant?
Quand on veut critiquer ou approuver la conduite de quelqu'un, ou quand on veut indiquer que d'autres actions étaient possibles ou impossibles dans une certaine situation passée, on emploie souvent le **conditionnel du passé** de devoir ou de pouvoir. Le **conditionnel du passé** se forme avec le conditionnel de l'auxiliaire (*avoir* ou *être*) + participe passé:

La police **aurait dû** faire autre chose.
Les policiers **auraient pu** avertir Mesrine. ◀

c A vous maintenant de donner votre opinion de l'action de la Porte de Clignancourt.
Travail individuel → Discussion En utilisant les expressions indiquées (*a*) pour donner votre opinion, et en employant le **conditionnel du passé** pour critiquer ou approuver l'action de la police, notez par écrit deux choses que les policiers **auraient dû** ou **n'auraient pas dû** faire à votre avis. Ensuite, notez deux choses qu'ils **auraient pu** faire.

Exemples:

Les policiers n'auraient pas dû surprendre Mesrine dans un endroit public.
Ils auraient pu attendre un peu pour voir s'il allait résister.

Pour finir, discutez l'action de la Porte de Clignancourt avec les autres étudiants, en vous basant sur les idées que vous venez de noter.

2. Lettre à un journal

📖 *Travail individuel* Composez en 150–200 mots une lettre adressée à un journal, dans laquelle vous exprimerez votre point de vue sur les circonstances de la mort de Mesrine. Vous pourrez inclure dans votre lettre les éléments suivants:

– quelques phrases sur la carrière de Mesrine
– une description des circonstances de sa mort (voir vos notes sur le texte sonore)
– l'impression de quelques témoins (*Exercices* 1, p. 77)
– votre opinion de l'action de la Porte de Clignancourt (*Activités*, 1).

Début possible:

Monsieur,
La police judiciaire n'aime pas que l'on se moque d'elle.
Voilà ce que démontre le cas de Jacques Mesrine, le truand
qui

19 LA GRASSE MATINÉE

LA GRASSE MATINÉE   *par Jacques Prévert*

Il est terrible
le petit bruit de l'œuf dur cassé sur un comptoir° d'étain°
il est terrible ce bruit
quand il remue° dans la mémoire de l'homme qui a faim
elle est terrible aussi la tête de l'homme
la tête de l'homme qui a faim
quand il se regarde à six heures du matin
dans la glace du grand magasin
une tête couleur de poussière°
ce n'est pas sa tête pourtant qu'il regarde
dans la vitrine de chez Potin
il s'en fout° de sa tête l'homme
il n'y pense pas
il songe
il imagine une autre tête
une tête de veau° par exemple
avec une sauce de vinaigre

ou une tête de n'importe quoi° qui se mange
et il remue doucement la mâchoire°
doucement
et il grince des dents doucement
car le monde se paye sa tête°
et il ne peut rien contre ce monde
et il compte sur ses doigts un deux trois
un deux trois
cela fait trois jours qu'il n'a pas mangé
et il a beau se répéter depuis trois jours
Ça ne peut pas durer
ça dure
trois jours
trois nuits
sans manger
et derrière ces vitres
ces pâtés ces bouteilles ces conserves
poissons morts protégés par les boîtes
boîtes protégées par les vitres
vitres protégées par les flics°
flics protégés par la crainte
que de barricades pour six malheureuses sardines . . .
Un peu plus loin le bistro
café-crème et croissants chauds
l'homme titube°
et dans l'intérieur de sa tête
un brouillard de mots
un brouillard de mots
sardines à manger
œuf dur café-crème
café arrosé° rhum
café-crème
café-crème
café-crime arrosé sang ! . . .
Un homme très estimé dans son quartier
a été égorgé° en plein jour
l'assassin le vagabond lui a volé
deux francs
soit un café arrosé
zéro franc soixante-dix
deux tartines beurrées
et vingt-cinq centimes pour le pourboire du garçon.
Il est terrible
le petit bruit de l'œuf dur cassé sur un comptoir d'étain
il est terrible ce bruit
quand il remue dans la mémoire de l'homme qui a faim.

comptoir (m) counter **étain** (m) tin **remuer** stir/move
poussière (f) dust **s'en foutre (de)** not to give a damn (about)
veau (m) calf **n'importe quoi** anything **mâchoire** (f) jaw **se payer la tête de qqn** take sb for a ride **flic** (m) cop **tituber** stagger **café** (m) **arrosé** coffee with liqueur/spirits **égorger qqn** cut sb's throat

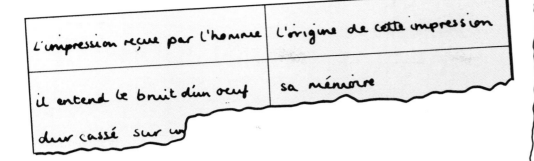

L'impression reçue par l'homme	L'origine de cette impression
il entend le bruit d'un œuf dur cassé sur un	sa mémoire

Activités

1. Le poème en détail

Le drame de *La grasse matinée* se déroule dans une série d'impressions faites sur les cinq sens du personnage principal. Certaines de ces impressions sont réelles, c'est-à-dire qu'il voit ou entend vraiment ces choses; d'autres sont imaginées. C'est l'ensemble de ces impressions qui le pousse à commettre son crime.

Travail à deux → Mise en commun
Avec un(e) partenaire, relisez le poème et notez en vos propres mots toutes les impressions qui frappent les sens de l'homme. De la manière indiquée ci-dessus, notez à côté de chaque impression son *origine*: la réalité, la mémoire de l'homme, ou son imagination, à votre avis? Dans votre choix de verbes, essayez de préciser pour chaque impression le sens dont il s'agit.

Comparez ensuite vos notes avec celles des autres étudiants. Lesquelles de ces impressions ont eu le plus d'influence en poussant cet homme à commettre son crime, à votre avis? Pourquoi?

► Pour communiquer une **série** d'actions, de pensées etc. qui se déroulent l'une après l'autre, on emploie souvent les expressions suivantes:

D'abord . . .
Puis . . .
Ensuite/Après cela
Enfin/Finalement ◄

2. Le déroulement du drame: la séquence

Imaginez que vous êtes un(e) vendeur(-euse) de chez Potin et que vous avez vu le meurtre raconté dans *La grasse matinée*. Un agent de police va vous interroger sur les faits et les circonstances du crime.

📖 *Travail individuel → Exercice oral* Relisez une dernière fois le poème et vos notes (*Points de repère*). Faites d'abord la liste des circonstances qui entouraient ce crime (l'heure, le lieu, l'aspect physique de l'homme, son état psychologique). Ensuite, dans l'ordre chronologique, faites la liste, au **passé**, de ses actions depuis six heures du matin. Réfléchissez attentivement aux temps de verbe que vous allez employer pour décrire les **circonstances** et les **actions**. Pour finir, l'agent de police (le professeur) vous posera des questions sur cet incident. Répondez pour le vendeur ou la vendeuse, en employant les expressions indiquées à gauche pour marquer la **séquence** des actions de l'homme. Inventez au besoin des détails qui ne sont pas fournis par Prévert dans son poème.

3. Article de journal

L'article de journal à droite raconte une agression contre un gendarme. En l'analysant, vous trouverez le vocabulaire et la structure nécessaires pour composer un article sur l'incident raconté dans *La grasse matinée*.

📖 a *Travail individuel → Mise en commun* Lisez *Mort d'un gendarme* une première fois et mémorisez les détails qui correspondent aux indications ci-dessous. Le professeur demandera ensuite à certains d'entre vous de raconter à l'oral cet incident.

L'incident:
Ce qui s'est passé
Lieu où le crime a été commis
Moment du crime

La victime:
Son âge
Son identité (nom, profession)

MORT D'UN GENDARME

Patrice Merle, le gendarme blessé le 7 novembre, est mort. Ses deux assassins ont pu s'enfuir en forçant un barrage dans la Nièvre.

Bordeaux
Patrice Merle, le gendarme de 30 ans, que deux truands en cavale avaient grièvement blessé à la tête le 7 novembre dernier dans les bois de Marvejois (Lozère) est mort samedi à l'hôpital de Montpellier, après une semaine de coma profond.

Les meurtriers qui ont été identifiés, deux jeunes récidivistes des hold-up avec violences, évadés depuis mars de la prison de Loos (Nord), ont échappé une nouvelle fois aux forces de l'ordre en forçant un barrage dans la Nièvre samedi soir.

Rappelons les faits. Les deux agresseurs de Patrice Merle s'étaient déjà fait remarquer dans le petit village de Saint-Germain-du-Teil, près de Mende (Lozère): depuis deux jours, ils semblaient s'intéresser d'un peu trop près au bureau du Crédit agricole. Ce jeudi matin-là, un employé de l'établissement pour handicapés de Lucille, situé à la sortie du village, téléphone aux gendarmes pour signaler la présence de deux hommes suspects qui avaient passé toute la nuit dans leur véhicule.

Maigre piste
Dix minutes plus tard, deux gendarmes s'approchent de la voiture. Immédiatement, les deux suspects ouvrent le feu. Un des gendarmes, Patrice Merle, 30 ans, s'abrite derrière un arbre tandis que son collègue abandonne son arme; les agresseurs remontent en voiture au moment où Patrice Merle, arme au poing, tente de s'interposer. L'un d'eux tire presque à bout portant, Patrice Merle s'écroule, une décharge de chevrotines dans la tête.

Le(s) suspect(s):
Nombre
Age approximatif
Mode de vie

Le déroulement des faits:
Identité d'un témoin et ce qu'il/elle a dit
Ce qu'on a remarqué avant l'incident
Détails du crime

Les conséquences:
Où se trouve(nt) maintenant le(s) suspect(s)
Ce que fait la police

b *Travail individuel* En vous basant sur l'article *Mort d'un gendarme*, rédigez maintenant un article de journal (150 mots) sur l'incident raconté par Prévert dans *La grasse matinée*. En composant votre article, suivez, si vous le voulez, les indications ci-dessus (*a*). Inventez les détails qui vous manquent.

Début possible:

ÉGORGÉ EN PLEIN JOUR

Un homme très estimé dans son quartier a été égorgé en plein jour hier matin, devant un grand magasin. M. Jean- où il a été inculpé pour homicide volontaire. Il est maintenant gardé à vue au commissariat de Thiviers.

la pluie et le beau temps

A vos marques

Belle saison, mauvaise saison

La «météo», la prévision météorologique, a sa langue à elle qui varie selon les saisons. Quelles expressions connaissez-vous déjà qui servent à décrire le temps qu'il fait? Lesquelles de ces expressions appartiennent à l'**été**, lesquelles à l'**hiver**, lesquelles aux **deux saisons sans distinction**?

Travail individuel → Travail à deux Classez toutes les expressions «météorologiques» qui vous reviennent à l'esprit, de la manière indiquée ci-dessous:

Pour finir, comparez les expressions que vous avez classées avec celles d'un(e) partenaire. Parlez aussi de la saison que vous préférez, en donnant vos raisons (les activités possibles, l'effet sur votre état d'esprit, etc.)

Expressions «météorologiques»

PLUTÔT L'HIVER	ÉTÉ OU HIVER SANS DISTINCTION	PLUTÔT L'ÉTÉ
il gèle	il pleut à verse	il fait très chaud

20 LA MÉTÉO AU FIL DES SAISONS

Activités

1. La langue de la météo

a Comprenez-vous le sens des expressions présentées à droite? *Travail à deux → Mise en commun* Avec un(e) partenaire, vérifiez et notez, s'il le faut, le sens de ces expressions. Ensuite, classez-les comme dans l'activité *Belle saison, mauvaise saison* (p. 85): plutôt l'**hiver**, plutôt l'**été**, **été ou hiver** sans distinction.
Comparez ensuite votre classement avec celui des autres étudiants.

b Des deux bulletins météorologiques présentés dans le *Livret* (pp. 33–4), le premier a été diffusé en hiver, le deuxième en été. *Travail individuel/à deux* Écoutez l'enregistrement, puis complétez ces bulletins avec ou sans partenaire. Modifiez, s'il le faut, les expressions que vous venez de classer (*a*). Ensuite, répondez par écrit aux questions ci-dessous.

> VUE D'AVION, LA FRANCE EST AUJOURD'HUI BIEN BLANCHE. DANS L'EST C'EST HIER...

Selon le premier bulletin, quel est l'état de la neige aujourd'hui, 22 février:

– dans l'Est?
– sur la Région Méditerranéenne?
– dans l'Ouest?
– en Bretagne?
– en Normandie?
– dans le Nord?

Selon le deuxième bulletin, quel temps fera-t-il demain, 12 juillet:

– dans le Nord-Ouest?
– dans le Bassin Parisien?
– sur les montagnes de la moitié sud du pays?
– sur la Côte d'Azur?
– dans l'Ouest?

---

des tempêtes de neige	il fait très lourd
de la chaleur et de l'humidité	des rafales de vent
un ciel couvert/nuageux	la neige commence à fondre
quelques rayons de soleil	un temps orageux
moins 10 (degrés) sous abri	une tendance au brouillard
les nuages se dispersent	des nuages s'accumulent
des températures élevées	une chaleur accablante
une petite accalmie	des chutes de neige
des orages éclatent	un ciel très chargé de nuages
de la neige mêlée de pluie	de la grêle et de fortes pluies
un temps plus doux	le beau temps persiste
de belles éclaircies	des passages nuageux

> AUJOURD'HUI EN FIN D'APRÈS-MIDI UNE CHALEUR ACCABLANTE PARTOUT EN FRANCE, MAIS DES ORAGES...

2. Vocabulaire de la météo: hier, aujourd'hui et demain (Temps des verbes)

a Au lieu d'écouter la météo à la radio, on consulte souvent une carte météorologique dans un journal, comme celles présentées ci-contre (p. 87) marquées **hier, aujourd'hui, demain**.
Travail individuel → Exercice oral Trouvez ces informations sans les écrire; selon la carte de gauche, quel temps a-t-il fait hier:

– en Bretagne et en Normandie?
– en Lorraine et Alsace?
– sur les Alpes?
– sur les Pyrénées?
– sur le Massif Central?
– sur les côtes de l'Atlantique?
– sur les côtes de la Manche?
– sur le Bassin Parisien?
– dans le Jura?

Ensuite, sous la direction du professeur, posez tour à tour des questions, et donnez des réponses, sur:

– le temps qu'il **a fait hier** dans telle ou telle région;
– le temps qu'il **fait aujourd'hui** dans les mêmes régions;
– le temps qu'il **fera demain**.

Exemples:
– *Quel temps* **a**-t-il **fait hier** *sur les Alpes?*
– *Il y* **a eu** *des orages avec de la grêle.*
– *Est-ce qu'il* **pleuvra demain** *en Bretagne?*
– *Non, le soleil* **reviendra** *et il* **fera** *beau.*

b *Travail individuel → Travail à deux* Votre partenaire et vous compléterez chacun(e) une des cartes météorologiques (*Livret*, p. 34). L'un(e) d'entre vous choisira **hier**, l'autre **demain**. Sur votre carte, dans chaque case, dessinez un ou deux symboles de votre choix. **Ne regardez pas la carte de votre partenaire**. Ensuite, interrogez-le/la sur le temps qu'il **a fait/fera** selon lui/elle dans chaque région. Essayez de dessiner la même carte que lui/elle. Pour finir, comparez vos cartes avec les siennes.

3. Vocabulaire de la météo: des mots qui vont ensemble

a Vous avez peut-être remarqué que, dans les bulletins météorologiques, il y a des noms et des verbes qui vont souvent ensemble.

Travail à deux → Mise en commun Dans le tableau qui suit (p. 87), cherchez oralement, dans la colonne (ii), le ou les **verbes** qui peuvent s'employer avec chaque **nom** de la colonne (i).

Exemple:
Le soleil **apparaît/revient**.

Comparez ensuite votre classement avec celui des autres étudiants.

b *Travail individuel* En vous reportant au tableau, complétez par

(i)	(ii)
le soleil	s'accumulent/se dispersent
les températures	persiste/se généralise
les chaussées/les routes	se développent/sont prévues
des éclaircies/des chutes de neige	est épargnée par la neige
des nuages	sont basses/élevées
la neige/le beau temps	sont dégagées/bloquées
le mistral	éclatent
des orages	apparaît/revient
une région	continue à souffler
du verglas	s'améliore/se gâte
le temps	se forme sur les routes

écrit les bulletins qui suivent. Modifiez, s'il le faut, les phrases que vous venez de composer oralement (a).

Aujourd'hui le ciel est couvert partout en France. Mais demain sur les côtes de l'Atlantique le temps va _'_____; __ _____ se développeront dans l'après-midi, les nuages __ _____, le soleil _____ et les températures seront assez _____. Après-demain ce beau temps va se _____ sur la moitié ouest du pays.

Hier on a relevé des températures très _____ dans le Bassin Parisien et le Nord-Est; attention donc ce matin au _____ qui se forme sur ___ _____ . Hier après-midi quelques chutes de neige se ___ _____ sur le Massif Central et sur les Alpes. Pendant la soirée la neige a _____ sur les Alpes, où de nombreuses routes sont déjà _____ . Pour le moment, seules la Bretagne et la Normandie sont _____ par cette offensive du froid et les _____ y sont supérieures à zéro.

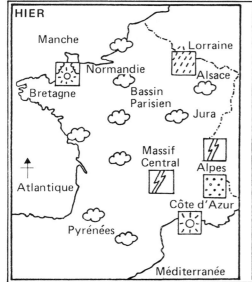

HIER

Manche
Lorraine
Normandie
Alsace
Bretagne
Bassin Parisien
Jura
Massif Central
Alpes
Atlantique
Côte d'Azur
Pyrénées
Méditerranée

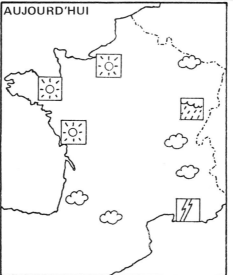

AUJOURD'HUI

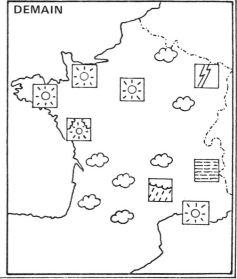

DEMAIN

 soleil   averses   neige couvert   éclaircies grêle

 pluie   orages   brouillard

21 Les Naufragés de la Neige

Points de repère

📖 Chaque hiver en France, la neige, ou l'imprudence, fait de nombreuses victimes. Mais voici le récit, vrai, de deux jeunes randonneurs, portés disparus dans la neige pendant trois semaines, qui ont réussi à survivre.

Travail individuel → Mise en commun Lisez attentivement l'article de *France-Soir* qui suit, puis répondez par écrit à ces questions:

Qui sont Hervé et Patricia Ranville (âge, métier, domicile)?

Pourquoi n'ont-ils pas hésité à repartir le 31 décembre?

Apprenons-nous quelles précautions ils avaient prises avant leur départ?

Pourquoi leur expédition a-t-elle mal tourné?

Combien de temps sont-ils restés dans leur tente?

Qu'ont-ils fait pour tenir le plus longtemps possible?

Pourquoi n'ont-ils pas quitté la tente?

Combien de jours ont-ils mis pour atteindre Servoz?

Dans quel état y sont-ils arrivés?

Comparez maintenant vos réponses avec celles des autres étudiants.

Les Naufragés de la Neige

Sauvés après 22 jours en montagne par −15°.
Chamonix. Vendredi 23 janvier.

«Nous sommes Hervé et Patricia Ranville. Depuis le 31 décembre on doit nous chercher dans la montagne. Pouvez-vous prévenir° la gendarmerie de Chamonix que nous sommes sains et saufs°?»

L'odyssée des naufragés° de la neige, deux instituteurs° de Vernouillet (Yvelines), disparus dans les Alpes depuis 22 jours, s'est terminée jeudi après-midi dans le petit village de Servoz (Haute-Savoie). Épuisés° mais rayonnants° de joie, Hervé (23 ans) et Patricia (22 ans) ont frappé vers 17 heures à la porte d'un chalet. Ils avaient les doigts et les orteils° gelés,° mais ils étaient vivants.

Au prix d'efforts de chaque instant, d'un courage tenace, d'une foi° inébranlable° l'un dans l'autre, ils avaient surmonté° la fatigue, le froid, la faim et la soif.

Le 31 décembre, vers la fin d'une randonnée,° skis aux pieds, dans le massif du Mont Blanc, les instituteurs quittent le refuge du Tour, non loin d'Argentières. Ils y ont passé la nuit, et après un solide petit déjeuner, ils se mettent en route. La météo annonce deux jours de beau temps et ils partent tranquillement avec quatre jours de vivres.° Heureusement pour eux, ils sont bien équipés.

Au cours de l'après-midi, contre toute attente,° le ciel se couvre. Il commence à neiger dru.° Patricia et Hervé sont bientôt pris dans une terrible tempête de neige. A la tombée de la nuit, ils réussissent à monter leur tente et ils attendent de meilleures conditions météorologiques. Ils bivouaquent° ainsi dix jours en économisant leurs vivres. Avec leur provision de gaz, ils font fondre de la neige pour boire.

«Quand on entend les avalanches descendre de tous les côtés, dit Hervé, pas question de quitter notre coin à peu près abrité.°»

Sept jours plus tard, dans une éclaircie de quelques minutes, un vrombissement° dans les airs. Ils sortent de la tente juste à temps pour voir passer un hélicoptère: trop tard, on ne les a pas vus. La tempête reprend° tout de suite et va durer.

Alors, le 10 janvier, en pleine tempête, ils prennent finalement la décision de lever le camp° et de rebrousser chemin.° Douze jours de marche pour rejoindre un village. Chaque jour, ils se forcent à marcher plusieurs heures de suite avant de se reposer° encore une fois dans la neige. Les jeunes gens s'affaiblissent;° au bout de quelques jours, ils finissent par se débarrasser de° leur appareil-photo, de leur corde de 40 mètres. A un moment, dans une éclaircie soudaine, Patricia hurle de joie, elle a trouvé des traces de ski toutes fraîches. Mais hélas, ce sont les leurs: ils tournent en rond°. Le dernier jour, ils se remettent en route à 5 heures du matin. Douze heures plus tard, ils atteignent Servoz, ses chalets, son confort.

Aujourd'hui, à l'hôpital de Chamonix, il leur reste à soigner° leurs gelures,° à classer dans leur tête les mille éclats° de leur aventure, avant de repartir, un jour prochain sans doute, sur de nouveaux sentiers difficiles.

prévenir inform   **sain(e) et sauf(sauve)** safe and sound
naufragé (m) castaway   **instituteur** (m) primary teacher   **épuisé** exhausted   **rayonnant** radiant   **orteil** (m) toe   **gelé** frostbitten
foi (f) faith   **inébranlable** unshakeable   **surmonter** overcome
randonnée (f) hike   **vivres** (m pl) food   **attente** (f) expectation   **neiger dru** snow heavily   **bivouaquer** (set up) camp   **abrité** sheltered   **vrombissement** (m) throbbing sound
reprendre start again   **lever le camp** strike camp   **rebrousser chemin** retrace one's steps   **se reposer** rest   **s'affaiblir** become weaker   **se débarrasser de** get rid of   **tourner en rond** go round in circles   **soigner** treat   **gelures** (f pl) frostbite   **éclat** (m) fragment

Découverte du texte

1. Le déroulement du récit

📖 **a** En interrogeant les instituteurs, le journaliste a sans doute noté chaque **incident** de leur aventure et le **moment** où il a eu lieu.
Travail individuel → Mise en commun Complétez, comme si vous étiez le journaliste, les notes présentées ci-dessous. Relevez dans le texte le **moment** qui correspond à chaque **incident**, ou sa **durée**.
Comparez ensuite vos notes avec celles des autres étudiants.

b Pour rendre son récit plus vivant, le journaliste emploie le présent. En réalité, les instituteurs et lui auront utilisé le **passé composé** pour parler de ces incidents.
Exercice oral → Travail individuel Le journaliste (le professeur) vous interrogera sur la série d'événements présentée dans les notes du journaliste. Préparez d'abord vos réponses en cherchant, dans l'article ou dans un dictionnaire, des verbes qui correspondent aux notes (1–11); réfléchissez à la forme qu'il faudra employer au passé composé.

Image manuscrite:

Hervé et Patricia Ranville

1. départ du refuge (le 31 déc., après un solide petit déjeuner)
2. détérioration du temps: neige (   )
3. tente dressée.
4. leur bivouac
5. passage d'un hélicoptère
6. reprise de la tempête
7. camp levé
8. appareil et corde laissés dans la neige
9. traces de ski
10. départ le dernier jour
11. arrivée à Servoz

Ensuite, répondez, au **passé composé**, comme si vous étiez l'un(e) des deux instituteurs.

Début possible:
Journaliste: *C'est bien la veille du Jour de l'An que vous **avez quitté** le refuge?*
Instituteur(s):   *C'est ça, nous **nous sommes mis** en route* . . .

📖 Résumez maintenant le récit par écrit, au **passé composé**. Incorporez-y chacun des **onze incidents** (*a*) et le **moment** où il a eu lieu, ou bien sa **durée**. Ne consultez pas le texte.

Début possible:
Le 31 décembre, après un solide petit déjeuner, *les deux instituteurs **se sont mis en route*** . . .

2. Vocabulaire (Passé composé des verbes pronominaux)

▶ Vous avez déjà révisé les formes du **passé composé** conjugué avec *avoir* et *être*. Comme vous le savez déjà, le passé composé des **verbes pronominaux** (*se terminer*, *se forcer*, etc.) se forme avec *être*. N'oubliez pas l'**accord du participe**:
Leur aventure s'**est** terminé**e** jeudi.
Ils se **sont** forcé**s** à marcher. ◀

📖 **a** *Travail individuel → Travail à deux* Trouvez dans le cadre en bas de la page le **verbe pronominal** qui manque à chacune des phrases qui suivent. Récrivez ces verbes, avec leur sujet, au **passé composé** en suivant l'ordre des phrases. N'oubliez pas l'**accord** du participe.

Exemple:
*Avant leur départ, **les instituteurs se sont équipés*** . . .

1 Avant leur départ, les instituteurs __'_____ avec soin.

se forcent – s'équipent – se détériorent – se réfugient – se débarrasse – se déroule – se termine – s'affaiblissent – se décide – se mettent.

2 Leur randonnée __ _____ cependant d'une manière inattendue.
3 Le 31 décembre, après une nuit passée dans un refuge, ils __ _____ tranquillement en route parce que la météo annonce le beau temps.
4 Cet après-midi-là, cependant, les conditions météorologiques __
5 Pour se protéger, ils __ _____ dans leur tente.
6 Le 10 janvier, le couple __ _____ enfin à quitter son abri.
7 Chaque jour, Hervé et Patricia __ _____ à marcher pendant plusieurs heures.
8 Mais ils __'_____ à cause de la tempête.
9 Patricia __ _____ donc de son appareil photo et Hervé de sa corde.
10 Finalement leur aventure __ _____ dans le petit village de Servoz.

Avec un(e) partenaire, retrouvez oralement, au **passé composé** les verbes qui manquent à ces phrases. Ne regardez ni vos notes ni le cadre ci-dessus.

b Vous avez déjà révisé (*Exercices*, 3, p. 42) les différentes façons de poser une question.
Exercice oral → Travail individuel Sous la direction du professeur, posez oralement, au **passé composé**, une question sur chacune des phrases que vous avez complétées (*a*). Donnez aussi des réponses aux questions des autres étudiants. Employez les **mots interrogatifs** indiqués ci-dessous + *est-ce que*:

Exemple:
– *Comment est-ce que les instituteurs **se sont équipés**?*
– *Avec soin.*

1 Comment (est-ce que les instituteurs . . .)?
2 Comment (est-ce que leur randonnée . . .)?
3 Pourquoi (est-ce qu'ils . . .)?
4 Quand (est-ce que les conditions . . .)?
5 Pourquoi . . .?
6 Quand . . .?
7 Pendant combien de temps . . .?
8 Pourquoi . . .?
9 De quoi . . .?
10 Où . . .?

Rédigez les dix questions par écrit. Employez maintenant chaque fois une **inversion**. N'oubliez pas que le pronom (*me, te, se*, etc.) précède toujours l'auxiliaire (*être*):

Exemple:
*Comment les instituteurs **se sont-ils équipés**?*

Exercices

1. L'interrogation directe et indirecte: Qu'est-ce qui...? Qu'est-ce que...?

▶ Pour écrire *Les Naufragés de la neige*, le journaliste a posé à Patricia et à Hervé Ranville des questions telles que:

«**Qu'est-ce qui** vous a aidés à tenir 22 jours?»

«**Qu'est ce que** vous avez fait pour tenir 22 jours?»

En **interrogation directe**, on emploie **Qu'est-ce qui**...? (sujet) et **Qu'est-ce que**...? (objet) pour poser une question sur une (ou des) **chose(s)**. Remarquez que l'on peut remplacer **Qu'est-ce que**...? par **Que + inversion**.

«**Qu'avez-vous** fait pour tenir 22 jours?» ◀

Les phrases qui suivent rendent compte de ce qui est arrivé au cours de l'aventure de Patricia et d'Hervé.
Exercice oral A partir de ces phrases, posez, comme si vous étiez le journaliste, les questions qu'il faudrait pour découvrir les informations en caractères gras. Le professeur vous demandera aussi de répondre pour Patricia et Hervé. Employez **Qu'est-ce qui...?** ou **Qu'est-ce que...?/Que + inversion**.

Exemple:
– **Qu'est-ce que** vous êtes partis faire dans la montagne?
– *Une randonnée de ski.*

1 Huit jours avant la tempête, les instituteurs sont partis faire **une randonnée de ski** dans la montagne.
2 Le 31 décembre, ils ont mangé **un solide petit déjeuner** avant de partir.
3 **La météo** les a encouragés à partir tranquillement.
4 **Des nuages** leur ont annoncé l'approche de la tempête.
5 Quand la tempête a commencé, ils ont décidé de **monter leur tente**.
6 **Leur provision de vivres** leur a permis de survivre.
7 **La persistance de la tempête** les a obligés à lever le camp après dix jours.
8 Ils ont dû abandonner en chemin **leur appareil-photo et leur corde**.

2. L'interrogation indirecte: ce qui/ce que

▶ Pour rapporter une question, (posée sur une ou des choses) en **interrogation indirecte**, on transforme **Qu'est-ce qui...?** et **Qu'est-ce que...?/Que + inversion** en **ce qui** et **ce que**:

«**Qu'est-ce qui** vous a aidés à tenir 22 jours?»	→ Le journaliste demande **ce qui** les a aidés à tenir 22 jours.
«**Qu'est-ce que** vous avez fait/ **Qu'avez-vous** fait pour tenir?»	→ Il veut savoir **ce qu'**ils ont fait pour tenir. ◀

Les phrases présentées à gauche (*Exercices*, 1) expliquent ce que le journaliste demande ou ce que les instituteurs répondent.

Travail individuel A partir de ces phrases, composez par écrit huit phrases **indirectes** de la manière indiquée ci-dessous. Employez **ce qui, ce que**.

Exemple:
*Le journaliste demande **ce qu'**ils sont partis faire.*

1 Le journaliste demande...
2 Il veut savoir...
3 Les instituteurs expliquent...
4 Ils disent au journaliste...
5 Le journaliste cherche à savoir...
6 Les instituteurs racontent...
7 Le journaliste demande...
8 Hervé et Patricia lui disent...

• A COMPLÉTER, A NOTER ET A MÉMORISER •

Expressions et structures
on nous cherche ____ ____ montagne (= *en montagne*)
nous sommes _____ __ _____ (= *indemnes*)
ils avaient ____ doigts gelés
ils ont fait preuve d'__ courage tenace et d'____ foi inébranlable
__ _____ (= *pendant*) l'après-midi
_____ toute _____ (= *alors qu'ils ne s'y attendaient pas*)
à la _____ __ __ nuit (= *au tomber du jour*)
juste __ temps ____ (= *pas trop tard pour*) voir passer un hélicoptère
ils décident de _____ _____ (= *revenir sur leurs pas*)
ils se reposent _____ ____ ____ (= *de nouveau*) dans la neige.
ils finissent ____ se débarrasser de l'appareil (= *ils s'en débarrassent finalement*).

Constructions verbales
ils ont frappé __ la porte
ils se mettent __ route
il commence __ neiger dru
ils font ____ de la neige pour boire
ils sortent __ la tente
ils se forcent __ marcher
ils se débarrassent __ leur appareil

elle hurle __ joie
il leur reste __ se soigner

Formes
sauf → f
instituteur (m) → f
beau → f
heureux → adv
fraîche → m
hôpital (m) → pl
nouveau → f

Noms et verbes
disparaître → leur _____ (f) dans la montagne
épuiser → dans un état d'_____ complet
refuge (m) → ils se sont _____ dans leur tente
attente (f) → on ne s'_____ pas à une tempête ce jour-là
abriter → ils n'ont pas quitté leur _____ (m)
passer → le _____ d'un hélicoptère
se reposer → un _____ de quelques heures
s'affaiblir → leur _____ croissant

3. Pronoms relatifs: préposition + lequel, etc.

▶ Hervé et Patricia ont vécu une aventure au cours **de laquelle** ils ont surmonté la fatigue, le froid, la faim et la soif.

Lorsqu'on ne veut pas répéter un nom précédé d'une préposition (*sur, dans, avec, devant*, etc.), on emploie **lequel, laquelle, lesquels, lesquelles**. La forme du relatif varie selon que le nom est masculin, féminin, singulier ou pluriel.

Lequel, laquelle, etc. représentent normalement une (ou des) **chose**(s). Pour représenter une (ou des) **personne**(s) après une préposition, on emploie d'habitude **qui**:

Le reporter **à qui** les instituteurs ont parlé . . .

Quand la préposition est **à** ou **de**, elle se combine au pronom pour donner **auquel/auxquel(le)s** et **duquel/desquel(le)s** (mais on dit **à laquelle** et **de laquelle**):

Les journaux parisiens **auxquels** le reporter a envoyé ses articles . . .
Le microphone au moyen **duquel** il a enregistré leur témoignage . . .

On peut employer **où** au lieu de **dans lequel**, **sur lequel**, etc.

Le refuge **où** (dans lequel) ils avaient passé la nuit . . . ◀

a Les déclarations à droite ont été faites par Hervé et Patricia au cours de leur conversation avec le reporter. *Travail individuel/Exercice oral* Lisez attentivement les phrases et trouvez les croquis correspondants. Ensuite, sous la direction du professeur, composez oralement une phrase pour accompagner chaque croquis. Employez chaque fois la préposition indiquée (en caractères gras) + **lequel, laquelle**, (ou bien **qui, où**) etc.

Exemple (croquis 1):

*1. Voici/C'est la tente **sous laquelle** les instituteurs ont bivouaqué dix jours.*

📖 Pour finir, rédigez vos dix phrases par écrit.

4. La narration: le passé composé/le passé simple et l'imparfait

▶ Vous savez déjà que dans un récit raconté au passé on emploie normalement le **passé composé** pour chacun des **événements** qui constituent

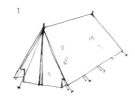

«Deux fois par jour, nous écoutions la météo **à l'aide de** notre radio.»

«**Grâce à** son nouvel appareil, Patricia avait déjà pris d'excellentes photos.»

«Le 31 décembre nous avions passé la nuit **dans** un refuge.»

«Nous avons monté la tente ce soir-là **à l'abri d'**un rocher.»

«**Sous** cette tente nous avons bivouaqué dix jours.»

«Nous avons fait fondre de la neige **sur** notre réchaud à gaz.»

«Il paraît que les services de secours nous ont cherchés **au moyen d'**hélicoptères.»

«Un jour, **avec** nos jumelles, nous avons vu un hélicoptère disparaître derrière la montagne.»

«Finalement, nous avons frappé **à** la porte du premier chalet d'un village.»

«Le propriétaire a tout de suite téléphoné **aux** gendarmes de Chamonix.»

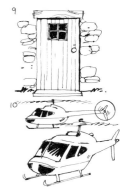

LES RESCAPÉS DE L'AUTOROUTE

Jeudi 7 janvier, 18 heures, M. et Mme Boselli, Parisiens, remontent en GS vers la capitale. Ils arrivent au péage de Tours. Il neige. M. Boselli interroge l'employé dans sa cabine sur l'état de la chaussée. «Ça roule. Pas de problème.» Mais très vite la situation se gâte. Depuis quelque temps déjà la neige s'épaissit. La GS cependant trouve par un heureux hasard un chasse-neige qui ouvre la route. Une file de voitures se forme bientôt derrière le chasse-neige: la vitesse ne dépasse pas 30 km/h, mais au moins on roule. Au bout de deux heures, hélas, une des premières voitures dérape et bloque la circulation. Le chasse-neige poursuit son lent chemin. La neige tombe de plus en plus dru sur une centaine de voitures bloquées. Le vendredi matin, les sinistrés se trouvent toujours sans secours; il est impossible de s'aventurer à pied. La situation n'est guère rassurante. En fin de matinée, un cultivateur, du haut de son tracteur, voit cette étrange file de véhicules. Il donne l'alerte au village. Mais les chemins sont difficiles à dégager. Finalement, à 17 heures, les derniers «naufragés de l'autoroute» atteignent Baudreville où ils sont hébergés, nourris et soignés pen-

dant trois jours: le petit bourg est lui-même touché par la tempête puisqu'il est privé d'eau et d'électricité. Lundi matin, on reprend enfin contact avec le monde extérieur.

la **narration**. Pour identifier ces événements narratifs, il est utile de se poser la question:

Qu'est-ce qui s'est passé d'abord?
. . . et **ensuite?** . . . et ensuite? (etc.)

Pour les **circonstances**, qui existent déjà ou qui continuent, on emploie l'**imparfait**. ◄

a L'incident raconté dans *Les Rescapés de l'autoroute* (à la page 91), comme l'aventure des instituteurs, a eu lieu au mois de janvier, sous la neige. Raconté ici au présent, en réalite ce récit a été rédigé **au passé**.
Exercice oral Notez au tableau, sous la direction du professeur, les verbes qui composent le fil de la **narration**:

Exemples:
1. Ils arrivent 2. M. Boselli interroge 3. . . .

Maintenant, racontez ce récit oralement **au passé** sous la direction du professeur. Employez les temps (**passé composé** ou **imparfait**) qui conviennent.

► En français écrit, dans un récit situé bien dans le passé (dans un article documentaire, par exemple) et surtout en français littéraire (dans un roman, par exemple), le **passé simple** s'emploie souvent, au lieu du passé composé, pour les **événements** qui composent le fil de la **narration**. On emploie toujours l'imparfait pour les

circonstances qui accompagnent la narration. ◄

📖 **b** *Les Rescapés de l'autoroute* est tiré d'un article documentaire. *Travail individuel* Récrivez ce passage **au passé** en employant selon les cas le **passé simple** et l'**imparfait**. Vérifiez d'abord les formes des verbes que vous emploierez (*Tableau de verbes*, pp. 184–7).

5. Le passif (passé composé)

► Comparez des deux phrases:

Les habitants ont → Les voyageurs hébergé les **ont été hébergés** voyageurs **par** les habitants.

Dans la phrase de droite, l'**objet** de la première phrase (*les voyageurs*) est devenu le **sujet** et le verbe est au **passif** (*ont été hébergés*). On emploie ainsi le passif pour accentuer les conséquences d'une action.
Le passif se forme toujours avec **être + participe passé**. N'oubliez pas l'accord du participe (*hébergés*) si le sujet est féminin ou pluriel. ◄

La carte *Alerte blanche* (en bas) et les notes qui l'accompagnent, révèlent, pour trois jours de janvier particulièrement rigoureux, le bilan de la neige établi plus tard par le service météorologique d'un journal national.
Exercice oral → Travail individuel Avec le professeur, composez oralement au **passif du passé composé** dix phrases basées sur la carte et les informations:

Exemples:
*La collecte du lait **a été empêchée** en Normandie **par** l'état des routes.
Deux piétons **ont été renversés** à Bar-le-Duc **par** un autocar.*

📖 Pour finir, rédigez ces dix phrases par écrit.

6. Le plus-que-parfait

► «Ils **avaient surmonté** la fatigue et le froid», nous raconte le journaliste. Il emploie ainsi **le plus-que-parfait** pour indiquer que l'aventure de Patricia et Hervé **précède un événement au passé** (leur arrivée à Servoz).

Ils **avaient surmonté** la fatigue.	← Jeudi ils **ont frappé** à la porte à Servoz.	← Aujourd'hui ils **sont** à l'hôpital
(*action précédente*)	(*événement au passé*)	(*temps de la narration*)
Plus-que-parfait	**Passé composé**	**Présent** ◄

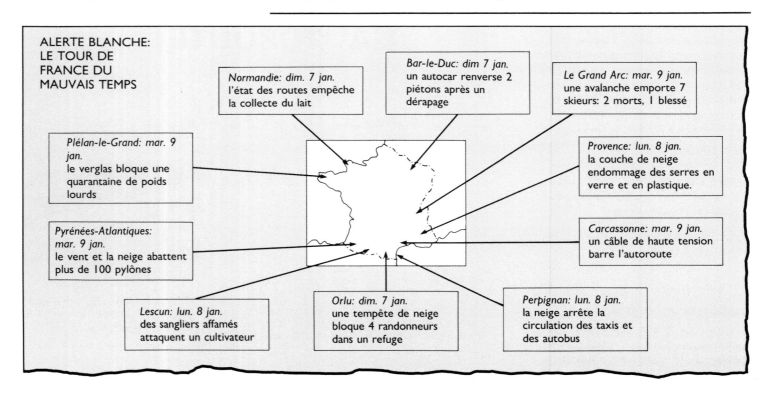

ALERTE BLANCHE: LE TOUR DE FRANCE DU MAUVAIS TEMPS

Normandie: dim. 7 jan. l'état des routes empêche la collecte du lait

Bar-le-Duc: dim 7 jan. un autocar renverse 2 piétons après un dérapage

Le Grand Arc: mar. 9 jan. une avalanche emporte 7 skieurs: 2 morts, 1 blessé

Plélan-le-Grand: mar. 9 jan. le verglas bloque une quarantaine de poids lourds

Provence: lun. 8 jan. la couche de neige endommage des serres en verre et en plastique.

Pyrénées-Atlantiques: mar. 9 jan. le vent et la neige abattent plus de 100 pylônes

Carcassonne: mar. 9 jan. un câble de haute tension barre l'autoroute

Lescun: lun. 8 jan. des sangliers affamés attaquent un cultivateur

Orlu: dim. 7 jan. une tempête de neige bloque 4 randonneurs dans un refuge

Perpignan: lun. 8 jan. la neige arrête la circulation des taxis et des autobus

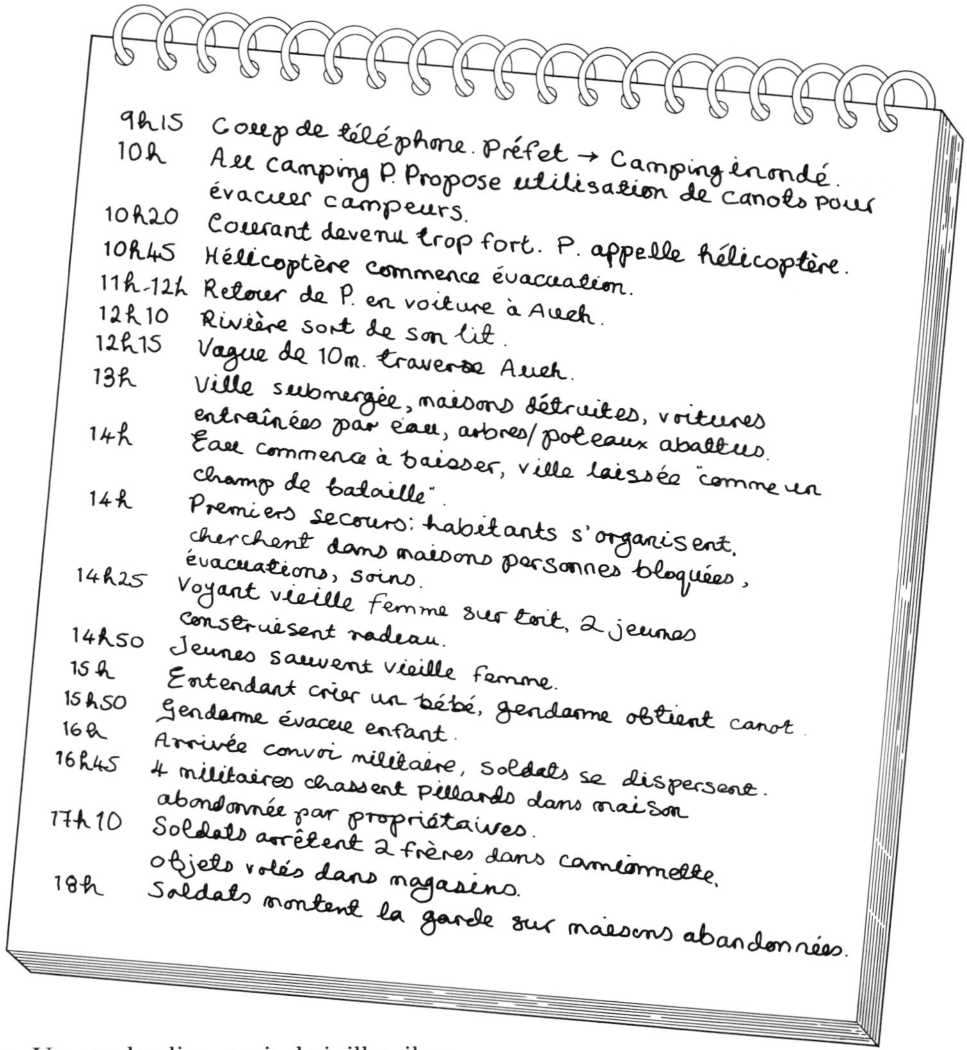

> 9h15 — Coup de téléphone. Préfet → Camping inondé.
> 10h — Au camping P. Propose utilisation de canots pour évacuer campeurs.
> 10h20 — Courant devenu trop fort. P. appelle hélicoptère.
> 10h45 — Hélicoptère commence évacuation.
> 11h-12h — Retour de P. en voiture à Auch.
> 12h10 — Rivière sort de son lit.
> 12h15 — Vague de 10m. traverse Auch.
> 13h — Ville submergée, maisons détruites, voitures entraînées par eau, arbres/poteaux abattus.
> 14h — Eau commence à baisser, ville laissée "comme un champ de bataille".
> 14h — Premiers secours: habitants s'organisent. cherchent dans maisons personnes bloquées, évacuations, soins.
> 14h25 — Voyant vieille femme sur toit, 2 jeunes construisent radeau.
> 14h50 — Jeunes sauvent vieille femme.
> 15h — Entendant crier un bébé, gendarme obtient canot.
> 15h50 — Gendarme évacue enfant.
> 16h — Arrivée convoi militaire, soldats se dispersent.
> 16h45 — 4 militaires chassent pillards dans maison abandonnée par propriétaires.
> 17h10 — Soldats arrêtent 2 frères dans camionnette. Objets volés dans magasins.
> 18h — Soldats montent la garde sur maisons abandonnées.

a Un vendredi au mois de juillet, il y a quelques années, la ville d'Auch, dans le Sud-Ouest de la France, a été dévastée par une inondation. Ce soir-là, à une conférence de presse dirigée par le préfet du département, un reporter a pris les notes présentées ci-dessus.

Exercice oral A partir de ces notes, reconstituez oralement ce qui est arrivé au préfet et à la ville d'Auch.

Début possible:
> *A neuf heures et quart du matin, le préfet a reçu dans son bureau un coup de téléphone disant qu'un camping était inondé. Il est donc parti . . .*

b Pour composer ses notes, le reporter aura posé, et entendu poser, de nombreuses questions au préfet et au commandant de la gendarmerie à Auch, présent lui aussi.

Exercice oral → Travail individuel Le reporter (le professeur) vous interrogera comme si vous étiez le **préfet**, ou le **commandant de la gendarmerie**. Répondez aux questions indiquées ci-dessous en employant chaque fois **le plus-que-parfait**. Consultez les notes présentées ci-dessus.

> Reporter: *Monsieur le préfet, pourquoi avez-vous quitté votre bureau à 9h 15?*
>
> Préfet: **J'avais reçu** *un coup de téléphone disant qu'un camping était inondé.*

Le reporter demande pourquoi:
- le préfet a quitté son bureau (9h 15)
- il a appelé un hélicoptère (10h 20)
- il est reparti pour Auch (11h)
- Auch a été submergé (13h)
- la ville a été laissée «comme un champ de bataille» (14h)
- les deux jeunes ont construit un radeau (14h 25)
- le gendarme a obtenu un canot (15h)
- les pillards ont pu pénétrer dans la maison (16h 45)
- les militaires ont arrêté les deux frères (17h 10).

📖 Rédigez maintenant par écrit, comme si vous étiez le reporter, neuf phrases contenant les informations que vous venez d'obtenir. **Ne consultez pas les notes du reporter.** Employez chaque fois le **plus-que-parfait**.

Révision

Dernier rappel! Les temps de verbe avec 'si'
Révisez les temps de verbe qu'il faut employer dans une phrase avec *si* (*Résumé grammatical* 60, p. 169; *Exercices/Activités* 5, p. 50; 6, p. 67; et aussi 1, p. 100). Ensuite, testez-vous (*Révision* 13, p. 194).

Révisez aussi:
- antériorité et postériorité: dernier, prochain, etc. (*Révision* 14, p. 195)
- sens de l'adjectif selon sa place (*Révision* 15, p. 195).

Activité

Deux accidents de montagne

a Vous allez maintenant étudier deux textes: un article de journal et un extrait du roman *La Neige en deuil* d'Henri Troyat.

Ⓛ *Travail individuel*
Mettez-vous avec un(e) partenaire. A l'un(e) d'entre vous le professeur donnera l'article, à l'autre le passage littéraire (*Livret*, p. 35). Lisez attentivement votre texte et notez:

- **les personnes concernées**
  - nombre
  - niveau d'expérience
  - ce qu'elles faisaient
- **l'accident**
  - nature de l'accident
  - endroit
  - causes
  - déroulement
  - réactions des individus
  - soins de réanimation/opération de sauvetage
  - victimes et rescapés

b Vous devez maintenant interroger votre partenaire sur l'accident raconté dans le passage qu'il/elle a étudié.
Travail individuel/Mise en commun → Travail à deux Composez par écrit une question correspondant à chacune des informations indiquées ci-dessus (*nombre de personnes, niveau d'expérience, ce qu'elles faisaient*, etc.). Vérifiez ces

questions avec le professeur.
Interrogez maintenant votre
partenaire sur le texte qu'il/elle a lu;
notez par écrit ses réponses.

c A vous maintenant de composer un
article de journal basé sur le passage de
Troyat.

Ⓛ ***Travail individuel*** Le
professeur vous donnera le texte que
vous n'avez pas encore étudié; lisez-le
attentivement. (La structure et le style
de ces deux textes sont très différents
mais ils racontent des événements
similaires.)

📖 Ensuite, continuez l'article à
droite en y incorporant tous les détails
essentiels de l'extrait de *La Neige en
deuil*. S'il le faut, inventez des détails
supplémentaires: heure, date, lieu, etc.
Respectez le caractère et la structure de
l'article de journal que vous avez déjà
lu.

ENCORE DEUX VICTIMES DE LA MONTAGNE

Un groupe d'alpinistes emporté
par une avalanche

C'est encore une avalanche tragique de la
saison blanche. En fin de saison, la montagne a fait de nouvelles victimes: deux morts,
étouffés sous la neige.
Hier, vers

㉒ LE DRAME LE PLUS CRUEL

Points de repère

🔲 L'incident tragique, dont vous
allez écouter le reportage, comporte,
avec des informations, des conseils
pour ceux qui partent faire de
l'alpinisme en été.

Ⓛ ***Travail individuel → Mise
en commun*** Ecoutez une
première fois l'enregistrement, avec la
transcription à trous (*Livret*, pp. 36–7)
sous les yeux. Essayez de retenir le
plus possible des informations
suivantes:

– moment
– nombre de victimes
– conditions météorologiques
– ceux qui sont tombés les premiers
– pourquoi les autres alpinistes se
   sont décrochés
– longueur de la chute
– conséquences
– opérations de sauvetage (qui?
   quand?)
– précautions qu'on aurait dû
   prendre

Ensuite le professeur vous demandera
de donner le plus possible de ces
détails sans regarder la transcription; il
les écrira au tableau.

Activités

1. Le reportage en détail

(L) *Travail individuel/à deux*
Avec ou sans partenaire, complétez la transcription à trous en écoutant l'enregistrement.

2. Interview: un sauveteur raconte

En réalité, ce reportage est fondé sur des interviews menées, sur place et par la suite, par un correspondant de France-Inter.

Exercice oral En reprenant les indications (*Points de repère*), le correspondant (le professeur) vous posera des questions. Vous répondrez comme si vous étiez une des personnes sur place qui ont aidé au sauvetage.

Début possible:
- A quel moment est-ce que vous vous êtes rendu compte qu'il se produisait un accident?
- J'escaladais la paroi non loin de là et j'ai entendu un cri.
- Et l'accident, vous l'avez vu? . . .

3. Compte rendu de l'accident

Au cours de l'enquête sur l'accident, on a demandé à chacun des sauveteurs d'en rédiger un compte rendu.

Travail individuel Décrivez par écrit l'accident, et l'opération de sauvetage, comme si vous étiez un des gendarmes de haute montagne de Chamonix. Commencez votre compte rendu, si vous le voulez, de la manière indiquée ci-dessous.

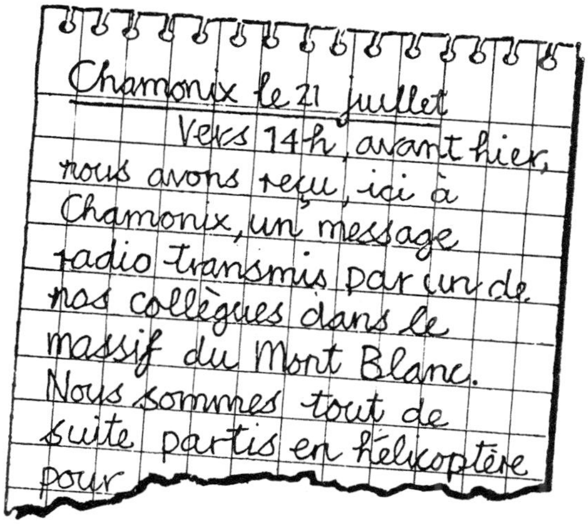

Chamonix le 21 juillet
Vers 14h, avant hier, nous avons reçu ici à Chamonix, un message radio transmis par un de nos collègues dans le massif du Mont Blanc. Nous sommes tout de suite partis en hélicoptère pour

A vos marques

Sondage: vos parents et vous?

Ⓛ **A**u cours d'un sondage effectué pour *L'Express* il y a quelque temps, on a interrogé des adolescents français sur leurs rapports avec leurs parents. Vous trouverez dans le *Livret* (p. 39) les questions posées par les enquêteurs (Parents, on vous aime (A)).

Travail individuel → Travail à deux Complétez vous-même la première colonne de ce questionnaire (*vous*) en cochant (√) les cases qui correspondent à vos réponses.
Comparez ensuite vos réponses aux questions posées par les enquêteurs français avec celles d'un(e) partenaire.

1. Comment vous entendez-vous avec vos parents?

	Vous	1	2	3	4	5	6
Très bien............							
Assez bien...........							
Assez mal......							
Très mal..............							

Personnes interrogées

㉓ PARENTS,   ON   VOUS   AIME ...?

Activités

1.   Enquête

Ⓛ **a** Les résultats du sondage de *L'Express*, sur les rapports entre parents et adolescents, sont présentés dans le *Livret* (p. 40) en pourcentages. Nous avons posé les mêmes questions à quelques jeunes étudiants français.
🔊 ***Travail individuel → Mise en commun*** Ecoutez attentivement les réponses des étudiants; marquez-les sur votre questionnaire (*colonnes 1 à 6, personnes interrogées*).

Comparez vos résultats avec ceux des autres étudiants.

Ⓛ **b** A vous maintenant de mener une petite enquête auprès de quelques jeunes compatriotes.

Travail individuel→Mise en commun Ce soir, ou pendant le weekend, posez ces mêmes questions à cinq ou six de vos ami(e)s et notez soigneusement leurs réponses sur un autre exemplaire du questionnaire (*Livret*, p. 39), colonnes 1–6 (*Personnes interrogées*).

De retour en classe, calculez le total des personnes interrogées par la classe. Ensuite, communiquez au professeur le détail des réponses que vous aurez recueillies individuellement:

Question 1:
　Très bien　　②
　Assez bien　　①
　etc.

Le professeur fera l'addition de ces réponses (*Très bien* ⑦), *Assez bien* ④ , etc.) puis il vous demandera de les exprimer en pourcentages (à l'aide d'une calculatrice?)

Exemple (Question 1: *Très bien*):
　7 réponses sur 34 personnes interrogées = 20,6%.

Pour finir, comparez les résultats de votre sondage à ceux de l'enquête de *L'Express* (*Livret*, p. 40, Parents . . . (B)):

Vous entendez-vous mieux ou moins bien avec vos parents, vous et vos ami(e)s, que les jeunes Français? Etes-vous plus/moins souvent en désaccord avec vos parents? Les sujets de désaccord sont-ils les mêmes, ou différents? Les jeunes Français sont-ils plus ou moins susceptibles de rester en contact avec leurs parents?

2. Les jeunes et leurs parents

📖　**a** Vous trouverez à droite des réflexions sur les qualités et les défauts de leurs parents exprimées par de jeunes Français.
Travail individuel Lisez attentivement ce qu'ont dit ces jeunes. Notez les **qualités** et les **défauts** mentionnés de la manière indiquée ci-dessous.

Ajoutez ensuite à vos notes vos idées sur les qualités et les défauts de vos propres parents ou d'autres parents de votre connaissance.

QUALITÉS	DÉFAUTS
-des parents jeunes et beaux	- des parents pas assez ouverts
-des parents qui nous aiment	- un père qui joue au père

QUESTION: «**Alors, ce serait quoi des parents parfaits?**»

Thierry et Véronique

Ils seraient jeunes et beaux. Qui nous aiment, et ça on l'a. Mais pour que ce soit parfait, il faudrait qu'ils soient plus ouverts avec nous.

Sylvie

Mon père est presque parfait sauf quand il joue au père.

QUESTION: «**Et c'est quoi des parents odieux?**»

Oh, les miens sont insupportables quand on leur explique qu'on a besoin d'un vélomoteur, par exemple, et qu'ils répondent qu'à notre âge ils n'en avaient pas.

Jacques

Chantal

A la maison, mon père a toujours été une sorte de tyran. Comme je suis fille unique, il critique tout ce que je fais (et ce que je ne fais pas). Il se plaint de tout et ne me lâche pas d'une semelle.

Les parents n'aiment pas les grands sujets de conversation: Dieu, la famille, l'amour, la guerre, la mort, le chômage, la sexualité. Ils parlent plus volontiers d'argent.

QUESTION: «**Est-ce que vous avez de bons parents?**»

Alain

Mes parents savent se mettre à ma portée, surtout mon père, il a une certaine compréhension vis-à-vis de ses enfants . . . Il dit toujours la vérité. Lorsque j'ai un problème et que j'en discute avec ma mère elle ne me prend jamais au sérieux. C'est en partie pour cela que je vais trouver mon père pour discuter.

Bernard

QUESTION: «**Quels sont les sujets de désaccord entre vous et vos parents?**»

Mon papa, il a un défaut, c'est de parler quand je parle d'un sujet, et il continue si on ne l'arrête pas . . .

Stéphanie

Ma mère est très compréhensive. Avec elle, j'arrive à discuter tranquillement. Avec mon père, impossible! Il se met toujours en colère.

Monique

b *Discussion → Travail individuel*

En vous basant sur les notes que vous venez de prendre (*a*), considérez avec le professeur et l'ensemble de la classe les questions suivantes:

Les parents comprennent-ils bien, ou non, leurs enfants à l'heure actuelle?

Les parents sont-ils, à votre avis, trop stricts/trop indulgents avec les adolescents? En quoi?

Que devraient faire les parents pour mieux s'entendre avec leurs enfants? Le «conflit des générations» existe-t-il réellement ou non?

Composez maintenant, comme pour un article de magazine, deux paragraphes qui rendent compte de votre enquête (*Activités*, 1), des opinions que vous avez classées et des questions que vous venez de considérer.

Début possible:

> **Conflit des générations?**
>
> Selon les résultats de notre enquête, il semble que parents et enfants s'entendent assez

㉔ MA MÈRE OUVRE MON COURRIER

Points de repère

Un magazine pour adolescents a publié dans son «courrier des lecteurs» la lettre à droite qui a été écrite par une jeune fille.

Travail individuel → Mise en commun Lisez attentivement cette lettre et notez brièvement par écrit:

– les renseignements qu'elle nous donne sur la correspondante (nom, âge, domicile, etc.);
– la raison pour laquelle elle a écrit la lettre;
– l'incident dont elle parle en particulier (ce qu'avait fait la correspondante, ce qu'a fait sa mère);
– les actions de la mère par la suite.

Comparez vos réponses avec celles des autres étudiants.

MA MÈRE OUVRE MON COURRIER

Je suis révoltée, révoltée et scandalisée, car je vais avoir seize ans dans quatre mois et ma mère continue à avoir cette détestable habitude d'ouvrir tout mon courrier.° Je dis «continue» car cela dure, en effet, depuis que je suis en âge de recevoir des lettres, c'est-à-dire trois ans environ. La première fois, je m'en souviens,° c'était à l'occasion d'un petit concours° que j'avais fait et où j'avais eu la chance de gagner° quelques échantillons° de produits de beauté offerts par une grande marque.° Bref, j'étais à l'école quand la grosse enveloppe arriva à la maison et, quand je rentrai pour déjeuner, ma mère me tendit° la lettre ouverte; elle avait même déjà utilisé le lait démaquillant° et le fond de teint° qu'elle contenait. Non seulement elle avait lu cette lettre, où l'on m'expliquait que je faisais partie des heureuses gagnantes, etc., etc., mais, en plus, elle ne m'avait même pas laissé la joie de découvrir — et de prendre possession *moi-même* de — mes petits cadeaux. Après tout, c'était bien à moi qu'ils étaient destinés,° non? Et c'était moi qui avais fait et gagné ce concours, alors? Quand je le lui fis remarquer, elle éclata° d'un rire bruyant° et se moqua de° moi: «Dis donc, ce n'est pas une lettre d'amoureux,° non? Tu ne vois pas que c'est la même lettre photocopiée qu'ils ont envoyée à tout le monde; je ne vois pas pourquoi je ne l'aurais pas lue! La belle affaire vraiment! Et pour tes produits de beauté miraculeux, je t'interdis° de te les mettre sur la peau,° ce n'est pas de ton âge. Moi, j'en ferais un meilleur usage°» ... A force de° cris et

de larmes, j'avais finalement récupéré° mon bien° — dans un état° lamentable, il est vrai — mais en y repensant, je crois que ce n'était pas tant° pour les produits que parce que je trouvais absolument scandaleux que l'on prenne ainsi possession d'une chose aussi personnelle qu'une lettre qui vous est adressée. Mais cela, je n'ai pas pu le faire comprendre à ma mère qui, par la suite,° a eu une attitude similaire à chaque fois que je recevais une lettre à la maison. Peu importait° l'expéditeur,° elle les ouvrait toutes systématiquement. Evidemment, je n'avais jusqu'à récemment reçu que des lettres anodines,° d'amies, de parents, de mes correspondantes° (j'en ai une en Angleterre, une en Allemagne) ou de camarades de classe; mais pourquoi devrait-elle ainsi lire tous mes petits secrets, et surtout tous les secrets de ceux (et celles surtout) qui m'écrivent?

Clarisse V., Grenoble

---

courrier (m) mail **se souvenir de** remember **concours** (m) competition **gagner** win **échantillon** (m) sample **marque** (f) brand **tendre** hold out **lait** (m) **démaquillant** cleansing lotion **fond** (m) **de teint** foundation cream **destiné à** addressed to **éclater (de rire)** burst out (laughing) **bruyant** loud **se moquer de** make fun of **amoureux** (m) sweetheart **interdire** forbid **peau** (f) skin **faire usage de** make use of **à force de** by dint of **récupérer** recover **bien** (m) property **état** (m) state **tant** so much **par la suite** from then on **peu importait** no matter who . . . was **expéditeur** (m) sender **anodin** harmless **correspondant(e)** (m, f) penfriend

Découverte du texte

1. Les sentiments de Clarisse

On voit que la conduite de Mme V. a vivement blessé sa fille; la langue utilisée par Clarisse révèle la force de ses sentiments:

> **«je suis révoltée, révoltée et scandalisée».**

Travail individuel → Mise en commun
Relevez dans la lettre d'autres exemples qui révèlent l'**indignation** de Clarisse:
– au moment où elle a écrit la lettre;
– il y a trois ans;
– depuis l'incident en question.
Comparez ces exemples avec ceux des autres étudiants.

2. L'attitude de la mère de Clarisse

A première vue, Clarisse se plaint simplement du fait que sa mère ouvre son courrier. Mais il s'agit peut-être de choses plus fondamentales.
Travail individuel → Discussion Notez vos réponses à ces questions:

> Pourquoi, selon vous, la mère de Clarisse a-t-elle fait ce qu'elle a fait?
> Pourquoi continue-t-elle, à votre avis, à ouvrir le courrier de sa fille?
> Que dirait Mme V., pour justifier sa conduite, à quelqu'un qui n'appartiendrait pas à la famille?
> Qu'est-ce que vous auriez fait à sa place?

Discutez maintenant vos idées avec le professeur et l'ensemble de la classe. Notez les points essentiels de la discussion.

● A COMPLÉTER, A NOTER ET A MÉMORISER ●

Expressions et structures
je vais avoir seize ans ____ quatre mois (= *d'ici quatre mois*)
je suis __ âge __ (= *assez âgé pour*) recevoir des lettres
je m'__ souviens (= *je me souviens de cela*)
__ l'occasion __'un petit concours
la joie __ découvrir mes cadeaux
je le lui ____ remarquer (= *je le lui rappelai*)
__ force __ cris et __ larmes (= *ayant beaucoup crié et pleuré*)
en __ repensant (= *pensant de nouveau à cela*)
____ _____ l'expéditeur (*son identité n'a pas d'importance*)
____ __ suite (= *après cela*)

Constructions verbales
elle continue __ avoir cette habitude
avoir l'habitude __'ouvrir mon courrier
j'avais eu la chance __ gagner des produits de beauté
je _____ partie ____ gagnantes
prendre possession __ mes cadeaux
elle éclata __'un rire bruyant
elle se moqua __ moi
je __ interdis __ te les mettre sur la peau
je n'ai pas pu __ faire comprendre __ ma mère

Formes
grosse → m
cadeaux (m pl) → sing
bruyant → adv
amoureux (m) → f
belle → m
miraculeux → adv
meilleur → adv
personnelle → m
expéditeur (m) → f
récemment → adj

Noms et verbes
ouvrir → l'_____ (f) de son courrier
arriver → l'_____ (f) de l'enveloppe
contenir → elle avait utilisé son _____
découvrir → la _____ de ses cadeaux
destiner → l'adresse du _____ (= *celui qui recevra la lettre*)
faire remarquer → je lui en fis la _____
se moquer → les _____ (f) de sa mère
envoyer → l'_____ (m) d'une lettre photocopiée
interdire → l'_____ (f) de Mme V.
expéditeur → celui qui a _____ la lettre

Exercices

1. Conditionnel du passé (porter un jugement)/Condition irréelle: si + plus-que-parfait + conditionnel du passé

▶ Si la mère de Clarisse se plaignait à une amie du comportement de sa fille «difficile», l'amie lui dirait peut-être: «Je te l'avais bien dit. Moi, **j'aurais respecté** son indépendance. **Je n'aurais pas ouvert** l'enveloppe.» Le **conditionnel du passé** se forme avec le **conditionnel** de l'auxiliaire **avoir** ou **être** + **le participe passé**:

Je n'**aurais** pas **lu** la lettre.
Elle **serait devenue** respectueuse.
Vous vous **seriez réconciliées**, etc.

On peut employer le **conditionnel du passé** pour **porter un jugement** sur une action accomplie par une autre personne. Dans les exemples ci-dessus, l'amie porte des jugements sur les actions de la mère de Clarisse. ◀

A leur place, j'aurais . . .

L'autre semaine, notre fils Thierry a demandé à passer le weekend en camping avec ses copains. Mais, comme il a avoué qu'il y avait plusieurs filles dans le groupe, j'ai refusé. Maintenant il nous dit qu'il ne partira pas en vacances cet été avec nous. Imaginez ma

P. A. Fabre

Depuis quelque temps Charlotte parle tout le temps d'un garçon de sa classe. Un vrai voyou! Avant-hier elle m'a demandé la permission de sortir avec lui. Evidemment j'ai dit non. Depuis ce moment-là elle s'enferme dans sa chambre. Elle ne va ni à l'école ni

Jacqueline Lebel

Ce matin, notre fils François, 13 ans, m'a dit des choses abominables parce que j'avais refusé de lui acheter un blouson en cuir. Je me suis mise en colère et je lui ai donné une bonne fessée. Sa réaction? Il a crevé les pneus de mon vélo avec son canif

Mme L. Cartier

J'avais promis d'emmener mon fils Paul à un match de football hier soir. Malheureusement, je suis revenu trop tard du bureau et nous n'avons pas pu y aller. Il était furieux! Et ce matin, au lieu d'aller au lycée, il est resté au lit

Charles Morin

J'ai interdit à ma fille Elisabeth de téléphoner à un garçon (sans aucun caractère d'ailleurs!) qu'elle a rencontré en vacances en Angleterre. Elle se croit amoureuse, imaginez-vous! Elle s'est tout de suite arrêtée de manger! Hier soir, à table

Dr P. Simon

J'en ai vraiment assez des vêtements affreux que porte mon fils Franck. Ce weekend, je lui a défendu de mettre un jean déchiré pour aller voir mes parents. Résultat? Il a refusé de nous accompagner

Agnès Picard

a Chacune des lettres, dont nous présentons ici des extraits, a été écrite au magazine *Parents* par le père ou la mère d'un(e) adolescent(e). Mettez-vous avec un(e) partenaire. L'un(e) d'entre vous imaginera ce qu'il/elle aurait fait dans chaque cas à la place de l'**adulte**, l'autre se mettra à la place de l'**adolescent(e)**.
Travail individuel → Travail à deux
Lisez chaque extrait et notez par écrit ce que vous auriez fait dans la même situation que l'adulte, ou bien l'adolescent, en question.

Exemples:

(à la place de M. Fabre) **J'aurais permis** à *Thierry de faire du camping.*

(à la place de Thierry) **Je serais parti** *en camping sans l'autorisation de mes parents.*

Ensuite, avec votre partenaire, comparez les réactions que vous auriez eues, comme adulte et adolescent, dans chaque situation. Vous pourriez demander:

*Qu'est-ce que tu **aurais fait** à la place de (M Fabre/Thierry, etc.)?*

▶ **Si** la mère de Clarisse **avait** mieux **compris** sa fille, elle **aurait respecté** son indépendance.
On emploie cette structure (**si + plus-que-parfait + conditionnel du passé**) pour indiquer qu'un fait (*respecter son*

indépendance) n'a pas eu lieu parce que la **condition** (*comprendre sa fille*) **ne s'est pas réalisée**. ◀

b Qu'est-ce qui **se serait passé** si les circonstances décrites dans les lettres **avaient été** différentes?
Travail individuel Relisez attentivement les extraits et écrivez une phrase qui exprime ce qui se serait probablement passé. Employez chaque fois **si + plus-que-parfait + conditionnel**.

Exemple:

*Si M. Fabre **avait autorisé** Thierry à passer le weekend en camping avec ses copains, son fils **n'aurait pas dit** qu'il ne partirait pas en vacances avec ses parents.*

2. Pronom relatif: dont

▶ Lisez ces trois phrases en faisant particulièrement attention aux **pronoms relatifs**:

Clarisse raconte un incident **qui** l'a beaucoup vexée.
Un moment **qu'**elle n'a pas oublié.
C'est une circonstance **dont** elle se souvient.

Dans la dernière phrase, on emploie **dont** parce que le pronom relatif dépend d'un verbe qui se construit avec **de** (*se souvenir **de***). ◀

a Dans le tableau *De quoi se plaignent-ils?*, les choses et les personnes de la colonne de gauche se réfèrent aux extraits de lettres que vous avez déjà lus (*1*).
Travail à deux Avec un(e) partenaire, identifiez l'extrait où figure chaque personne ou chose (vous en trouverez un ou deux dans chaque extrait). Ensuite, trouvez dans la colonne de droite la phrase qui correspond à chaque personne/chose.

Exemple:

1 *un weekend en camping →*
e) Monsieur Fabre n'a pas voulu autoriser cette activité.

(Vous pouvez noter **1 → e** etc.)

b De quoi ou de qui se plaignent-ils donc tous?
Exercice oral/Travail individuel
Relisez l'explication de l'emploi de **qui/ que** (*Exercices*, 4, p. 55) ainsi que les notes sur le pronom relatif **dont** (*ci-dessus*).

DE QUOI SE PLAIGNENT-ILS?

1	un weekend en camping	a)	*Charlotte parle tout le temps de **cette personne**.*
2	un jean déchiré	b)	*Le père de Thierry s'inquiète de **cette circonstance**.*
3	des paroles insultantes	c)	***Cette déception** a mis Paul en colère.*
4	un élève de sa classe	d)	*Le docteur Simon se moque de **cette «passion imaginaire»**.*
5	un jeune Anglais	e)	*Monsieur Fabre n'a pas voulu autoriser **cette activité**.*
6	une bonne fessée	f)	*La mère de Franck a voulu éviter **cette possibilité**.*
7	la présence de plusieurs filles	g)	*François s'est indigné de **cette action**.*
8	un match de football manqué	h)	***Ce vêtement** a choqué la mère de Franck.*
9	l'amour d'Elisabeth	i)	*Madame Cartier se plaint de **ce comportement**.*
10	la réaction scandalisée des grands-parents	j)	*Elisabeth est amoureuse de **ce garçon**.*

Ensuite, combinez oralement les éléments du tableau *De quoi se plaignent-ils?* de la manière indiquée ci-dessous. Employez chaque fois **c'est/ce sont** + **nom** (*colonne de droite, en **caractères gras***) + **qui/que/dont**.

Exemple:

> **5** *Un jeune Anglais. **C'est le garçon dont** Elisabeth est amoureuse.*

📖 Pour finir, rédigez par écrit les phrases que vous aurez composées.

3. L'impératif positif et négatif (+ pronom). Il faut/Il faudrait que + subjonctif (Recommander).

▶ Madame V. aurait pu dire à sa fille:

> **Montre-moi** toutes tes lettres.
> **Ne les cache pas**, c'est inutile.

Avec l'**impératif positif** les pronoms personnels objets (**le/la/l'/les, lui/leur**) et **y, en** suivent le verbe. **Me**, et **te**, se transforment en **moi, toi**:

> **Dépêche-toi! Parlez-lui**. Voilà du café, **prenons-en**.

Avec l'**impératif négatif** les pronoms précèdent le verbe à leur place normale:

> **Ne me regarde pas! Ne l'écoutez pas! N'y pensons plus.** ◀

a Le père de Clarisse s'inquiète beaucoup du fait que les rapports entre sa femme et sa fille se détériorent. Il va donc voir une conseillère qui travaille au collège de Clarisse. Vous trouverez à droite et à la page suivante plusieurs conseils que donne la conseillère à Monsieur V.

Exercice oral → Travail individuel Avec le professeur, composez oralement des **recommandations** qu'aurait pu donner la conseillère. Employez chaque fois **un impératif positif** ou **négatif** (**+ pronom**, s'il en faut).

Exemples:

> ***Ne lisez pas** son courrier.*
> ***Respectez-la** davantage.*

📖 Rédigez ensuite ces impératifs par écrit, avec un pronom s'il en faut.

▶ Regardez cette phrase:

> **Il faut que** nous parl**ions** sérieusement de vos difficultés.
> **Il faudrait que** vous respect**iez** ses droits.

Pour **recommander** à quelqu'un de faire, ou de ne pas faire, quelque chose, on peut employer **il (ne) faut (pas) que**, ou (plus «poli» et moins fort) **il ne faudrait pas que**, avec **le subjonctif**.
La forme de la première et de la deuxième personne du pluriel du **subjonctif** (présent) – **nous, vous** – est identique à celle de l'**imparfait** (indicatif). Mémorisez cependant ces cinq exceptions:

> nous **ayons**/vous **ayez** (*avoir*), nous **soyons** (*être*), nous **fassions** (*faire*), nous **puissions** (*pouvoir*), nous **sachions** (*savoir*). ◀

Je vous conseille, monsieur, d(e):

– avoir confiance en Clarisse.
– ne pas lire son courrier.
– la respecter davantage.
– faire attention à ses demandes.
– lui accorder plus de liberté.
– ne pas l'écouter quand elle parle au téléphone.
– ne pas vous plaindre de son choix d'amis.
– ne jamais la gronder devant ses copines.
– ne pas vous moquer d'elle.
– lui dire souvent que vous l'aimez.

Révision

Dernier rappel! Le passé simple
Mémorisez le passé simple (*je, il, nous, ils*) de tous les verbes du *Tableau de verbes*, pp. 184–7. Faites-vous tester ensuite par un(e) camarade.

Révisez aussi:
– n'importe qui, n'importe quoi etc. (*Révision* 16, p. 196)
– expressions de temps (*Révision* 17, p. 196)
– quelques formes de l'impératif (*Révision* 18, p. 197).

b La conseillère aurait pu exprimer ses **recommandations** en employant **il (ne) faut (pas)/il (ne) faudrait (pas) que** vous . . . + **subjonctif**:

> Je vous conseille, monsieur, d(e):
>
> – avoir confiance en Clarisse.
> – ne pas lire son courrier.
> – la respecter davantage.
> – faire attention à ses demandes.
> – lui accorder plus de liberté.
> – ne pas l'écouter quand elle parle au téléphone.
> – ne pas vous plaindre de son choix d'amis.
> – ne jamais la gronder devant ses copines.
> – ne pas vous moquer d'elle.
> – lui dire souvent que vous l'aimez.

Il ne faudrait pas que vous lis**iez** son courrier.
Il faut que vous la respect**iez** davantage.

Exercice oral/Travail à deux → Travail individuel   A partir des conseils présentés ci-dessus composez oralement avec le professeur des recommandations exprimées de la manière indiquée (**il faut que**, etc.). Ensuite, avec un(e) partenaire, imaginez que Monsieur V. explique à sa femme ce qu'a dit la conseillère. Reprenez les recommandations **de mémoire** en employant **il (ne) faut (pas)/il (ne) faudrait (pas) que nous** . . . + **subjonctif**:

Exemples:
   ***Il ne faudrait pas que nous** lisions son courrier.*
   ***Il faut que nous** la respections davantage.*

   Pour finir, rédigez par écrit les dix recommandations de la conseillère. Employez **il (ne) faut (pas)/il (ne) faudrait (pas) que vous + subjonctif.**

Activités

1.   Conversation: Clarisse et sa mère

a   A l'origine de la dispute entre Clarisse et sa mère, il y a la conversation qui a eu lieu le jour de l'arrivée des produits de beauté. *Travail individuel*   Relisez les deux premières colonnes de la lettre de Clarisse: imaginez (et notez) ce que la jeune fille et sa mère ont pu se dire lorsque Clarisse est rentrée.

b *Jeu de rôles*   Avec un(e) partenaire, essayez maintenant de reconstituer la conversation en jouant chacun(e) l'un des deux rôles.

2.   Réponse de la rédaction

a   Une des journalistes du magazine auquel Clarisse a écrit sa lettre lui répond en **portant des jugements** sur la conduite de Mme V. et de sa fille et en donnant des **conseils** à Clarisse. *Travail individuel → Mise en commun* Composez d'abord une liste des **jugements** de la journaliste, ensuite une liste de ses **conseils**. Comparez vos idées avec celles des autres étudiants.

▶ Pour **porter un jugement** vous pouvez dire:

   Tu n'aurais pas dû/Elle n'aurait pas dû (+ *infinitif*)
   A ta place/A sa place, j'aurais (+ *participe passé*)
   Il aurait fallu (+ *infinitif*)
   Ton erreur/Son erreur a été de . . . (+ *infinitif*)
   Ton erreur/Son erreur a été de . . . (+ *infinitif*)

Pour **donner des conseils** à Clarisse, vous pourrez employer des **impératifs positifs** ou **négatifs** (*Exercices*, 3(*a*), p. 101) ou l'une des expressions suivantes:

   Essaie de . . ./
   Efforce-toi de . . .
   Sois sûre de . . ./
   N'oublie pas de . . .
   Évite de . . .   } (+ *infinitif*)

   Je te conseille de . . .
   Tu dois/Tu devrais . . .
   Il faut/Il faudrait . . .

   Il faut/Il faudrait que . . .   (+ *subjonctif*) ◀

   b   Vous êtes la journaliste. *Travail individuel*   Rédigez votre réponse à la lettre de Clarisse en employant des formules (pour **porter un jugement** et pour **donner** à Clarisse **des conseils**) qui conviennent.

A vos marques ...

Une rencontre importante

Sans compter votre famille, quelles sont les personnes qui, jusqu'à présent, ont eu le plus d'importance dans votre vie?

Travail individuel → Travail à deux Pensez à quelqu'un qui a beaucoup compté pour vous ou qui vous a beaucoup intéressé, par exemple un grand-parent, un(e) camarade, le parent d'un(e) ami(e), etc. En quelques mots, notez vos réponses à ces questions:

Où avez-vous rencontré ou connu cette personne?
A quel âge, ou à quel moment de votre vie?
Qu'est-ce que vous faisiez, tou(te)s les deux, au moment de cette rencontre?
Quelle impression cette personne vous a-t-elle fait?
Qu'avez-vous dit?
Quelles émotions avez-vous ressenties?
Qu'est-ce qui s'est passé par la suite?

Interrogez maintenant un(e) partenaire au sujet de la personne à laquelle il/elle pense et répondez à votre tour à ses questions.

㉕ LE COUP DE FOUDRE

Activités

1. Une anecdote: *Rencontre à Cambrai*

🔲 **a** Une jeune Française, Christèle, nous a raconté le moment où elle a rencontré «quelqu'un qui a beaucoup compté dans sa vie».

Travail individuel/à deux → Mise en commun Avec ou sans partenaire, écoutez une première fois l'enregistrement sans arrêter la bande, avec les questions qui suivent sous les yeux. A la fin, notez rapidement tous les détails qui vous reviennent à l'esprit.

Pourquoi ce garçon a-t-il «beaucoup compté» pour Christèle?
Où l'a-t-elle rencontré? A quel moment? Avec qui?
Quelle était l'atmosphère qui y règnait?
Quel temps faisait-il?
Comment était ce garçon?
Que s'est-elle dit? Pourquoi?
Quels sentiments a-t-elle éprouvés après l'avoir vu?
Qu'a-t-elle donc fait?

Que s'est-il passé à la fin, pensez-vous?

Ensuite, le professeur vous demandera de lui dire ce que vous aurez compris de l'anecdote à la première écoute.

🔲 **b** A vous maintenant de re-trouver le détail de cette petite histoire. ***Travail individuel*** Repassez la bande en l'arrêtant quand vous le voudrez. Transcrivez à la troisième personne (*elle*) les réponses aux questions données ci-dessus; reprenez dans la mesure du possible les paroles du témoignage:

Exemple (première question):
> *Ce garçon a beaucoup compté dans sa vie parce qu'elle a vécu avec lui ce qu'on peut appeler une passion.*

2. L'intonation déclarative

a En racontant son histoire, Christèle emploie constamment l'**intonation** normale de la phrase **déclarative** que vous avez déjà étudiée (*Exercices*, 3, p. 31), c'est-à-dire que sa voix **monte** à la fin de chaque groupe de mots; et sa voix **descend** quand elle arrive à la fin d'une phrase, ce qui ne se passe en réalité que rarement puisqu'on a tendance, en parlant, à prolonger ses phrases.

Travail individuel/Exercice oral
Repassez la bande et transcrivez le plus exactement possible ce que dit Christèle à partir du début, «je vous raconterai», jusqu'à «un soir de Nouvel An» (ll. 1–8 de la version intégrale: *Livret*, p. 72).
Comparez votre version avec celle des autres étudiants et corrigez-la s'il le faut.
Repassez maintenant la bande en l'arrêtant à la fin de chaque groupe de mots; marquez sur votre transcription les endroits où la voix de Christèle **monte** et ceux où elle **descend** (s'il y en a), en dessinant des courbes de la manière suivante:

> je vous raconterai euh
>
> comment j'ai rencontré

Ensuite, le professeur vous demandera de lui dire sur quels mots la voix de Christèle monte ou descend.
Ecoutez encore une fois l'enregistrement à partir de «et je l'ai rencontré dans une ville» jusqu'à «de Nouvel An», puis le professeur vous demandera de mémoriser, en la prononçant, la phrase présentée ci-dessous. N'oubliez pas d'en respecter l'intonation déclarative:

> Je l'ai rencontré dans une ville du Nord
>
> un soir de Nouvel An.

b Vous allez maintenant employer la même **intonation déclarative** pour dire où et quand vous avez rencontré une personne (réelle ou imaginaire) qui a «beaucoup compté» dans votre vie.

Travail individuel → Exercice oral
Chacun(e) d'entre vous notera d'abord l'**endroit** et le **moment** où cette rencontre a eu lieu. Ensuite le professeur vous demandera de communiquer ces informations à la classe comme dans l'exemple en bas à gauche (*a*).

Exemple:

> Je l'ai rencontrée dans une discothèque
>
> à l'occasion de l'anniversaire de ma soeur.

En écoutant, notez le **lieu** et le **moment** mentionnés par chaque étudiant(e). Pour finir, le professeur vous demandera de dire, à la **troisième personne**, ce qu'ont dit certain(e)s autres étudiant(e)s:

> Il a rencontré cette fille dans une discothèque
>
> à l'occasion de l'anniversaire de sa soeur.

3. Ça a fait tilt?

Vous allez maintenant composer une anecdote sur une rencontre, réelle ou imaginaire, entre vous-même et une autre personne.

Travail individuel Regardez une nouvelle fois les questions auxquelles vous avez répondu (*Activités*, 1), puis notez les réponses qui conviennent dans le cas de votre anecdote (réelle ou imaginaire).

Pour finir, le professeur vous demandera d'enregistrer oralement, à la manière de Christèle, le récit de votre rencontre, au laboratoire de langues ou avec une minicassette par exemple. Vous pouvez gardez vos notes sous les yeux, si vous le voulez, mais essayez de parler de façon continue, sans trop d'hésitations.

26 SOIRÉE DÉSASTRE

Points de repère

📖 Deux personnes qui se trouvent dans la même situation voient les choses différemment. Dans ces témoignages, recueillis par un magazine pour les jeunes, Sylvie et Patrick racontent ce qui s'est passé quand ils se sont rencontrés pour la première fois et, ensuite, lorsqu'ils sont sortis ensemble. Ils sont tous les deux d'accord sur les **faits** essentiels, mais ils ignorent chacun les impressions et les réactions de l'autre.

Travail individuel → Mise en commun Lisez attentivement les deux versions en les comparant; ensuite, résumez par écrit, en sept ou huit phrases concises, ce qui s'est passé le soir où Sylvie est sortie avec Patrick:

- les préparatifs de Sylvie
- l'attente de Patrick
- l'arrivée au cinéma
- le geste de Patrick au cinéma, etc.

Ensuite, vérifiez les faits avec l'ensemble de la classe.

LA VERSION DE SYLVIE

Lorsque j'ai rencontré Patrick dans une boîte,° je l'ai trouvé fantastique. Pas seulement sympathique,° mais vraiment celui avec qui on a plaisir à être, naturel et chaleureux.° Vous voyez ce que je veux dire.° J'étais vraiment folle° de joie lorsqu'il m'a proposé un rendez-vous. Je ne pus m'empêcher de° parler de lui à tout le monde au lycée et de dire combien il me tardait de° le revoir. J'ai passé un long moment à me préparer et, quand je descendis, il m'attendait déjà ! Je dois dire que j'avais prévu° d'être juste un peu en retard parce que je trouvais ridicule d'être déjà là à l'attendre quand il arriverait. Je ne voulais pas avoir l'air de me précipiter.° Mais la première chose que je remarquai fut qu'il semblait différent. Il n'était pas aussi bien que je le croyais, et, en me voyant, ne sourit pas et ne parla pas comme je l'avais imaginé. Nous avions prévu d'aller au cinéma; il me dit que nous ferions mieux d'y aller, sans quoi° nous n'y arriverions jamais à temps. Et il se mit à marcher tellement vite qu'il me fallut presque courir pour le suivre.

Au cinéma il essaya de prendre ma main, et j'eus envie de° pleurer parce que j'étais sûre qu'il faisait ça uniquement° en pensant que c'était ce que j'attendais. J'étais embarrassée et honteuse.° S'il avait été aussi chaleureux que la première fois, je ne me serais pas fait des idées.° Là, je n'arrivais pas à comprendre pourquoi il m'avait proposé un rendez-vous. Lorsque le film fut terminé, il me demanda si j'avais envie d'aller manger un hamburger et je dis oui, alors que la seule chose dont j'avais envie était de rentrer à la maison et me convaincre° que rien de tout cela ne s'était passé. Etant donné la situation, je finis par faire la conversation toute seule, en espérant qu'il allait me répondre quelque chose. Mais il ne dit rien d'autre que oui ou non, en regardant tout autour de lui, comme si se trouver à côté de moi était la dernière chose dont il eût envie !... Je me suis sentie soulagée° lorsque nous nous sommes levés et qu'il m'a ramenée° à la maison. Du moins, à ce moment-là, se mit-il à parler un peu de lui, de ses cours° au collège technique et de ses vacances en camping cet été avec ses copains.°

JE SAVAIS QU'IL NE VOUDRAIT PLUS ME REVOIR

Mais en fait, je voyais bien que tout cela était inutile.° Je savais qu'il ne s'intéressait pas vraiment à moi et qu'il n'aurait aucune envie de me revoir. Il me laissa devant ma porte en me disant qu'il me passerait un coup de fil° un de ces jours. Je savais très bien qu'il n'en avait pas du tout l'intention. Ma mère me demanda si je m'étais bien amusée, je me précipitai dans ma chambre et éclatai en sanglots.° J'avais tellement attendu ce rendez-vous, et tout s'était si mal passé ! Le pire° c'est que je finis par détester Patrick parce que je savais que, quoi qu'il en dise, je n'étais pas assez bien pour lui et cela me rendait malade...

LA VERSION DE PATRICK

J'avais vraiment beaucoup aimé Sylvie la première fois. Elle semblait vraiment drôle° en plus. Je lui ai proposé un rendez-vous parce que cela me semblait vraiment une bonne chose. Je n'y avais pas vraiment réfléchi° sans doute, mais j'étais avec mes copains, je me sentais en forme et je n'avais pas grand'chose à perdre. La première chose qui me déplut° fut son retard. Elle m'a laissé faire le poireau° un quart d'heure, à tel point que je commençais à me demander si elle ne m'avait pas posé un lapin.° On se sent l'air idiot planté à un coin de rue, à attendre ! Et quand elle s'est décidée à arriver, elle ne s'est même pas excusée. Ça ne m'a vraiment pas plu.

JE NE CROIS PAS M'ÊTRE JAMAIS AUTANT TROMPÉ° SUR UNE FILLE

Je ne l'avais pas vraiment remarqué dans la boîte (peut-être parce que nous étions tous les deux avec des copains), mais Sylvie se révéla° être une de ces filles qui se conduisent° comme si elles vous faisaient une immense faveur en acceptant de sortir avec vous. Par exemple, j'ai essayé de lui prendre la main au cinéma; elle l'a retirée° brusquement comme si elle avait peur d'attraper° quelque chose. Je ne sais vraiment pas pourquoi ensuite je lui ai proposé d'aller dans un café. Sans doute parce que je la croyais un peu intimidée de se trouver seule avec moi. Je me suis dit que voir des gens autour d'elle la rassurerait° et qu'elle se sentirait plus à l'aise,° davantage° semblable° à ce qu'elle était dans la boîte. Mais tout ce qu'elle trouva à faire fut de continuer à parler d'elle, de sa famille, de ses amis, des gens que je ne connaissais même pas. Je ne pouvais donc pas vraiment participer, n'est-ce pas ? Sylvie, c'est évident, n'était préoccupée que d'elle-même: je voyais bien que chaque fois que j'essayais de parler de moi ça ne l'intéressait pas. Je ne crois pas m'être jamais autant trompé sur une fille, pensais-je. Elle paraissait chaleureuse et naturelle, et elle se révélait égoïste° et ennuyeuse. De toute façon je ne sais pas ce que je vais faire. En réalité je m'en soucie° peu. Pour moi c'est simplement une soirée ratée.° C'est tout...

boîte (f) club **sympathique** nice **chaleureux(-euse)** warm **vouloir dire** mean **fou(folle)** mad **s'empêcher de** stop oneself **il me tarde de** I'm longing to **prévoir de** plan to **se précipiter** rush **sans quoi** otherwise **avoir envie de** want to **uniquement** only **honteux(-euse)** ashamed **se faire des idées** get ideas **convaincre** convince **soulagé** relieved **ramener** take back **cours** (m) class **copain** (m) mate **inutile** useless **passer un coup de fil à qqn** ring sb up **éclater en sanglots** burst into tears **pire** (m) worst **drôle** funny **réfléchir à** think of **déplaire à** annoy **faire le poireau** be left kicking one's heels **poser un lapin à qqn** stand sb up **se tromper** be wrong **se révéler** turn out to be **se conduire** behave **retirer** withdraw **attraper** catch **rassurer** reassure **se sentir à l'aise** feel at ease **davantage** more **semblable** like **égoïste** selfish **se soucier de** care about **raté** ruined

Découverte du texte

1. Les impressions de Sylvie et de Patrick

📖 Sylvie et Patrick voient chacun cet épisode d'une manière différente. Quelles sont en effet leurs **impressions** l'un de l'autre?
Travail individuel → Mise en commun
Relevez par écrit:

- comment Sylvie voit Patrick à la première rencontre;
- comment elle le voit à la deuxième;
- comment Patrick voit Sylvie à la première rencontre;
- comment il la voit à la deuxième.

Comparez ensuite vos notes sur les **impressions** de Sylvie et Patrick avec celles des autres étudiants.

2. Vocabulaire des rendez-vous

📖 **a** Dans les deux versions, de nombreuses expressions se rattachent au thème des rendez-vous (sentimentaux). Certaines s'emploient dans n'importe quel texte (emploi **courant**), d'autres surtout dans la conversation (emploi **familier**).
Travail individuel En faisant les changements grammaticaux qui conviennent, recopiez les mots et expressions présentés à droite (après *c*) dans l'ordre nécessaire pour compléter le résumé (*ci-dessous*) de ce qui s'est passé entre Sylvie et Patrick. Faites attention aux temps des verbes.

Lorsque Patrick a _____ un _____-____ à Sylvie, elle en a parlé à tout le monde car il lui _____ de le revoir. Mais, le soir de leur rendez-vous, il a dû _____ _ _____ sur le trottoir en croyant qu'elle lui _____ _ _____. A Patrick, qui se _____ déjà moins en _____ que la première fois, Sylvie a donné l'impression qu'elle lui _____ _ _____ en acceptant de le revoir. Finalement quand il l'a _____ chez elle, Sylvie était sûre qu'il ne s'_____ plus _ elle, même s'il lui a dit qu'il allait lui _____ un ____ _ ___ sans doute un de _____ _____. Quand sa mère lui a demandé si elle s'était ____ _____ Sylvie s'est rendu compte que tout s'était très ____ ____ ____ et elle a _____ _ _____.

Pour Patrick c'était simplement une soirée _____.

b *Travail à deux* Complétez oralement le résumé en ne consultant ni votre liste de mots et d'expressions ni le texte.

c *Exercice oral* Avec l'aide du professeur, essayez de reconstituer le résumé à partir de votre liste de mots et d'expressions seulement.

Emploi courant	Emploi familier
bien s'amuser	passer un coup de fil à
éclater en sanglots	un de ces jours
faire une faveur à	poser un lapin à
s'intéresser à	faire le poireau
mal se passer	raté
proposer un rendez-vous à	
ramener	
il (lui) tarde de (*impersonnel*)	
se sentir en forme	

Exercices

1. La simultanéité: en + participe présent

▶ Selon Sylvie, Patrick est resté silencieux au café, **en regardant** autour de lui.
Cette structure (**en + participe présent**) s'emploie pour dire qu'une personne ou une chose fait deux actions **en même temps**. Pour souligner cette **simultanéité** de deux actions accomplies par la même personne on peut employer **tout en + participe présent**:

   Il buvait son café **tout en regardant** autour de lui. ◀

a Il y a des actions que nous avons l'habitude de faire **en même temps**, ou d'une certaine manière. Est-ce que vous avez l'habitude de bavarder, par exemple, **en regardant** la télévision?
Travail à deux → Exercice oral Dans le tableau *La force des habitudes*, trouvez dans les deux colonnes des éléments qui vont ensemble. Demandez ensuite à votre partenaire s'il/elle fait telles ou telles choses en même temps. Notez ses réponses et répondez à votre tour. Employez chaque fois **en + participe présent**.

Exemple:
   – *Est-ce que tu bavardes **en regardant** la télévision?*
   – *Pas d'habitude. Sauf quand l'émission ne m'intéresse pas.*

Ensuite, rapportez à l'ensemble de la classe une ou deux habitudes de votre partenaire.

La force des habitudes

bavarder	se lever le matin
hurler	regarder la télévision
ronfler	faire ses devoirs
se sentir encore endormi(e)	voir une araignée
écouter la radio	prendre un bain
chanter	traverser la rue
faire très attention	parler de soi-même
lire le journal	s'habiller
avoir tendance à exagérer	dormir
se regarder dans la glace	prendre son petit déjeuner

📖 **b** Dans la boîte, Patrick **a bavardé** longtemps avec Sylvie et il **se disait** qu'elle était drôle.
Travail individuel Lisez les remarques suivantes de Sylvie et de Patrick puis cherchez dans leurs versions de l'histoire une action (accomplie par la même personne) qui pourrait accompagner chacune de ces phrases. Ensuite, composez par écrit des phrases en employant chaque fois **(tout) en** + le **participe présent** du verbe en italique.

Exemple:
   *Patrick a bavardé avec Sylvie **(tout) en se disant** qu'elle était drôle.*

Je me disais qu'elle était drôle.

Je me demandais si elle m'avait posé un lapin.

Je me sentais l'air idiot.

Je supposais qu'il ne fallait pas avoir l'air de me précipiter.

J'espérais que je l'encouragerais à parler.

Je savais qu'il n'avait pas l'intention de me revoir.

2. Du discours direct au discours indirect: temps des verbes

▶ Si Sylvie racontait à une amie ce que Patrick lui avait dit, elle pourrait en parler **indirectement**:

Patrick (à Sylvie):
«Tu **aimes** cette musique?»

«Je ne t'**ai** jamais **vue** ici.»

«Je **reviendrai** la semaine prochaine.»

Sylvie (à une amie):
Il m'a demandé si **j'aimais** cette musique.

Il m'a dit qu'il ne m'**avait** jamais **vue** là.

Il m'a assuré qu'il **reviendrait** la semaine prochaine.

En **discours indirect** après un verbe **au passé** (*Il a dit que . . ./Il a demandé si . . .*, etc.) l'**imparfait** remplace ainsi le **présent**, le **plus-que-parfait** remplace le **passé composé**, le **conditionnel** remplace le **futur**.
Faites particulièrement attention à l'emploi des pronoms, comme dans les exemples donnés (*tu → je, te → me, je → il*, etc.). ◀

Comment Sylvie rapporterait-elle à son amie les paroles de Patrick à leur première rencontre?
Exercice oral → Travail individuel
Sous la direction du professeur, imaginez ce que dit Sylvie:
Il m'a dit que . . . , Il m'a demandé si . . ., etc.

1 «Tu sais que tu es très jolie?»
2 «Je t'ai remarquée tout de suite!»
3 «Tu veux sortir avec moi mercredi prochain?»
4 «Nous irons peut-être au cinéma?»
5 «Tu n'as pas déjà vu le film au Rex?»
6 «Après, nous pourrons manger un hamburger ensemble.»
7 «Tu connais le nouveau *Self-service*?»
8 «Je viendrai te chercher à 8h, d'accord?»
9 «Tu habites près d'ici?»
10 «Tu penseras à moi dans l'intervalle?»

▱ Rédigez maintenant ces dix phrases par écrit en **discours indirect**: *Il m'a dit que . . ./Il m'a demandé si. . .*, etc.

3. Pronoms personnels objets directs et indirects, y, en: ordre de deux pronoms

▶ Les amis de Sylvie ont sans doute compris que Patrick lui plaisait. Elle **leur en** a beaucoup parlé.
Si **deux pronoms** de la troisième personne dépendent du même verbe, il faut les placer ensemble dans l'ordre suivant:

$$\begin{matrix} & le & & \\ & & lui & \\ se \to & la & \to & \to y \to en \to \textbf{VERBE.} \\ & & leur & \\ & les & & \end{matrix}$$

Elle a parlé **de Patrick à ses amis** → Elle **leur en** a parlé.
Elle a accompagné **ses amies en boîte** → Elle **les y** a accompagnées. ◀

Exercice oral → Travail individuel   En consultant les deux versions de l'histoire de Patrick et Sylvie, répondez oralement aux questions suivantes. Remplacez par des **pronoms** les mots en italique (Pour réviser l'emploi des pronoms, voir les *Exercices*, 1, p. 16 et le *Résumé grammatical*, 18, p. 154.)

Exemple:
Pourquoi est-ce que Patrick a proposé le rendez-vous à Sylvie?
*Il **le lui** a proposé parce qu'il la trouvait sympathique et drôle.*

1 Pourquoi est-ce que Patrick a proposé *le rendez-vous à Sylvie*? Il . . .
2 N'a-t-elle pas parlé *à ses amis de sa nouvelle conquête*? Si, elle . . .

3 Comment Sylvie s'est-elle excusée *de son retard?* Elle ne . . .

4 Patrick a-t-il parlé directement *à Sylvie de son impolitesse?* Non, il . . .

5 Patrick lui a-t-il montré *son mécontentement* en se plaignant? *Non, il* . . .

6 De quelle manière a-t-il emmené *Sylvie au cinéma?* Il . . .

7 Y avait-il *des amis* de Patrick *au café?* *Non, il* . . .

8 A quel moment Patrick a-t-il parlé un peu *à Sylvie de son collège et de ses vacances?* Il . . .

9 Qu'est-ce qui a convaincu *Patrick de l'égoïsme* de Sylvie? . . .

📖 Rédigez maintenant vos réponses par écrit en employant les pronoms qui conviennent.

4. Le subjonctif: exprimer ses souhaits, ses préférences

Ⓛ **a** Comme chaque garçon, chaque fille, vous rêvez sans doute quelquefois à votre partenaire idéal(e). Le sondage (*Livret*, pp. 42–3) vous permettra de préciser vos préférences. *Travail individuel* Complétez votre exemplaire du sondage de la manière indiquée en bas de la page. Barrez les mentions inutiles, et cochez les cases correspondantes.

▶ Le singulier (**je**, **tu**, **il/elle**) et la troisième personne du pluriel (**ils/elles**) du **subjonctif** (présent) peuvent normalement se former à partir de la troisième personne du pluriel (**ils/elles**) de l'**indicatif**:

ils **mettent** → je **mette**, tu
(*indicatif*)   **mettes**,
      il/elle **mette**,
      ils/elles **mettent**.
      (*subjonctif*)

Il faut cependant mémoriser le subjonctif présent de ces verbes: *avoir, être, aller, faire, savoir, pouvoir, vouloir, il faut, il vaut, il pleut.*

Pour exprimer ce qu'on **souhaiterait** ou **préférerait** (dans le sondage = *important*), ce qu'on **n'aimerait pas** (= *inacceptable*) ou ce qu'on **accepterait** (= *peu important*), on peut choisir parmi les formules suivantes:

ce qu'on souhaiterait/préférerait

> je voudrais que
> j'aimerais (bien) que + **subjonctif**
> je souhaiterais que

ce qu'on n'aimererait pas

> je ne voudrais pas que
> je n'aimerais pas   + **subjonctif**
> (du tout) que

ce qu'on accepterait

> ça m'est égal que
> j'accepterais que + **subjonctif.**

◀

b L'extrait présenté ci-contre est tiré d'un article de magazine qui donne les résultats d'un sondage sur le partenaire idéal des Françaises. *Travail individuel/Mise en commun* Lisez cet extrait tout en notant les souhaits et les préférences des Françaises. Comparez ensuite vos notes avec celles des autres étudiants; identifiez en même temps tous les **subjonctifs** et les infinitifs dont ils proviennent.

📖 Pour finir, revoyez la formation du singulier et de la troisième personne du pluriel (*je, tu, il(s)/elle(s)*) du subjonctif présent. **Mémorisez** en particulier ces formes des dix verbes suivants: *avoir, être, aller, faire, savoir, pouvoir, vouloir, il faut, il vaut, il pleut.*

c Le professeur aura vraisemblablement, comme vous, des **préférences et des souhaits** en matière de partenaires.
Exercice oral → Travail à deux
Interrogez le professeur sur son/sa partenaire idéal(e): demandez-lui ce qu'il/elle pense de tel ou tel trait physique ou moral. Il/Elle exprimera ce qu'il/elle **souhaiterait**, **n'aimerait pas** ou **accepterait**.

Exemples:
– *Est-ce que la couleur des yeux est importante pour vous?*
– *Non, ça m'est égal que mon/ma partenaire ait les yeux bruns ou gris.*
– *Et la capacité à vous comprendre, ça compte pour vous?*
– *Absolument. Je voudrais qu'il/elle puisse me comprendre.*
– *Que pensez-vous de la jalousie?*
– *Je n'aimerais pas du tout que mon/ma partenaire soit jaloux(-ouse).*

Ⓛ Ensuite, interrogez votre partenaire de la même manière (employez *tu, toi*, etc.) Marquez ses réponses sur un autre exemplaire du sondage. Répondez à votre tour à ses questions sur vos **préférences** et vos **souhaits**, en choisissant parmi les formules ci-dessus.

SONDAGE: VOTRE PARTENAIRE IDÉAL(E)

Son physique	Important	Peu important	Inacceptable
Taille (grande? petite? moyenne?)	✓		
Couleur des yeux (yeux bleus? gris? noisette? marron? noirs?)		✓	
Couleur des cheveux (cheveux blonds? roux? châtains?)			✓

Portrait robot de l'homme idéal:

Il a le regard de Michel Drucker; il a aussi l'habitude de faire la vaisselle. Il est loyal et attentionné, et sa situation professionnelle est de tout repos. Il sait s'occuper des enfants et il a le goût de la conversation. Mesdames, c'est le Français dont vous rêvez. Une différence d'âge: les «plus de 35 ans» veulent qu'il soit avant tout loyal, tandis que les «moins de 30 ans» souhaitent surtout qu'il respecte leur indépendance. Toutes désirent ardemment qu'il puisse les comprendre. Il faut également qu'il ait une situation de toute sécurité: l'instabilité fait fuir l'amour, semble-t-il. Très peu de femmes veulent que leur homme fasse un métier «à risques»: les artistes, les commandants de bord, les aventuriers ne leur plaisent pas.

Maintenant, repassez la bande. Cette fois-ci, transcrivez quelques mots qui correspondent à chaque case du tableau que vous avez cochée; soulignez tous les subjonctifs.

Exemple (Emmanuel: cheveux ☑):
*je souhaiterais qu'elle **soit** brune.*

Christèle fait une distinction entre l'idéal et la réalité de ses préférences. Repassez la dernière partie de la bande et notez vos réponses à ces questions:

Quelle est la distinction que fait Christèle?
Que nous dit-elle sur l'importance relative des caractéristiques physiques et «ce qu'il y a à l'intérieur»?

Pour finir, le professeur vous demandera de lui communiquer les phrases que vous aurez notées pour les jeunes Français. Dites-lui aussi vos réponses aux deux questions ci-dessus. Etes-vous d'accord avec Christèle?

Activités

1. Votre partenaire idéal(e)

a Vous allez écouter quatre jeunes Français qui nous ont parlé de leurs préférences en matière de partenaire.
Travail individuel/à deux → Mise en commun Avec ou sans partenaire, composez d'abord un tableau comme celui présenté ci-dessous. Puis écoutez une première fois l'enregistrement. Quelles sont les caractéristiques qui semblent intéresser ces jeunes?

Sur votre tableau, cochez (✓) les caractéristiques que mentionnent Emmanuel, Basile, Isabelle et Christèle: *cheveux, yeux, taille*, etc. (Remarquez que quand on parle des *cheveux* on peut dire: *il/elle est brun(e), blond(e), roux/-sse.*)

	cheveux	yeux	taille	beauté	intelligence	caractère/ tempérament	vêtements/ maquillage
Emmanuel							
Basile							
Isabelle							
Christèle							

b *Travail individuel → Travail à deux* Regardez encore une fois les deux exemplaires du sondage *Votre partenaire idéal(e)* que vous avez complétés, pour vous-même et pour un(e) partenaire (*Exercices*, 4, p. 108). En employant des formules avec **que + subjonctif** comme celles présentées à la page 108, écrivez **deux** paragraphes, l'un pour décrire votre partenaire idéal(e), l'autre pour décrire celui/celle de votre partenaire.

Débuts possibles:

MA PARTENAIRE IDÉALE
Au point de vue physique, je voudrais que ma partenaire soit de taille moyenne et qu'elle ait les yeux bleus et les cheveux blonds. Ça m'est égal que son niveau intellectuel

TON PARTENAIRE IDÉAL
Tu aimerais bien que ton partenaire ait les cheveux châtains et les yeux marron. Tu détesterais cependant qu'il soit plus petit que toi. En ce qui concerne son caractère

Ensuite, comparez avec ceux de votre partenaire les deux paragraphes que vous venez de composer.

2. Récit et commentaire: *Une rencontre décevante*

a Il arrive à tout le monde de faire des rencontres décevantes. *Travail individuel* Racontez par écrit, en 130–150 mots, une rencontre réelle ou imaginaire qui a mal tourné: une rencontre sentimentale, amicale, professionnelle ou autre. (Vous avez peut-être remarqué que Patrick et Sylvie mélangent le *passé composé* et le *passé simple*. Nous vous conseillons d'employer l'un ou l'autre, pas les deux). Remettez votre récit au professeur qui voudra peut-être le corriger avant de vous demander de passer à (*b*).

b A vous maintenant de **commenter** le comportement, les attitudes, les motivations des personnes qui figurent dans le récit d'une autre personne. *Travail individuel → Travail à deux* Échangez votre récit contre celui d'un(e) autre étudiant(e). Lisez le récit de votre partenaire, puis notez vos idées sur les **causes** des difficultés racontées ainsi que vos **convictions** et vos **jugements** au sujet des événements en question. Vous pouvez employer des expressions telles que:

● **cause – effet**
parce que, à cause de, si/tellement (nerveux etc.) que. . . , par conséquent, etc.

● **conviction**
il est evident/clair que. . . , ce qui saute aux yeux, c'est que. . . , sans aucun doute, assurément/évidemment, etc.

● **jugement**
tu as eu raison de. . . , tu as eu tort de. . . , tu (n') aurais (pas) dû (+ infinitif), ton erreur a été de. . . , tu aurais mieux fait de . . .

Composez maintenant un **commentaire** écrit sur le récit de l'autre étudiant(e) en employant des expressions de **cause** etc. comme celles présentées ci-dessus.
Pour finir, échangez votre commentaire contre celui de votre partenaire. Lisez ses idées sur votre récit et discutez ensemble de la justesse de vos convictions.

3. La vérité est relative

a Vous raconterez un incident où deux personnes voient chacune ce qui se passe d'une manière différente. *Travail à deux* Mettez-vous avec un(e) partenaire, puis le professeur vous distribuera une des trois situations présentées dans le *Livret* (pp. 44–5):
A *Commerçant(e) + jeune*
B *Professeur (homme ou femme) + étudiant(e)*
C *Père/Mère + adolescent(e).*
Vous prendrez l'un des rôles, votre partenaire en prendra l'autre. Lisez ensemble les détails présentés sur votre feuille. Mettez-vous d'accord sur les faits en y ajoutant, si vous le voulez, **d'autres détails**. Ensuite, imaginez ensemble la **conclusion** de l'incident. Notez par écrit vos détails et la conclusion.

b A vous maintenant de raconter l'incident en adoptant le point de vue qui convient à votre rôle. *Travail individuel* Composez individuellement au passé, en 150–175 mots, votre version de cet incident:

– où vous étiez et pourquoi;
– ce que vous avez fait;
– ce qu'a fait l'autre personne;
– votre impression sur cette personne;
– comment vous avez interprété la situation;
– ce que vous avez dit;
– ce qu'a dit l'autre;
– la conclusion.

c Vous et votre partenaire vous mettrez avec deux autres étudiant(e)s qui ont travaillé ensemble sur un incident différent du vôtre. *Travail en groupe* Un des incidents sera raconté d'abord par un(e) des participant(e)s qui présentera son point de vue à lui/elle; puis l'incident sera raconté par l'autre étudiant(e) d'un point de vue différent. Les deux autres étudiant(e)s pourront y ajouter leurs commentaires (voir *Activités*, 2: **cause-effet, conviction, jugement**).
Pour finir, le deuxième incident sera raconté et commenté de la même façon.

27 QUE PENSEZ-VOUS DU MARIAGE?

Activités

1. Vos idées sur le mariage

Avez-vous, vos camarades et vous, déjà réfléchi un peu au mariage?
Travail individuel/à deux → Mise en commun Avant de poser à un(e) partenaire les questions suivantes, notez brièvement vos réponses personnelles. Puis demandez-lui:

- s'il/si elle compte se marier un jour;
- si la vie en commun lui fait peur ou non;
- si, en cas de mariage, il/elle se mariera à l'église;
- si, à son avis, un homme et une femme qui veulent vivre ensemble doivent se marier;
- ce qui compte le plus pour le bonheur d'un couple: la même origine sociale, l'égalité intellectuelle, l'argent, les enfants, l'attirance physique, etc.;
- s'il/si elle aimerait avoir des enfants, et, si oui, combien;
- ce qu'il/elle pense du divorce.

Discutez brièvement vos réflexions sur ces questions avec l'ensemble de la classe.

2. Des étudiants français débattent la question du mariage

a Les opinions que vous allez entendre sont assez typiques de celles des jeunes Français à l'heure actuelle. Si un journaliste voulait présenter ces opinions dans un article de magazine, il pourrait composer une version simplifiée de la conversation des quatre étudiants. Une fois complétée, la version à trous présentée dans le *Livret* (pp. 46–7) pourrait faire partie d'un tel article.
Travail individuel/à deux → Mise en commun Individuellement ou avec un(e) partenaire, écoutez cette conversation et complétez la version simplifiée. Ensuite comparez votre version avec celle des autres étudiants.

b La conversation que vous avez entendue comporte quatre points

de vue plus ou moins différents sur le mariage.
Travail individuel En vous aidant de la version simplifiée que vous avez complétée, faites maintenant un résumé de ce que dit chacun de ces étudiants au sujet du mariage. Ecrivez en trois ou quatre phrases les idées qu'exprime Isabelle à différents moments de la conversation. Résumez ensuite de la même façon les idées d'Emmanuel, celles de Basile et celles de Christèle.
Pour finir, résumez de la même manière, en quelques phrases, vos idées personnelles sur le mariage.

c Dans quelle mesure êtes-vous d'accord avec vos camarades de classe en ce qui concerne le mariage?
Discussion Relisez vos résumés de ce qu'ont dit les quatre étudiants. Etes-vous d'accord avec eux? Pourquoi ou pourquoi pas?
Le professeur vous demandera maintenant de présenter à la classe vos idées personnelles et de discuter ces idées, ainsi que celles des jeunes Français.

3. Le passif/on + verbe actif/verbes pronominaux avec une valeur «passive»

▶ Vous avez peut-être remarqué que, dans la conversation que vous avez entendue (*Activités*, 2), Isabelle a dit: «quand tu te maries, tu mets tes revenus en commun». Dans la version écrite cependant, nous avons employé, au lieu de *tu*, le pronom *on*:

Quand on se marie, **on met** tous ses revenus en commun.

Nous aurions pu écrire également:

Quand on se marie, tous les revenus **se mettent** (*verbe pronominal*) en commun.
Quand on se marie, tous les revenus **sont mis** (*passif*) en commun.

Lorsque l'agent (celui qui fait l'action) n'est pas précisé, on peut souvent employer ainsi **on** + **actif**, le **passif** ou un **verbe pronominal**.
Remarquez cependant que le sens de ces trois formulations n'est pas toujours identique. Comparez:

- la natalité **se réduit/se restreint** (d'elle-même)
- **on réduit/restreint** la natalité (volontairement)

– la natalité **est réduite/restreinte** (constatation d'un fait).

(Avec un sujet humain, un verbe pronominal aura rarement une valeur «passive». «La jeune femme se préparait au mariage» n'a pas le même sens que «On préparait la jeune femme au mariage».) ◄

a Au cours d'une enquête sur l'évolution du mariage, *Le mariage à travers les années*, un sociologue note les différences qui lui semblent les plus importantes entre le mariage d'**hier**, celui d'**aujourd'hui** et celui de **demain**. Vous trouverez à droite un extrait de ses notes.

Travail individuel → Mise en commun
Avec l'aide d'un dictionnaire, trouvez les **verbes** qui correspondent aux **noms** soulignés dans ces notes.
Vérifiez avec le professeur les verbes que vous avez trouvés.

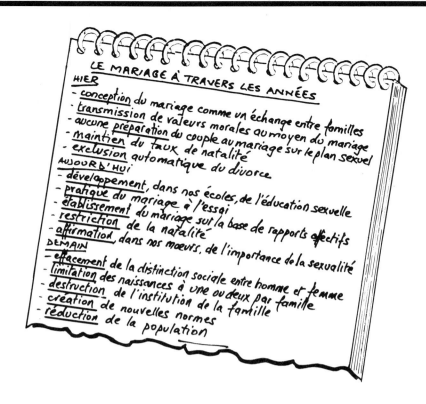

b Les notes du sociologue sont basées sur des déclarations faites par des témoins.
Exercice oral Sous la direction du professeur, retrouvez des phrases qu'auraient pu prononcer les personnes interrogées. Employez tantôt le **passif**, tantôt **on** + **actif**, tantôt un **verbe pronominal**.

Exemples:
«Le mariage **était conçu** autrefois comme un échange entre familles.»
«A l'avenir, **on effacera** peut-être la distinction sociale entre homme et femme.»
«L'éducation sexuelle **se développe** actuellement dans nos écoles.»

c *Travail individuel* Pour le mariage d'**hier**, choisissez dans les notes du sociologue les **trois** faits qui vous semblent les plus importants. Pour chaque fait composez une phrase: pour le premier avec le **passif**, pour le deuxième avec **on** + **actif**, pour le troisième avec un **verbe pronominal**. Ensuite, composez, de la même façon, **trois** phrases pour le mariage d'**aujourd'hui**, **trois** pour celui de **demain**. Essayez de mémoriser vos phrases en les écrivant.

d *Exercice oral* Regardez une dernière fois vos neuf phrases. Ensuite, le professeur vous interrogera sur les différences que vous voyez entre le mariage d'hier, le mariage

d'aujourd'hui et celui de demain. Répondez, si possible, sans regarder vos phrases. Variez la formulation des réponses (**passif, on** + **actif, verbe pronominal**).

Exemple:
– Quelles différences voyez-vous entre le mariage d'hier et celui d'aujourd'hui?
– A mon avis, **on concevait** le mariage autrefois comme un échange entre familles.
– Et aujourd'hui?
– . . .

4. Article de magazine: Pourquoi se marier?

a Des témoignages comme ceux des étudiants français que vous avez écoutés (*Activités*, 2), et le questionnaire ci-contre, ont servi de base à un article paru dans le magazine *L'Express*.
Travail individuel → Discussion
Relisez la version simplifiée de la conversation que vous avez complétée et les phrases que vous avez composées pour résumer les points de vue des étudiants (2, *a,b*); lisez les résultats du sondage de *L'Express* (*ci-contre*). Ensuite, discutez brièvement toutes ces idées et ce informations avec le professeur et l'ensemble de la classe:

Êtes-vous d'accord ou non avec ce qu'ont dit les étudiants?

Leurs opinions sont-elles typiques, d'après le sondage, de ce que pensent les Français?
Comment répondriez-vous aux questions posées dans le sondage?

b A vous maintenant de composer un article comme celui de *L'Express*. Le premier paragraphe est deja composé (*en haut de la page 113*), ainsi que le début des deuxième et troisième parties, et de la conclusion (*ci-contre*).
Travail individuel Rédigez les deuxième et troisième parties et la conclusion de cet article. La deuxième partie sera basée sur les réflexions des étudiants que vous avez écoutés (*Activités*, 2) et sur vos opinions personnelles. La troisième partie présentera les données du sondage. Dans la conclusion, résumez l'attitude des Français envers le mariage. Employez des expressions comme celles presentées ci-contre.

MŒURS

POURQUOI SE MARIER?

Voilà trente ans la question était: pourquoi ne se marient-ils pas? Aujourd'hui on demanderait plutôt: pourquoi se marient-ils? Le mariage reste-t-il en effet un lien sacré ou est-il devenu une survivance archaïque? Entre ces deux extrêmes personne ne sait très bien où l'on en est.

Selon un étudiant interrogé au cours de notre enquête . . .

à en croire un jeune étudiant . . .
certains estiment/sont persuadés que . . .
on accorde beaucoup/peu d'importance à . . .
on n'exclut pas la possibilité de . . .
la part de (la bonne entente sexuelle etc.) est très . . .
de nombreux jeunes déclarent que . . .
les réponses (au questionnaire) montrent que . . .
certains sont d'accord pour affirmer que . . .
ces chiffres indiquent que . . .
la plupart/une nette majorité des (personnes interrogées) . . .
la moitié/le tiers/plus de 80% (des jeunes couples) . . .
un homme/une femme sur deux/trois . . .

A ces opinions font écho celles qui ont été recueillies en cours de notre enquête. Les réponses . . .

Notre enquête donne une image plutôt rassurante de ce qu'est le mariage. La plupart des Français, même les jeunes, croient . . .

Les Français et le mariage

La religion

En cas de mariage, vous marierez-vous religieusement?

OUI 89%
NON 11%

	LUI	ELLE
si oui		
■ par conviction personnelle	64%	74%
■ parce que vos parents le souhaitent	36%	26%

Un couple heureux

Qu'est-ce qui vous semble le plus indispensable pour qu'un couple soit solide et heureux?

	LUI	ELLE
■ la bonne entente sexuelle	72%	71%
■ la même origine sociale	12%	13%
■ l'égalité intellectuelle . .	23%	26%
■ l'aisance matérielle . . .	16%	15%
■ les enfants	38%	41%
■ l'indépendance financière de l'un par rapport à l'autre	6%	7%

Le mariage, pourquoi?

Pour chacune de ces affirmations, dites si vous êtes plutôt d'accord ou plutôt pas d'accord:

a) quand un homme et une femme veulent vivre ensemble, ils doivent se marier pour respecter les règles morales et religieuses.

	LUI	ELLE
■ plutôt d'accord	38%	42%
■ plutôt pas d'accord	62%	58%

b) le mariage est une simple formalité juridique qui permet à un couple de vivre en conformité avec les habitudes de la société.

	LUI	ELLE
■ plutôt d'accord	64%	60%
■ plutôt pas d'accord	36%	40%

c) le mariage est un acte inutile lorsqu'un couple ne veut pas avoir d'enfants.

	LUI	ELLE
■ plutôt d'accord	32%	30%
■ plutôt pas d'accord	68%	70%

Les enfants

Aimeriez-vous avoir des enfants?
OUI . . . . . . 89% NON 3%

si oui, combien?	LUI	ELLE
1	15%	7%
2	53%	60%
3	25%	27%
plus	7%	6%

Le divorce

Est-ce que, aujourd'hui pour vous, le divorce est

	LUI	ELLE
■ une perspective exclue parce que vous en condamnez le principe . .	7%	5%
■ une perspective exclue parce que vous avez la certitude que votre couple durera toute la vie . .	47%	47%
■ une éventualité que vous redoutez, mais que vous n'excluez pas	38%	41%
■ une éventualité que vous ne redoutez pas	8%	7%

A vos marques

Témoignages

Nous avons demandé à des lycéens et à des jeunes travailleurs ce qui comptait le plus pour eux dans la vie. Les opinions qu'ils ont exprimées sont typiques de celles des jeunes Français de seize à vingt ans.

🔲 Ⓛ *Travail individuel/à deux → Mise en commun*
Avec ou sans partenaire, écoutez une première fois ces témoignages (*Livret*, pp. 49–50). Ensuite complétez-les par écrit.
Comparez les témoignages que vous venez de compléter avec ceux des autres étudiants. Avec lequel ou laquelle de ces jeunes êtes-vous le plus d'accord, et le moins d'accord? Pourquoi?

㉘ QU'EST CE QUI COMPTE LE PLUS?

Activités

1. Trouver l'essentiel

a Au cours d'un sondage, on a demandé à quelques centaines de jeunes Français de choisir, parmi huit facteurs de bonheur, ceux qui, à leurs yeux, comptaient le plus dans la vie.
Travail à deux Relisez les témoignages que vous avez complétés. Puis, pour chacun de ces jeunes, choisissez ensemble, dans la liste qui suit, **un** ou **deux** de ces facteurs qui, d'après ce qu'il/elle dit, compteraient le plus pour lui/elle. Notez ensuite, de la façon indiquée à droite les **deux** facteurs auxquels vous et votre partenaire donneriez la préférence:

- Un métier intéressant
- Les loisirs
- L'argent
- L'amour
- La justice sociale
- Le bonheur
- La possibilité de créer quelque chose
- Le développement intellectuel

CE QUI COMPTE DANS LA VIE
Michel J. métier intéressant + loisirs
Brigitte

b *Mise en commun → Discussion* Le professeur notera au tableau les facteurs de bonheur qui comptent le plus pour les huit témoins et pour chacun(e) d'entre vous.
Comparez ensuite votre sondage avec celui qui suit; discutez ces deux questions:

– Quels sont les facteurs les plus importants pour vos ami(e)s et vous?
– Vos préférences sont-elles les mêmes que celles qui sont exprimées dans le sondage?

Qu'est-ce qui compte le plus pour les jeunes Français?

%
(2 choix)

● Trouver un métier intéressant. 40
● L'amour 38
● Le bonheur 28
● L'argent 27
● Les loisirs 21

● Se développer intellectuellement, se cultiver . . 15
● Chercher à créer quelque chose soi-même 15
● La justice sociale 7

2. Se connaître soi-même

Pour bien choisir sa profession, il faut se connaître soi-même et savoir ce que l'on veut. La fiche diagnostique **Choisir une carrière** a été préparée, à l'intention de ses clients, par une agence pour l'emploi.

Ⓛ *Travail individuel → Travail à deux* Marquez vos **réponses** sur cette fiche (*Livret*, p. 51) de la manière suivante:

++ (= *oui, beaucoup*)
+ (= *oui*), o (= *sans importance*)
− (= *non*)
−− (= *non, pas du tout*).

Exemple:

CHOISIR UNE CARRIÈRE

Voulez-vous . . .	+	−		+	−
rencontrer beaucoup de gens?		−	faire ce qui vous intéresse?	++	
travailler en plein air?	++		continuer vos études?		−
faire des recherches?		−	vous dépenser physiquement?	+	
avoir des responsabilités?			avoir de l'autorité?		

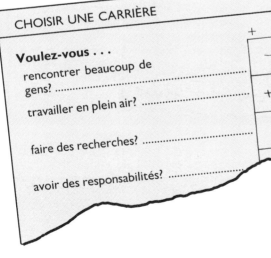

Sans regarder la fiche de votre partenaire, demandez-lui maintenant:

− ce qu'il/elle veut (le plus) dans le choix d'une carrière;
− ce qu'il/elle ne veut pas (du tout);
− quel genre de travail il/elle préférerait;
− quel genre de travail il/elle éviterait de faire;
− quels traits de caractère il/elle possède (qualités ou défauts).

29 DEVENIR JOURNALISTE

Points de repère

Caroline, qui veut être journaliste, a écrit la lettre ci-dessous à un magazine pour jeunes. En y répondant, une journaliste du magazine lui offre des informations et des conseils.

Travail individuel → Mise en commun Lisez d'abord la **lettre de Caroline**, puis répondez par écrit à ces questions:

Quelle idée Caroline se fait-elle du métier de journaliste?
Que veut-elle savoir?

Ensuite, relevez dans la **lettre de la journaliste** ce que cette dernière dit sur:

- les difficultés du métier à l'heure actuelle
- les avantages du métier s'il y en a
- la formation qu'offrent les écoles de journalisme
- la formation qu'a suivie la journaliste.

Comparez ensuite vos notes avec celles des autres étudiants. D'après la lettre de la journaliste, diriez-vous que le métier qu'elle exerce offre plus d'**avantages** que d'**inconvénients**, ou plus d'inconvénients que d'avantages? Quelles conclusions en tirez-vous sur l'attitude de la journaliste? Quels autres avantages pourriez-vous citer à Caroline?

NOS LECTEURS NOUS ÉCRIVENT

Marseille, le 8 octobre

Chère Stéphanie,
Depuis que j'ai 16 ans, je n'ai qu'un seul rêve, devenir journaliste. Je trouve ce métier passionnant et je voudrais savoir comment faire pour l'exercer. Quelles études faut-il entreprendre?° Que faut-il comme dons° particuliers? Toi, comment as-tu fait pour réussir à diriger un journal et connaître toutes les vedettes?°

Caroline Pereire

Chère Caroline,
Je vais t'avouer° deux choses. D'abord, que tu n'es pas la seule à avoir cette vocation. Ensuite ... que le métier de journaliste consiste rarement (enfin, pas tout de suite) à rencontrer des gens célèbres dans des endroits de rêve,° entre un avion et un palace° «5 étoiles»! Ceci posé, eh bien c'est le plus beau métier du monde, naturellement, et personnellement, je ne suis pas partisane,° comme beaucoup de mes collègues, de décourager les vocations. Sache cependant qu'il y a beaucoup de journalistes de talent au chômage° de nos jours, qu'il y a de moins en moins de journaux (c'est triste mais c'est vrai), en partie° parce que beaucoup de gens se contentent de regarder la télévision, en partie aussi parce que la presse n'a pas toujours su s'adapter depuis dix ans à ce qu'un public nouveau voulait.

Tu m'as demandé comment faire pour devenir journaliste. Je te le dirai en termes pratiques. En principe, aucun diplôme° n'est exigé d'un journaliste (Pierre Lazareff, le créateur génial° de «France-Soir», n'avait même pas son certificat d'études,° et je crois bien que Françoise Giroud, ancienne° Secrétaire d'Etat à la Culture, et directrice de «L'Express», n'a pas le bac°). Il faut cependant avoir un bon niveau de culture générale, savoir écrire vite et bien (si tu sèches° trois heures sur un devoir de français, le métier de journaliste n'est guère fait pour toi!), connaître ce qui se passe autour de toi, et être très curieuse de nature. Il est aussi recommandé de savoir taper à la machine,° et de savoir au moins une langue étrangère (l'anglais est indispensable!). Il existe des écoles de journalisme, dans lesquelles on entre avec le bac ou avec une licence:° les plus célèbres sont celles de Lille, de Strasbourg, et le Centre de Formation des Journalistes, 31 rue du Louvre à Paris. On y apprend à rédiger° un article, à mettre en page un journal, à faire des enquêtes,° on y suit des cours de droit, d'histoire, d'économie, etc. Cependant il n'est pas nécessaire, avant de devenir journaliste, de suivre les cours de ces écoles, et leur diplôme ne signifie° pas forcément° que l'on ait du talent: l'on n'y acquiert° guère que du «savoir-faire».° Personnellement, je suis devenue journaliste sans passer par une école, en faisant des articles dans toutes sortes de journaux (cela s'appelle des «piges»°), et au fur et à mesure,° j'ai appris à écrire sur n'importe quel sujet! A mesure que l'on acquiert ainsi de l'expérience «sur le tas»,° on devient un journaliste confirmé, en même temps que l'on rencontre des gens dans la profession ... et voilà comment «Stéphanie» est née, de la rencontre de plusieurs journalistes et d'un directeur de journaux.

A toi, donc, de choisir la voie° qui te tente le plus. Quand tu commenceras ta carrière de journaliste, le plus important sera: d'avoir de la volonté, de courir après les jobs et les piges, d'apprendre à chaque expérience que tu fais, de vouloir exercer ton métier le mieux possible, d'aborder chaque enquête avec un oeil neuf° et non une idée préconçue,° et d'être très débrouillarde!° Pour le moment, je pense qu'un bac est tout de même utile, ne serait-ce que par° le niveau de culture qu'il exige. Bosse° ton anglais, apprends à taper à la machine (même seule, tu n'as pas besoin d'être une dactylo championne), lis beaucoup de journaux et de livres ... et fonce!° Je suis sûre que si tu as du talent, tu réussiras!

---

entreprendre undertake **don** (m) gift **vedette** (f) star **avouer** confess **endroit** (m) **de rêve** dream location **palace** (m) luxury hotel **être partisan de** be in favour of **au chômage** on the dole **en partie** partly **diplôme** (m) qualification **génial** inspired **certificat** (m) **d'études** elementary leaving certificate **ancien(ne)** former **bac**(= **baccalauréat**) (m) school-leaving examination **sécher** sweat **taper à la machine** type **licence** (f) degree **rédiger** compose **enquête** (f) investigation **signifier** mean **forcément** necessarily **acquérir** acquire **savoir-faire** (m) know-how **pige** (f) piecework **au fur et à mesure** as you go along **sur le tas** on the job **voie** (f) route **avec un oeil neuf** with a fresh eye **préconçu** preconceived **débrouillard** resourceful **ne serait-ce que par** if only because of **bosser** swot up **foncer** go flat out

TRAITS DE CARACTÈRE	QUALIFICATIONS ESSENTIELLES	QUALIFICATIONS RECOMMANDÉES	QUALIFICATIONS UTILES
être curieuse de nature	avoir un bon niveau		

Découverte du texte

1. Être journaliste: personnalité et qualifications

Qu'est-ce qui permet de réussir dans le métier de journaliste? Quels sont, d'après la lettre de la journaliste, les **traits de caractère** qui font un(e) bon(ne) journaliste, et quelles sont les **qualifications** considérées comme **essentielles, recommandées** ou seulement **utiles**.

📖 *Travail individuel → Mise en commun* Faites une liste de ces traits de caractère et de ces qualifications de la manière indiquée ci-dessus. Comparez ensuite vos notes avec celles des autres étudiants. Selon votre tableau, qu'est-ce qui compte le plus, les qualités personnelles ou les qualifications? Quelles conclusions en tirez-vous?

2. Vocabulaire: la formation professionnelle

📖 **a** Dans le témoignage présenté à droite, une actrice donne des conseils à la radio à une auditrice qui a demandé comment faire pour exercer son métier.

Travail individuel Faites une liste des mots et expressions suivants dans l'ordre nécessaire pour compléter le témoignage. N'oubliez pas de faire les changements grammaticaux qui conviennent. Ensuite, mémorisez les mots et expressions.

---

acquérir de l'expérience – s'adapter – apprendre à – au chômage – avec un oeil neuf – le bac – débrouillard – décourager – un diplôme – exercer un métier – une idée préconçue – indispensable – une licence – le savoir-faire – suivre des cours – sur le tas – le talent – une vocation – une voie – la volonté

---

b *Travail à deux* Complétez le témoignage sans consulter ni le cadre (*ci-dessus*) ni votre liste de mots et d'expressions.

Si vous voulez _____ le _____ d'actrice il faut d'abord avoir beaucoup de talent, et vous sentir en plus une vraie _____: un amour profond du théâtre est _____. Pour devenir comédienne, il est possible de _____ des _____ dans une école d'art dramatique où l'on gagne du «_____-_____» et où l'on _____ _ maîtriser les techniques de base. Avec le _____ on peut, bien entendu, préparer d'abord une _____ de lettres dans une faculté. A vous de choisir la _____ qui vous convient. Mais en fin de compte les _____ sont beaucoup moins importants que l'_____ que l'on _____ sur le _____. L'essentiel, c'est de savoir lire un rôle, de l'aborder avec _____ _____ sans _____, tout en étant capable de _', _____ aux exigences du metteur en scène. Mais attention. Tous les acteurs et toutes les actrices savent ce que c'est que d'être __ _____: pour faire son chemin il faut avoir de la _____, être _____, courir après les rôles qui s'offrent, ne pas se laisser _____. Et voilà, si vous avez réellement du _____, et de la chance, vous réussirez.

● A COMPLÉTER, A NOTER ET A MÉMORISER ●

Expressions et structures
tu n'es pas la seule (cp. *la première*) __ avoir cette vocation
c'est __ __ beau métier __ monde (cp. *les écoles les plus célèbres*)
il y a beaucoup __ journalistes __ chômage __ nos jours
il y a __ moins __ moins __ journaux (cp. *un métier de plus en plus précaire*)
__ fur et __ mesure
__ mesure _____ (= *comme*) l'on acquiert de l'expérience
on rencontre des gens __ même temps
tu dois vouloir exercer ton métier __ _____ (= *aussi bien que*) possible

Constructions verbales
je ne suis pas partisan(e) __ décourager les jeunes
il se contentent __ regarder la télévision
il faut s'adapter __ la situation
on n'exige aucun diplôme __ vous
elle _____ taper à la machine
on entre __ ces écoles avec le bac
il n'est pas nécessaire __ les suivre
elle a appris __ écrire vite
c'est __ toi __ choisir
l'important c'est _' avoir de la volonté

Formes
ce métier
→ _____ emploi (m)
  _____ vocation (f)
  _____ postes (m)
  _____ professions (f)
nouveau → f
→ un _____ article
créateur (m) → f
gens (m pl) → s
(on dit *beaucoup de gens* mais *plusieurs/quelques/trois, etc.,* **personnes**)

Noms et verbes
avouer → je vais te faire cet _____
rencontrer → faire des _____ (f) inoubliables
décourager → le _____ des chômeurs
s'adapter → l'_____ (f) de la presse
exiger → les _____ (f) de la directrice
écrire → une _____ rapide
recommander → les _____ (f) de la journaliste
exister → l'_____ (f) de ces écoles
formation (f) → elle a été _____ sur le tas
rédiger → la _____ d'un article
mettre en page → la _____ en page du journal

Exercices

1. Pronoms personnels objets directs ou indirects: me, te, se, nous, vous + un autre pronom

a De quelle manière un événement, tel que la mort d'un étudiant au cours d'une manifestation, se transforme-t-il en article de presse? Les notes présentées ci-dessous prises par l'auteur d'un ouvrage sur la presse, retracent les étapes de la rédaction d'un reportage *Un Mort à Jussieu*.

Travail individuel → Travail à deux Trouvez, mais ne les écrivez pas, dans les notes et dans l'article *Un Mort à Jussieu*, les réponses aux questions posées ci-dessous.
Vérifiez ensuite, avec un(e) partenaire, l'exactitude de vos réponses.

Pourquoi ces manifestations ont-elles eu lieu?
A quelle date ont-elles commencé?
Comment ont-elles évolué par la suite?
Pourquoi l'ami du correspondant a-t-il téléphoné le 15 mai?
Qu'est-ce qu'a fait la police à 16h 20, et de nouveau à 17h 15?
Comment Alain Belgrand a-t-il trouvé la mort?

▶ Quand Caroline a demandé dans sa lettre comment devenir journaliste, la rédactrice du magazine a répondu: «je **te** l'expliquerai en termes pratiques». Lorsqu'on emploie **me**, **te**, **se**, **nous** ou **vous** avec un autre **pronom**, il faut les placer ensemble dans l'ordre suivant:

$$
\begin{array}{l}
\textbf{me} \\
\textbf{te} \quad\quad \text{le} \\
\quad\quad\quad\quad\quad \text{lui} \\
\textbf{se} \;\rightarrow \text{la} \rightarrow \quad\quad \rightarrow \text{y} \rightarrow \text{en} \rightarrow \textbf{VERBE.} \\
\quad\quad\quad\quad\quad \text{leur} \\
\textbf{nous} \quad \text{les} \\
\textbf{vous}
\end{array}
$$

Un mort à Jussieu

La manifestation des étudiants de Jussieu s'est terminée tragiquement hier après-midi. Depuis une heure, un bus brûlait devant l'entrée. Des pavés volaient. A 17h 15 les forces de l'ordre ont chargé.

Un toit s'effondre
Lorsque les policiers pénètrent dans l'université, un homme vêtu d'un pantalon et blouson de jean, pris de panique, saute d'un balcon sur un toit de fibrociment qui cède sous son poids. Il s'écrase plusieurs mètres plus bas

8 mai : Etudiant téléphone à Paris-Jour. manifestation le lendemain. Motif: les conditions d'inscription des étudiants étrangers.

9 mai : Début discipliné de la manif. Sur place, F. Dubin, correspondant local de Paris-Jour, averti par son chef de service → article de plusieurs lignes le 10 mai.

9 mai - 15 mai : Incidents mineurs opposent étudiants à police. F. Dubin envoie quelques détails. Paris-Jour cesse de s'intéresser aux manifestations. F. Dubin ne croit pas à une aggravation de la situation, ne fournit plus d'informations au journal.

13 mai 15h 30 : Policier, ami de Dubin, lui téléphone. Atmosphère s'échauffe à Jussieu.

16h 20 : Autobus brûle devant l'université.

17h 15 : Dubin voit police charger manifestants. 2ème charge policière. Invasion de l'université. Mort d'Alain Belgrand.

17h 30 : Dubin téléphone reportage à Paris-Jour au chef de service.

17h 40 : Jeanne-Marie Laurent, reporter-photographe, propose au chef de service de se rendre à Jussieu.

18h 20 : A Jussieu, J.-M. Laurent

b Pour rédiger ses notes l'auteur du livre sur la presse a interrogé des journalistes de *Paris-Jour*.

Exercice oral → Travail individuel
L'auteur (le professeur) vous interrogera comme si vous étiez d'abord le **chef du service Informations**, ensuite comme si vous étiez **François Dubin**. Répondez en remplaçant, dans les phrases suivantes les mots en italique par un (autre) **pronom**.

Exemple:
– *Qui **vous** a informé le 8 mai **des manifestations du lendemain**?*
– *C'est un étudiant qui **nous en** a informés.*

Au chef de service
1 Qui *vous* a informé le 8 mai *des manifestations du lendemain?*
2 Comment est-ce qu'il *vous* a communiqué *cette nouvelle?* (Il . . .)
3 Qui *vous* a envoyé *le premier reportage*, le 9 mai? (C'est notre . . .)
4 Vous avez continué à *vous* intéresser *à ces manifestations?* (Non, nous avons pratiquement cessé de . . .)
5 Votre correspondant *vous* a fourni encore *des informations* les jours suivants? (Non il . . .)

A François Dubin
6 Qui *vous* a signalé *la manifestation du 9 mai?* (C'est mon chef de service qui . . .)
7 Vous *vous* attendiez *à l'aggravation de la situation?* (Non, je ne . . .)
8 Qui *vous* a passé *les informations sur les échauffourées du 15 mai?* (C'est un ami, un policier, qui . . .)
9 A quel moment est-ce que vous *vous* êtes rendu compte *des intentions de la police?* (C'est après leur première charge que je . . .)
10 Est-ce que vous *vous* êtes chargé personnellement *de l'enquête* par la suite? (Non, c'est une collègue, Jeanne-Marie Laurent, qui . . .)

Rédigez maintenant par écrit les réponses que vous venez de composer.

2. Rapports de temps: quand/lorsque + futur + futur

► La rédactrice explique à Caroline que **quand** elle **commencera** sa carrière de journaliste, le plus important **sera** d'avoir la volonté. La conjonction **quand** (ou **lorsque**) est généralement suivie d'un verbe au **futur** si le verbe de la principale est au **futur**. ◄

a Il est permis à Caroline de rêver. Il arrive également à n'importe quel journaliste de province de rêver de réaliser un 'scoop', d'être le premier à interviewer une personnalité ou de découvrir une information originale. Michel Gautier, reporter à *La voix de Nantes*, attend à l'aéroport l'arrivée du champion du monde actuel de tennis. A quoi rêve-t-il?

Exercice oral Sous la direction du professeur, racontez oralement, au **présent**, les événements représentés dans la série de croquis, ci-dessous (1 et 1 *bis*, 2 et 2 *bis*, etc.).

Début (1 et 1 *bis*):
Le champion de tennis descend de l'avion. Il accorde une interview à Michel Gautier.

Raccontez maintenant le rêve du reporter: composez oralement, comme si vous étiez Michel Gautier, avec **quand/lorsque + futur + futur**, six phrases reliant la première série de croquis deux par deux.

Exemple (1 et 1 *bis*):
Quand le champion **arrivera** à l'aéroport, il m'**accordera** une interview exclusive.

b Parce qu'il en a souvent fait l'expérience, Michel Gautier sait que la réalité sera moins glorieuse.
Travail individuel En vous inspirant, si vous le voulez, des indications qui suivent, composez avec **quand/lorsque + futur + futur** six phrases disant ce qui arrivera à Michel dans les

heures qui viennent. A vous de choisir chaque fois deux actions qui vont ensemble.

Exemple:

Quand le champion **arrivera** à l'aéroport, il **partira** tout de suite sans rien dire.

> Arrivée du champion . . . départ sans rien dire . . . déception . . . retour de Michel à la maison vers 22h . . . colère de sa femme . . . repas solitaire . . . actualités télévisées . . . interview avec le champion . . . coup de téléphone «bagarre à la sortie d'une discothèque» . . . arrivée sur les lieux . . . personne! . . . deuxième retour chez lui, 2h . . . maison toute noire . . . pas de clef . . . réveil de sa femme . . . sa réaction . . . au lit . . . sommeil profond . . . arrivée au bureau en retard le lendemain . . . reproches du rédacteur en chef.

 c Vous rêvez sans doute quelquefois à votre avenir.
Travail individuel   Composez, avec **quand/lorsque + futur + futur**, quatre phrases sur des choses qui pourront vous arriver un jour:
vacances (→ activité, etc.)
départ du lycée (→ ambition, etc.)
études supérieures (→ ?)
recherche d'un emploi (→ ?)
mariage (→ ?) . . . *enfants* (→ ?) . . . etc.

3.   L'opposition: bien que, quoique + subjonctif

▶ La journaliste dit à Caroline que dans une école de journalisme on apprend des choses utiles. **Cependant** il n'est pas nécessaire de suivre des cours pour apprendre le métier.

Ce genre d'**opposition** peut s'exprimer de plusieurs façons, par exemple en employant: *mais, cependant, alors que* ou *quand même*. ◀

a Une conseillère d'orientation qui travaille dans plusieurs lycées et collèges est souvent frappée par le fait que beaucoup de ses jeunes clients ne sont pas conscients de leurs points forts ni de leurs points faibles. En prenant les notes présentées ci-dessous, par exemple, elle s'est dit que l'individu en question serait totalement incapable d'exercer sa profession préférée.
Travail à deux   Trouvez, dans la liste de professions préférées (à droite), les métiers notés par la conseillère, c'est-à-dire celui qui **convient le moins** aux caractéristiques de chaque individu. Notez vos solutions de la manière suivante:

Sylvie Montand: dactylo
Relevez maintenant par écrit la façon dont s'exprime l'opposition dans ces notes: *mais, néanmoins*, etc.

professions préférées
soldat
pilote de ligne
avocate
dactylo
cadre
prêtre
journaliste
coiffeuse
femme politique
chirurgienne

▶ Comme les mots et expressions que vous venez de relever, les conjonctions **bien que** et **quoique + subjonctif** s'emploient aussi pour exprimer l'**opposition**. ◀

 b *Travail individuel* →
Exercice oral   A partir des notes de la conseillère ci-dessous (*a*), composez, avec **bien que** ou **quoique + subjonctif**, une phrase au sujet de chacun de ses jeunes clients.

Sylvie Montand   maladroite, ne sait rien faire de ses mains mais veut être . . .

Michel Frédérix   écrit mal, fait des fautes de grammaire; a cependant l'intention d'être . . .

Béatrice Duclos   sans connaître du tout l'actualité aimerait devenir . . .

Sophie Albert   alors que le métier de . . . l'attire, est allergique aux cheveux et aux poils

Victorine Boucher   paraît timide, ne dit pratiquement rien, se voit toutefois comme . . .

Françoise Pouilly   ne peut pas supporter la vue du sang, a néanmoins l'ambition d'être . . .

Jean-Pierre Maupin   a quelquefois des vertiges, ce qui ne l'empêche pas de vouloir être . . .

François Marange   se destine à une carrière de . . . et pourtant il déteste la discipline

Paul Toussaint   malgré sa réputation de mauvaise conduite, veut être . . .

Daniel Vimard   craint les responsabilités, semble paresseuse, se croit quand même capable d'être . . .

Exemple:

Bien que *Sylvie Montand* **soit** *maladroite, et* **qu**'*elle ne* **sache** *rien faire de ses mains, elle veut être dactylo.*

(Remarquez qu'il faut employer **que**, ou bien toute la conjonction **bien que/ quoique**, s'il y a un deuxième verbe dans la phrase subordonnée.) Reprenez oralement les phrases que vous venez de composer; mais exprimez cette fois l'**opposition** d'une autre façon: *cependant, alors que, malgré + nom, sans + infinitif,* etc.

Exemple:

Malgré *sa mauvaise écriture, et ses fautes de grammaire, Michel a l'intention d'être . . .*

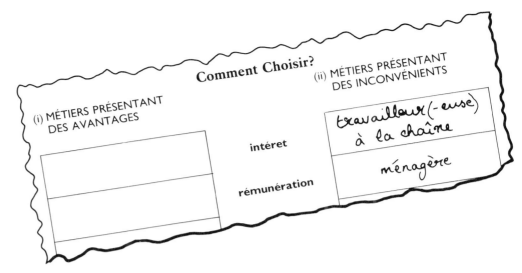

Comment Choisir?

(i) MÉTIERS PRÉSENTANT DES AVANTAGES

(ii) MÉTIERS PRÉSENTANT DES INCONVÉNIENTS

intéret

rémunération

travailleur(-euse) à la chaîne

ménagère

Révision

Dernier rappel! Le passif
Vérifiez votre connaissance du passif (être + participe passé) (*Résumé grammatical*, 44, p. 162 et 45, p. 163; *Exercices*, 5, p. 92).

Révisez aussi:
- expressions de dégré et de quantité (*Révision* 22, p. 200)
- quelques chiffres (*Révision* 23, p. 201)
- an, année, jour, journée (*Révision* 24, p. 201).

Activités

1. Le travail et vous (la comparaison)

Ⓛ **a** Le professeur vous donnera un exemplaire du tableau **Comment choisir?** (*Livret*, p. 52).
Travail individuel/à deux Mettez-vous avec un(e) partenaire. L'un(e) d'entre vous s'occupera des métiers présentant des avantages (i), l'autre de ceux présentant des inconvénients (ii). En vous référant, si vous le voulez, au cadre qui suit, inscrivez individuellement, dans la colonne qui vous concerne, (i) ou (ii), le métier qui, pour vous, correspond le mieux à chaque critère: *intérêt, rémunération,* etc., c'est-à-dire **le plus** intéressant, etc. (i) ou bien **le moins** intéressant, etc. (ii) (N'écrivez rien dans l'autre colonne). Vous pouvez choisir des métiers qui ne sont pas mentionnés dans le cadre.

---

acteur(-trice) – assistant(e) social(e) – avocat(e) – cadre (m) – chef (m) d'entreprise – chercheur(-euse) – commerçant(e) – comptable (m/f) – curé (m) – cultivateur(-trice) – dactylo (f) – dentiste (m/f) – éboueur (m) – écrivain/femme-écrivain – facteur (m) – fonctionnaire (m/f) – homme/femme politique – infirmier(-ière) – informaticien(ne) – ingénieur (m) – instituteur(-trice) – journaliste (m/f) – médecin (m) – ménagère (f) – menuisier (m) – militaire (m/ f) – mineur (m) – photographe (m/f) – pilote (m) de chasse – agent de police/femme-agent – pompier (m) – professeur (m) – sage-femme (f) – travailleur(-euse) à la chaîne

---

Remarquez que certains métiers n'ont pas de féminin (*éboueur, menuisier,* etc.), d'autres pas de masculin (*dactylo, sage-femme,* etc.).

b Vous interrogerez maintenant votre partenaire pour savoir:
– quel est, à son avis, le métier **le plus/le moins** intéressant, varié, fatigant, etc.
– laquelle de ces professions offre, selon lui/elle, **la plus grande/la moins grande** indépendance, sécurité, etc.
– quelles personnes auraient **le plus/le moins de** loisirs, de contacts humains, etc.
– qui est-ce qui gagnerait **le plus/le moins d'**argent, courrait **le plus/le moins de** risques etc.

Travail individuel → Travail à deux
Préparez d'abord mentalement une question sur chaque critère (*intérêt, rémunération,* etc.) en vous référant aux phrases à gauche.
Ensuite, interrogez votre partenaire et notez dans la colonne vide de votre tableau les métiers qu'il/elle aura nommés comme **le plus/le moins** intéressant, etc.

c Dans quelle mesure vos camarades de classe et vous êtes-vous d'accord sur les inconvénients et les avantages des métiers possibles?
Travail individuel → Discussion
Choisissez, dans le cadre à gauche (*a*), les **deux** professions que vous aimeriez **le plus** faire, les deux que vous aimeriez **le moins** faire. Ensuite, l'un(e) d'entre vous notera au tableau les professions qui auront été le plus et le moins populaires.
Pour finir, discutez avec l'ensemble de la classe les avantages et les inconvénients de ces métiers.

2. Le courrier des lecteurs

▱ **a** Vous êtes un/une des lecteurs/lectrices du magazine auquel Caroline a écrit sa lettre (p. 116).
Travail individuel Relisez la lettre de Caroline. Ensuite, composez une courte lettre, comme celle de Caroline, expliquant quel est le métier que vous aimeriez le plus pratiquer et demandant ce qu'il faut faire pour l'entreprendre.

▱ **b** Vous êtes maintenant le/la journaliste du magazine.
Travail individuel Échangez votre lettre (*a*) contre celle de votre

partenaire. Lisez chacun(e) la lettre de l'autre. Notez d'abord par écrit ce que sont à votre avis:

– les **avantages** et les **inconvénients** du métier qu'a choisi votre partenaire (revoir *Points de repère* et *Activités*, 1)

– les **traits de caractère** que demande ce métier (*Activités*, 2, p. 115 *Découverte*, 1, *Exercices*, 3)

– les **qualifications** nécessaires ou utiles pour l'exercer (*Points de repère, Découverte* 1).

Ensuite, relisez la lettre de la journaliste (p. 116). Finalement, composez votre réponse, comme si vous étiez journaliste du même magazine. Incorporez dans votre lettre les points que vous aurez notés (*les avantages*, etc.)

30 DANS LA CHOUCROUTE

DANS LA CHOUCROUTE°

Annick, 24 ans, poursuit ses études de médecine à Strasbourg. Elle travaille à la chaîne° dans une usine de conserves.° Ses examens réussis,° elle aurait pu se reposer sur ses lauriers:° trois mois de loisirs avant de reprendre les cours. «Je ne peux pas me le permettre, dit-elle, je ne dispose d'aucun revenu° fixe pendant l'année. Ce que je gagne pendant les vacances ou en faisant des gardes de nuit° supplémentaires, c'est pour le superflu:° loisirs, lectures,° etc. Et dans un but° plus lointain,

pour la voiture dont j'ai absolument besoin. Les transports en commun° sont chers à Strasbourg et insuffisants. Alors je perds un temps fou en allées et venues entre la fac,° la bibliothèque, l'hôpital. C'est dur, l'hiver, par −10° quand il faut rentrer tard à vélo. Dans ma promotion,° deux étudiants sur trois travaillent. Pour certains c'est un besoin vital. En particulier pour les étudiants mariés. La choucroute, j'en suis dégoûtée° pour le restant de mes jours. Je ne peux plus en supporter l'odeur. Dans cette usine, je trouve que c'était de l'exploitation.»

Annick est violente, mal remise° de ce qu'elle vient de vivre. «Et encore, j'étais un peu mieux traitée que les autres parce qu'envoyée par une agence d'intérim.° On me changeait plusieurs fois de poste° dans la journée. Eux restaient rivés° à leur place du matin au soir pendant dix heures par jour, et pas une minute de répit.° En tout 50 heures par semaine. Le plus

penible,° c'était la chaîne de mise en boîtes°. Je devais faire tomber du chou° bouillant° avec une sorte de râteau° dans les boîtes vides. Et bien sûr pas de gants. J'ai encore des brûlures° sur les mains. A côté de moi, l'ouvrière suivante faisait tomber du lard° et des saucisses, une autre des pommes de terre, etc. La dernière compressait tout et scellait° les boîtes avec une machine.

«J'ai alimenté° aussi la chaîne en boîtes vides, rempli des grands cartons° avec les boîtes de conserves pleines. C'est très dur. Au bout d'un certain temps, les boîtes de 5 kg ont l'air d'en peser° 10! Une chaleur moite,° un bruit assourdissant.° Impossible d'échanger ne serait-ce qu'un mot° avec sa voisine. L'odeur du chou est vraiment pénible, mais celle des escargots° préparés un peu plus loin prolonge la nausée° jusqu'au weekend.

«Le soir, douche° et sommeil pour récupérer en urgence.° J'ai vécu une expérience passionnante,° tout à fait dans le style *Elise ou la vraie vie*, mais je n'ai pas tenu longtemps.° Je suis partie avant la fin du mois, de l'argent en poche, et bien décidée à° essayer de trouver un emploi d'infirmière l'an prochain. Ou n'importe quoi,° mais surtout plus dans la choucroute.»

Points de repère

📖 Cet article de *Paris-Match* raconte les expériences personnelles d'une jeune femme qui a travaillé quelques semaines en usine pendant les grandes vacances.

Travail individuel → Mise en commun Lisez attentivement l'article et notez les informations qu'il nous donne sur:

● **Annick**
  – ses études
  – ses problèmes d'argent
  – ses problèmes de transport

● **le travail à l'usine**
  – la nature de l'entreprise
  – trois choses qu'a faites Annick

● **les réactions d'Annick**
  – ses réactions physiques
  – ses réflexions, ses sentiments.

Comparez vos notes avec celles des autres étudiants.

choucroute (f) sauerkraut, pickled cabbage **chaîne** (f) production line **usine** (f) **de conserves** tinned food factory **réussir** pass **se reposer sur ses lauriers** rest on one's laurels **revenu** (m) income **garde** (f) **de nuit** night duty **superflu** (m) extras, luxuries **lectures** (f pl) reading matter **but** (m) goal, aim **transports** (m pl) **en commun** public transport **fac** (= **faculté**) (f) university department **dans ma promotion** in my year group **dégoûté** put off **mal remis** not yet recovered **agence** (f) **d'intérim** agency for temporary work **poste** (m) job **rivé** fixed **répit** (m) rest **pénible** unpleasant **mise** (f) **en boîtes** canning **chou** (m) cabbage **bouillir** boil **râteau** (m) rake **brûlure** (f) burn **lard** (m) bacon **sceller** seal **alimenter en** supply with **carton** (m) cardboard box **peser** weight **moite** sticky **assourdissant** deafening **ne serait-ce qu'un mot** even a single word **escargot** (m) snail **nausée** (f) feeling of sickness **douche** (f) shower **en urgence** as a matter of urgency **passionnant** fascinating **ne pas tenir longtemps** not to stick it for long **décidé à** resolved to **n'importe quoi** anything

Activités

1. L'article en détail: un job de vacances

a *Travail individuel* En consultant l'article, faites une liste des mots et expressions qui manquent à ce résumé. Ensuite mémorisez-les.

Comme Annick ne disposait d'aucun _____ _____ pendant l'année, elle n'a pas pu se _____ de se _____ sur _____ après ses examens. Car ce qu'elle _____ en faisant des gardes de nuit _____ lui suffisait à peine pour ses quelques loisirs. Elle avait d'ailleurs besoin d'acheter une voiture pour éviter toutes ces _____ __ _____ entre la faculté, la bibliothèque et l'hopital, dans les _____ __ _____ qui, à Strasbourg, sont _____ et insuffisants. S'étant donc adressée à une __'_____, elle a trouvé un travail __ __ _____ dans une _____ de conserves, où les ouvriers devaient rester _____ à _____ _____ sans une minute de _____ pendant ____ heures ___ ____. C'était de l'exploitation pure et simple.

b *Travail à deux* Complétez oralement le résumé sans consulter votre liste ni le texte.

c *Exercice oral* Avec l'aide du professeur, essayez de résumer ce que dit Annick sur ses problèmes d'argent et de transport, et sur son job de vacances: ne consultez que votre liste de mots et d'expressions.

2. La postériorité et l'antériorité: après avoir (etc.) + participé passé, avant de + infinitif

► Le journaliste nous dit qu'**après avoir terminé** ses examens Annick avait trois mois à passer **avant de reprendre** les cours. On emploie ces structures pour indiquer qu'une action a lieu **après** ou **avant** une autre:

après avoir/être/s'être + participe passé
avant de + infinitif. ◄

a Les croquis présentés à la page suivante indiquent, pour certains jours de la semaine, le lundi par exemple, l'horaire de Brigitte R. qui travaille

• A COMPLÉTER, A NOTER ET A MÉMORISER •

Expressions et structures
elle poursuit ses études __ Strasbourg
elle travaille __ __ chaîne
les transports __ _____ (= *publics*) sont chers
c'est dur ____ moins 10° (cp. *par beau temps*)
pour les étudiants mariés __ particulier
travailler __ matin __ soir
50 heures ____ semaine
le ____ pénible, _'_____ la mise en boîtes
elle compressait _____ (*la choucroute, les saucisses, etc.*) avec une machine
impossible d'échanger __ _____-__ __'un mot (= *même un mot*)
une expérience tout __ ____ (= *entièrement*) passionnante
j'ai 800F __ poche

Constructions verbales
elle est dégoûtée ____ la choucroute
elle se remet mal __ cette expérience
elle a changé __ poste
ils étaient rivés __ leur place
elle devait _____ _____ du chou bouillant dans les boîtes
elle alimentait la chaîne __ boîtes vides
elle a ____ une expérience passionnante

Formes
cher → f
nb. ils coûtent *cher* (invariable)
fou → f
→ un ____ espoir
ouvrier (m) → f
voisin (m) → f

Noms et verbes
poursuivre → la _____ de ses études
travailler → du _____ à la chaîne
perdre → une _____ de temps
dégoûter → elle exprime son _____
exploitation (f) → les ouvriers sont _____
changer → un _____ de tâche
peser → un _____ énorme
récupérer → une lente _____
décider → elle a pris cette _____

dans un centre de tri des P et T (de la poste) à Paris.

Exercice oral/Travail individuel Sous la direction du professeur, racontez au **présent** ce que fait Brigitte le lundi. Le professeur notera vos phrases au tableau en enchaînant chaque fois deux actions de la manière suivante:

> *Elle se lève à 4h 30,* ***puis*** *elle s'habille en vitesse.*
> *Elle prend un petit déjeuner rapide* ***et*** *elle quitte la maison.*

Composez maintenant par ecrit des phrases reliant chaque groupe de deux images avec **après avoir, être, s'être + participe passé**.

Ensuite, reprenez oralement certaines de ces actions en les reliant avec **avant de + infinitif**.

Exemples:

> ***Après s'être levée*** *à 4h 30, elle s'habille en vitesse.*
> *Elle s'habille* ***avant de prendre*** *le petit déjeuner.*

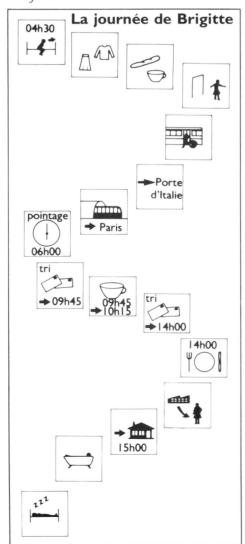

La journée de Brigitte

b ***Travail individuel → Travail à deux*** Songez à votre routine quotidienne. Il y a sûrement certaines actions que vous faites toujours avant ou après une autre action: notez par écrit quelques-uns de ces groupes de deux actions, en employant chaque fois **après avoir/être/m'être + participe passé** ou **avant + infinitif**.

Exemple:

> ***Après m'être réveillé(e)*** *je reste au lit un instant.*
> *Je prends toujours le petit déjeuner* ***avant de me brosser*** *les dents.*

Pour finir, mettez de côté les phrases que vous aurez rédigées. Avec un(e) partenaire, racontez tour à tour votre routine quotidienne en employant les formules que vous venez d'apprendre (*voir ci-dessus*).

3. Lettre à un journal: Annick proteste

Annick écrit une lettre au quotidien régional pour protester contre les conditions de travail qui étaient les siennes.

Travail individuel Écrivez cette lettre comme si vous étiez Annick, en réemployant les informations contenues dans l'article. Vous pouvez utiliser des expressions telles que:

– J'aimerais faire quelques remarques sur . . .	– en ce qui concerne . . .
– Je ne puis être d'accord avec l'opinion de . . .	– dans le domaine de . . .
– Tout le monde semble ignorer le fait que . . .	– de toute évidence . . .
– Il faut que vous sachiez que . . .	– c'est ainsi que . . .
– Vous admettrez avec moi que . . .	– compte tenu de . . .

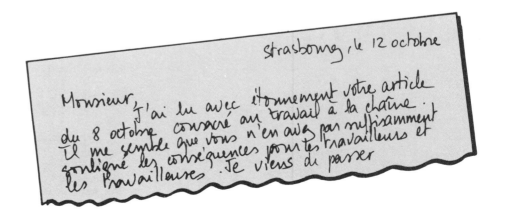

Et pour la formule finale:

Recevez, Veuillez agréer,	Monsieur,	l'expression de l'assurance de	mes sentiments distingués. ma considération distinguée.

4. Emplois de vacances: quelques témoignages

[▭▭] (L) **a** Dans les conversations que vous allez entendre, quatre lycéens bretons parlent chacun d'un emploi de vacances.

Travail en groupe/Travail individuel La classe se divisera en deux. Ensuite, le professeur demandera à la moitié d'entre vous d'écouter (en groupe ou au laboratoire) deux de ces témoignages: ceux de Jean-Michel L. et d'Eliane D. Il vous demandera aussi de compléter les transcriptions à trous correspondantes (*Livret*, pp. 53–4). Il demandera à l'autre moitié de la classe d'en faire de même pour Eric L. et Anne B.

Avant de commencer ce travail, cherchez la signification de ces mots et expressions: *être au pair; avoir de bons rapports; traiteur* (m); *obtenir; reprendre; compter (faire qqc); mono (= moniteur, monitrice)* (m/f); *agent* (m); *colonie* (f) *de vacances.*

b Mettez-vous avec un(e) étudiant(e) qui a étudié les deux témoignages que vous n'avez pas écoutés.

Travail à deux → Exercice oral Faites un tableau, comme celui présenté ci-dessous et complétez les détails pour les deux lycéens que vous avez écoutés. Ensuite, interrogez votre partenaire de façon à pouvoir compléter les détails demandés pour les deux lycéens dont il/elle a écouté les témoignages. Pour finir, le professeur vous demandera de lui communiquer ce que vous aurez compris au sujet des témoignages que vous **n'avez pas** écoutés.

5. Reportage: *Le travail et vous*

[▱▱] **a** Est-ce que vous avez déjà eu l'occasion de travailler? Vous vous préparerez maintenant à répondre aux questions d'un(e) journaliste sur votre expérience du travail. (Si vous n'avez pas déjà eu un emploi, imaginez cette expérience et répondez comme si vous l'aviez vécue.)

NOM	EMPLOI	LIEU	NATURE DU TRAVAIL	DURÉE (1. cette année 2. l'année dernière)
Jean-Michel L.	*au pair*			
Elaine D.			(devinez)	1.
Eric L.			(devinez)	1.
Anne B.				2.

Travail individuel Notez par écrit des **réponses** que vous donneriez si on vous posait des questions sur un emploi que vous avez eu:

Vous
– âge, domicile, etc.
– vos études
– vos problèmes d'argent, etc.

Le travail
– nature de l'entreprise
– ce que vous avez fait (en détail)
– ce qu'a fait le/la patron(ne)
– ce qu'ont fait les autres travailleurs

Vos réactions
– réactions physiques (fatigue, etc.)
– réactions psychologiques (intérêt, ennui, etc.)
– vos sentiments et vos réflexions

[▱▱] **b** Vous prendrez maintenant le rôle du/de la journaliste.

Travail individuel → Travail à deux Relisez les indications ci-dessus (*a*): **vous**, **le travail**, **vos réactions**. Composez par écrit des **questions** dont vous aurez besoin pour interroger un(e) partenaire sur son expérience du travail. Ensuite, interrogez-le/la en détail et notez soigneusement ses réponses.

[▱▱] **c** A vous maintenant de faire un reportage basé sur les réponses que vous avez obtenues (*b*).

Travail individuel Relisez attentivement l'article *Dans la choucroute* (p. 122). Ensuite, choisissez un titre qui convient et composez un article de magazine sur l'expérience vécue (ou imaginée) de votre partenaire.

(31) UN CHOIX PEU COMMUN

Points de repère

[▭▭] Dans la conversation que vous allez entendre, une jeune femme parle de son avenir professionnel.

Travail individuel → Mise en commun Ecoutez une première fois l'enregistrement, et notez vos réponses à ces questions:

De quelle profession parlent ces deux jeunes femmes? De quelle branche de cette profession parlent-elles? Quel est le travail de celui ou celle qui se spécialise dans cette branche?

Comparez vos réponses à ces questions avec celles des autres étudiants.

Activités

1. La conversation en détail

Dans cette interview, les réponses de Chantal consistent en une série d'explications. Avant de les réécouter, il vous sera utile de vérifier la signification de ces mots:

diplôme (m), *débouché* (m), *embaucher, poste* (m) *à responsabilité, nuisance* (f), *formation* (f), *se charger de, isolation* (f), *recherche* (f).

[▭▭] ***Travail individuel/à deux → Mise en commun*** Avec ou sans partenaire, écoutez encore une fois l'enregistrement. Arrêtez et repassez la bande quand vous le voudrez et complétez les phrases suivantes de façon à représenter ce qu'a dit Chantal.

1 Si on veut trouver du travail, il faut avoir . . .
2 Une fille ingénieur doit un peu se battre pour trouver un emploi parce que les employeurs . . .
3 Il est assez difficile pour les ingénieurs acousticiens de trouver

des débouchés parce que jusqu'à présent . . .

4 Si, jusqu'à présent, on avait des problèmes de nuisance acoustique à résoudre dans une usine, on s'adressait à des gens qui . . .

5 Le secteur de recherche pour les bruits d'origine aérodynamique, c'est tout ce qui . . .

6 Les ingénieurs acousticiens qui s'intéressent aux bruits d'avion sont principalement embauchés par . . .

7 L'acoustique architecturale, c'est tout . . .

8 Ce que Chantal a l'intention de faire c'est . . . ou sinon . . .

Comparez maintenant vos phrases complétées avec celles des autres étudiants.

2. Ne . . . guère, ne . . . que

▶ Vous savez déjà que l'expression **ne . . . guère** signifie *ne . . . pas beaucoup*: En acoustique il **n**'y a **guère** de débouchés en France.

Ne . . . que s'emploie pour exprimer la **restriction** et a la même signification que **seulement**:

Les gens **n**'ont été **concernés** par les problèmes du bruit **que** depuis qu'on a créé des aéroports.
Parmi les étudiants ingénieurs, il **n**'y avait **que** très peu de filles.

Notez que le deuxième terme de **ne . . . que** précède toujours l'expression sur laquelle porte la restriction; il ne suit donc pas toujours immédiatement le verbe.
Il faut remarquer aussi qu'après **ne . . . guère**, les articles **du, de la, de l'** et **un(e), des**, se transforment en **de**:

Parmi les ingénieurs, il **n**'y a **guère de** femmes.

Après **ne . . . que**, cependant, cette transformation ne se fait pas:

En acoustique, on **n**'embauche pratiquement **que des** hommes. ◀

📖 *Travail individuel → Mise en commun* Relisez les phrases que vous venez de compléter (*Activités*, 1) et les déclarations présentées à droite. Écoutez encore une fois la bande. Ensuite, corrigez les déclarations, en y ajoutant **ne . . . guère** ou **ne . . . que** et en faisant les autres transformations nécessaires pour qu'elles correspondent à ce que dit Chantal.

Variez les formules que vous emploierez (**ne . . . guère, ne . . . que**). Comparez ensuite vos phrases corrigées avec celles des autres étudiants.

> Il y a beaucoup de postes à responsabilité qui sont ouverts aux femmes ingénieurs.

> On peut trouver facilement du travail comme ingénieur, même si on n'a pas obtenu de diplôme.

> Par le passé, il y avait beaucoup d'employeurs qui cherchaient des ingénieurs formés en acoustique.

> La recherche dans les bruits d'origine aérodynamique concerne les voitures, les camions, les avions et les hélicoptères.

> Les employeurs sont très favorables à embaucher des femmes ingénieurs.

> Les gens ont toujours été très concernés par les problèmes du bruit.

> Il y a beaucoup de filles qui choisissent une carrière comme ingénieur.

> Chantal a envie de continuer à faire de la recherche pendant toute sa carrière professionnelle.

3. Lettre: demande d'emploi

📖 **a** Si on cherche un travail, on peut consulter dans un journal les «Offres d'Emploi». Vous trouverez ci-contre deux lettres de demande d'emploi, ainsi que les annonces auxquelles elles répondent.
Travail individuel → Mise en commun Lisez attentivement chaque lettre. Notez les mots ou expressions employés par celui/celle qui l'a écrite pour:

– commencer/terminer la lettre
– parler de son éducation/son expérience professionnelle
– parler de ses qualités ou capacités personnelles
– faire allusion aux documents joints à la lettre.

Comparez ensuite vos notes avec celles des autres étudiants.

📖 **b** A la fin de ses études à l'université de Southampton, Chantal voit dans *Le Figaro* l'annonce présentée ci-dessous.
Travail individuel En vous référant à vos notes (*a*) et au curriculum vitae de Chantal (*ci-contre*, p. 127), composez, à sa place, la lettre qu'elle écrit en réponse à cette annonce.

MINISTÈRE DE LA DÉFENSE
Groupement Industriel des Armements Terrestres recherche pour son Etablissement de Bourges-18.

INGÉNIEURS ACOUSTICIENS

Pour emplois en services d'études: études-développements-mesures.

INGÉNIEURS MÉCANICIENS

Formation: mécanique, métallurgie physique, ou physique des matériaux.
Pour emplois en services d'études et services de production.

Ces postes conviendraient à des ingénieurs:
– diplômés
– débutants ou avec quelques années d'expérience.

Adresser lettre manuscrite, CV, photo et rémunération souhaitée à:
**Monsieur le Directeur de l'EFAB
6, Route de Guerry - B.P. 705 et 713
18015 BOURGES Cedex**

Nom: Picard, Chantal   Date de naissance: le 4–03–60

Adresse: 32 rue Jean-Jaurés   Etat civil: célibataire
02100 St-Quentin

Etudes secondaires: Lycée Faidherbe, Saint-Quentin (Baccalauréat D: mathématiques/sciences naturelles) 1978

Etudes supérieures:
(i) Université de Compiègne (Diplôme d_ingénieur en acoustique) 1983
(ii) University of Southampton, Grande Bretagne (M.Sc., acoustique: sujet de mémoire – 'La réduction de la vibration dans les moteurs d'hélicoptère') 1985

Emplois temporaires:
(i) Monitrice, colonie de vacances, juillet/août 1978, 1979
(ii) Assistante technique (moteurs d'aéroglisseur), Vosper-Thorneycroft (U.K.) Ltd., Southampton, juillet/août 1983, 1984

Langes étrangères: Anglais (bon) Allemand (moyen: conversation, compréhension de textes écrits)

Informations supplémentaires: Expérience sur ordinateurs: IBM 3031, ICL 2970; divers mini-ordinateurs (langages ASSEMBLEUR et FORTRAN)

Références:
(i) M. Henri Lafayette U.E.R. des Sciences Appliquées Université de Compiègne 60200 Compiègne
(ii) Dr John Ward Department of Acoustics University of Southampton Southampton Grande Bretagne

Lyon, le 29 février 1991

Bernard Vignaud
103 rue Boileau
69001   Lyon
Réf 585 LM

Monsieur P. Buccai
Alexandre Tic S.A.
10 rue de la République
69001   Lyon

Monsieur,

Ayant lu votre annonce parue dans le "Monde" du 27 février, je serais vivement intéressé par l'emploi que vous proposez.

Ingénieur informaticien sortant de l'École des Mines, j'ai eu la chance d'utiliser assez fréquemment un IBM 3031 au cours de mes études. Je désirerais occuper ce poste de support technique, car j'aime le contact humain. J'estime qu'étant assez dynamique, je suis capable de donner au service des études la compétance requise. Vous trouverez ci-joint mon curriculum Vitae et une photocopie de mon diplôme. Dans l'attente d'une réponse favorable, je vous prie d'agréer, monsieur, l'expression de mes sentiments dévoués

B. Vignaud.

Christian LEPASQUIER
31 rue Gambetta
50200 COUTANCES

le 28 février 1991

Monsieur,
Je suis très intéressé par votre annonce parue dans 'le Monde' du 27.02.91. J'exerce la profession d'analyste programmeur depuis six ans et j'ai une bonne connaissance du COBOL et du matériel IBM. Je pense être capable de prendre des responsabilités au sein d'une entreprise, et donc d'assumer le travail qui me serait confié.
Vous trouverai ci-joint mon curriculum Vitae qui contient une indication du salaire que j'espérerais recevoir. Veuillez agréer, Monsieur, l'expression de mes sentiments distingués.

C. Lepasquier

A vos marques

Que faire de son temps libre?

🔈 **a** Deux jeunes Français, Véronique et Jean-Michel, ont parlé
à notre enquêteur de leurs distractions préférées. Pour bien les
comprendre, vous aurez peut-être besoin de vérifier d'abord le sens
de ces mots: *niveau*(m), *solfège* (m), *ardu*, *courir* (à vélo),
gratuitement, *rassembler/rassemblement* (m), *ambiance* (f), *se
réunir*, *boire un pot*, *concentration* (f), *coin* (m).
Travail individuel Mettez-vous avec un(e) partenaire. Le
professeur demandera à l'un(e) d'entre vous d'écouter le
témoignage de Véronique, à l'autre celui de Jean-Michel. En
écoutant l'enregistrement, notez par écrit ce que vous apprendrez
sur les détails suivants (si votre témoin en parle):

- sa distraction préférée
- ce qu'il/elle fait
- pourquoi cette activité lui plaît (attraits, caractéristiques, etc.)
- avec qui il/elle la fait
- quand/pendant combien de temps
- endroits où il/elle la pratique
- difficultés éprouvées
- ambiance

b Vous allez maintenant échanger des informations avec votre
partenaire; prenez le rôle du/de la jeune que vous avez écouté(e)
(Véronique ou Jean-Michel).
Travail individuel → Jeu de rôles D'abord, préparez les
questions que vous poserez à votre partenaire; référez-vous aux
détails indiqués ci-dessus (*a*): *sa distraction préférée, ce qu'il/elle fait,*
etc. Ensuite interrogez votre partenaire sur sa distraction préférée
et répondez à votre tour à ses questions. Vous pouvez inventer
quelques détails si vous le voulez.

c Vous aussi, vous avez sans doute une distraction préférée.
Laquelle?
Travail à deux → Mise en commun Relisez les questions que
vous avez déjà préparées (*b*). Ensuite, interrogez votre partenaire
afin de découvrir le plus de renseignements possibles sur sa
distraction préférée. Notez par écrit ce qu'il/elle vous dira.
Pour finir, racontez à l'ensemble de la classe ce que vous aurez
appris sur la distraction préférée de votre partenaire.

32 LA TÉLÉ-DROGUE?

Points de repère

📖 Qu'on le veuille ou non, la télévision fait maintenant partie de notre vie de tous les jours. L'article suivant, tiré de l'hebdomadaire *L'Express*, examine ce phénomène de la seconde moitié du XXe siècle.

Travail individuel → Mise en commun Lisez attentivement le texte, puis notez par écrit le titre qui correspond à chaque case numérotée:

- **Une connaissance moins approfondie de l'actualité**
- **La télévision: la pire ou la meilleure des choses?**
- **Les Français devant le petit écran**
- **La télévision et les problèmes d'aujourd'hui**
- **Un meuble pas comme les autres**
- **«Un poste en panne, c'est plus grave qu'un décès»**
- **Le téléspectateur «avale tout»**
- **La concentration du téléspectateur.**

Dans l'ensemble le texte est-il pour ou contre la télévision? Quelle phrase résume le mieux, à votre avis, la position du journaliste?
Comparez vos conclusions avec celles des autres étudiants.

1

Le téléviseur est un bien de consommation,° un élément de confort, au même titre que° le réfrigérateur, le lave-vaisselle, l'électrophone. Même si l'on n'a pas conscience de° ce qu'il peut apporter, ou retrancher,° dans la vie quotidienne, on sait qu'on ne pourra plus s'en séparer. Ce n'est quand même pas un meuble° comme les autres. Dans la cuisine ou la salle de séjour, il occupe la meilleure place, sa présence modifie l'ordonnance des sièges° et l'éclairage° de la pièce. Il s'est substitué au feu de bois, mais il est toujours le «foyer°» — l'endroit où l'on se réunit, le point d'où rayonne° la lumière et d'où vient la parole.

2

Beaucoup de lycéens ne peuvent plus faire leurs devoirs sans le fond sonore° de leur transistor. De même, la télévision, longtemps boîte de Pandore, tapis magique, n'est plus qu'une moquette° audio-visuelle. Dans l'émission° qu'il consacrait à «la télévision et son public», Jean-Emile Jeannesson a constaté° que le téléspectateur, «dans une situation de repos après le travail et la fatigue du transport, avalait° tout».

3

Tout, sauf l'absence d'images et de son. Lorsque son poste° est tombé en panne,° M. Ray, paysan de l'Allier, est resté prostré,° plusieurs soirs, devant l'écran° vide, en attendant le réparateur — ou un miracle. Tous les responsables des services après-vente confirment qu'il faut se déranger° dans l'heure qui suit. «On a l'impression, dit un réparateur, qu'un poste en panne, c'est plus grave qu'un décès° dans la famille».

4

Pourtant, les Français refusent d'admettre leur dépendance. A la question: «Combien de temps passez-vous chaque semaine devant votre poste?» les réponses à *L'Express* ont été de dix à douze heures en moyenne° pour les adultes, et de quatre à six heures pour les enfants. Or, la plupart des personnes interrogées ont menti,° censurant, inconsciemment° parfois, leurs déclarations, comme si elles se sentaient coupables.° Une récente enquête de l'Insee auprès de 6 000 personnes a établi, en effet, que près de la moitié des adultes regardaient la télévision tous les soirs et le quart toute la soirée. Selon un sondage de l'Ifop pour «Télérama», auprès de 4 000 enfants de 8 à 15 ans, 70% d'entre eux la regardaient deux heures par jour et trois à quatre le mercredi et pendant le week-end, soit de quatorze à dix-huit heures par semaine.

5

C'est la télé-drogue. Mais de plus en plus rares sont les spectateurs qui concentrent leur attention pendant une heure ou deux sur une émission. Souvent, ils s'endorment au milieu. Chez les Martinez, à Etréchy sur la route d'Etampes, on bavarde, même pendant les films. Mme Poutaraud, de Marly, coud ou tricote, elle «jette un œil» sur l'écran. Une enquête réalisée il y a un an par le Comité lillois° d'opinion publique auprès de 600 jeunes femmes a établi que 67% d'entre elles «faisaient autre chose» en regardant la télé, ce qui ne les empêchait pas de se dire particulièrement attirées par° les films et les débats.°

6

Que la télévision ne mobilise pas toutes les capacités d'attention, les instituteurs l'ont depuis longtemps constaté. L'un d'eux, M. Pierre Picard, de Clermont-Ferrand, assure: «Si j'interroge mes élèves sur un événement d'actualité, je remarque que ceux qui en ont pris connaissance° par la presse ou par la radio en ont une idée plus complète que ceux qui l'ont vu à la télévision, et dont ils ne retiennent que les images.»

Même impression chez M. C., 45 ans, professeur de lycée, père de deux enfants de 14 et 11 ans: «Ils sont peut-être plus au courant,° mais pas d'une manière approfondie.° En revanche,° c'est toujours auprès des mal réveillés de ma classe, ceux qui bâillent,° que je peux me renseigner sur le résultat d'un match ou l'épilogue° d'un film . . .»

---

bien (m) **de consommation** consumer durable **au même titre que** in the same way as **avoir conscience de** be aware of **retrancher** take away **meuble** (m) item of furniture **ordonnance** (f) **des sièges** seating arrangements **éclairage** (m) lighting **foyer** (m) focal point (fireplace) **rayonner** radiate **fond** (m) **sonore** background noise **moquette** (f) (wall-to-wall) carpet **émission** (f) broadcast, programme **constater** note **avaler** swallow **poste** (m) set **tomber en panne** break down **prostré** slumped **écran** (m) screen **se déranger** turn out **décès** (m) death **en moyenne** on average **mentir** lie **inconsciemment** without realising it **coupable** guilty **lillois** of Lille **attiré par** attracted to **débat** (m) discussion **prendre connaissance de** find out about **être plus au courant** be better informed **d'une manière approfondie** in depth **en revanche** on the other hand **bâiller** yawn **épilogue** (m) end

7

L'émission de la veille est, en effet, le grand et parfois le seul sujet de conversation en famille, au bureau ou à l'usine. Alors, il arrive que la télévision fasse caisse de résonance° et, avec un film et un débat, confère un impact colossal à un problème déjà porté à la connaissance du public par la presse écrite et parlée.

8

Car la télévision est le révélateur des problèmes de notre société. Il est plus facile de l'accuser de tous les maux° que d'apprendre à en faire bon usage. Si les enfants subissent° l'influence des films de violence, est-ce à la télévision qu'il faut s'en prendre,° ou aux parents qui les laissent les regarder? Si on ne lit pas, si on ne va plus au théâtre ou au cinéma, il est facile de tirer sur° le téléviseur. En oubliant que les bons films et les bonnes pièces font encore recette,° comme les livres, surtout lorsqu'ils bénéficient de la promotion d'une émission littéraire.

L'enquête de *L'Express* montre qu'aujourd'hui la télévision fait partie intégrante° de notre vie. Elle peut être la pire ou la meilleure des choses. Il faut l'aborder° avec modestie et respect: comme un être vivant.

faire caisse de résonance act as a sounding board **mal** (m) evil
subir be subjected to **s'en prendre à** put the blame on **tirer sur** snipe at **faire recette** do good business **faire partie intégrante de** be an integral part of **aborder** approach

Activités

1. L'article en détail

📖 L'argumentation de cet article se compose d'une série d'**assertions**, accompagnées de détails qui les **illustrent**.
Travail individuel → Mise en commun Relisez le texte, puis complétez le tableau (*ci-dessous à gauche*) en identifiant un détail qui illustre chaque assertion. Comparez ensuite votre tableau complété avec celui des autres étudiants.

2. Vocabulaire: la télévision et son influence

📖 **a** Dans le témoignage présenté ci-contre en haut, un téléspectateur exprime son opinion sur l'influence de la télévision.
Travail individuel Recopiez les mots et expressions ci-dessous, en les modifiant au besoin, dans l'ordre nécessaire pour compléter ce témoignage. Ensuite mémorisez-les.

> se renseigner sur – un téléspectateur – consacré a – tomber en panne – être au courant de – un événement d'actualité – subir l'influence de – un poste – s'en prendre à – un téléviseur – la capacité d'attention – faire partie intégrante de – une émission littéraire – le petit écran – des informations

ASSERTION	ILLUSTRATION
Le téléviseur n'est pas un meuble comme les autres (1ère section).	Il s'est substitué au feu de bois mais il est toujours le foyer - l'endroit où l'on se réunit
La télévision n'est plus qu'une moquette audio-visuelle (2e section).	
Le téléspectateur ne supporte pas l'absence d'images et de son (3e section).	
Les Français, interrogés, refusent d'admettre leur dépendance (4e section).	
Peu de spectateurs concentrent leur attention pendant une heure ou deux sur une émission (5e section).	
La télévision ne mobilise pas toutes les capacités d'attention des enfants (6e section).	
La télévision peut conférer un impact colossal à un problème déjà porté à la connaissance du public par la presse écrite et parlée (7e section).	
Il est plus facile d'accuser la télévision de tous les maux que d'apprendre à en faire bon usage (8e section).	

b *Travail à deux* Complétez oralement la déclaration sans regarder votre liste de mots et d'expressions ni le cadre à la page 130.

c *Exercice oral* Sous la direction du professeur, reconstituez l'essentiel de la déclaration en ne consultant que votre liste de mots et d'expressions.

Pour moi, le _____ est plus qu'un bien de consommation, il fait _____ _____ la vie familiale. Le soir, chez nous, le _____ reste ouvert en permanence, car on regarde tout: _____, vieux films, _____ _____, retransmissions sportives, reportages _____ _ d'autres pays. Bien sûr, la télé ne mobilise pas toutes ___ _____ _,_____, mais si je veux _ _____ sur un _____ _,_____, je préfère le _____ _____ à la presse écrite. Le _____ d'aujourd'hui ___ beaucoup plus _ _____ _ ce qui se passe dans le monde que nous ne l'étions autrefois. Si les jeunes _____ _,_____ films de violence, il faut _'_ _____ autorités qui les présentent, pas à la télé elle-même. Pour moi, une vie privée de télévision serait inconcevable. Heureusement que mon poste n' ___ jamais _____ _ _____ !

Le téléviseur est un bien de consommation, un élément de confort, au même titre que le réfrigérateur, le lave-vaisselle, l'électrophone … Ce n'est _____ pas un meuble comme les autres. Dans la cuisine ou la salle de séjour il occupe la meilleure place …

Le téléspectateur, dans une situation de repos après le travail et la fatigue du transport, avale tout … _____, les Français refusent d'admettre leur dépendance.

Les jeunes sont peut-être plus au courant de l'actualité, mais pas d'une manière approfondie. _____, c'est toujours auprès des mal réveillés de ma classe … que je peux me renseigner sur le résultat d'un match ou l'épilogue d'un film.

Il arrive que la télévision … confère un impact colossal à un problème déjà porté à la connaissance du public par la presse écrite et parlée. _____ la télévision est le révélateur des problèmes de notre société.

La plupart des personnes interrogées ont menti, censurant, inconsciemment parfois, leurs déclarations, comme si elles se sentaient coupables. Une récente enquête de l'Insee … a établi, _____, que près de la moitié des adultes regardaient la télévision tous les soirs …

place jamais en début de phrase.) Comparez ensuite vos solutions avec celles des autres étudiants.

> Avant d'avoir la télé, je me promenais beaucoup, je faisais du sport. (**opposition**) Maintenant je passe mes soirées assis devant le petit écran — et j'aime surtout les retransmissions sportives!
>
> *M. A. Beaufort, Grenoble*

> J'aime beaucoup les émissions culturelles, comme «Les dossiers de l'écran» et «La rage de lire», mais je ne les vois que rarement. (**explication**) Elles ne sont jamais programmées avant 21h 30.
>
> *Laure A., 16 ans, Aubagne*

> Il ne faut pas se demander ce que la télévision fait aux jeunes, mais ce que les jeunes font de la télévision. (**explication**) Ils la regardent parce que souvent ils n'ont rien d'autre à faire.
>
> *Nathalie Briat, étudiante, Bordeaux*

> Pour beaucoup de Français, la TV est tout simplement une façon de passer le temps. (**concession**) Ils ont tendance à déplorer le manque de variété dans les programmes et surtout l'omniprésence des séries américaines.
>
> *Mme C. Potel, sociologue, Paris*

3. La présentation d'un argument: conjonctions et expressions adverbiales

▶ A plusieurs reprises, l'auteur de l'article *La télé-drogue?* a employé une **conjonction** ou une **expression adverbiale** pour relier deux parties de son **argument**.
On peut classer certains de ces mots et expressions de la manière indiquée ci-dessous.

- **concession**   *quand même, pourtant*
- **opposition**   *en revanche, mais*
- **explication**   *en effet, car.* ◀

a *Travail individuel* Trouvez dans l'article, parmi les **conjonctions** et **expressions adverbiales** mentionnées ci-dessus, celle qui appartient à chaque blanc dans les phrases suivantes. Notez la position de la conjonction ou de l'expression adverbiale dans chaque cas:

Selon un sondage de l'Ifop … auprès de 4 000 enfants de 8 à 15 ans, 70% d'entre eux regardaient la télévision deux heures par jour et trois à quatre le mercredi et pendant le week-end … C'est la télédrogue. _____ de plus en plus rares sont les spectateurs qui concentrent leur attention pendant une heure ou deux sur une émission.

b Voici d'autres observations sur la télévision tirées de lettres écrites à des hebdomadaires français. *Travail individuel → Mise en commun* Pour reconstituer le texte original de ces lettres, reliez les deux phrases de chaque extrait de la manière indiquée, en choisissant parmi les six **conjonctions** ou **expressions adverbiales** présentées ci-dessus (*a*). (Remarquez que *quand même* ne se

La télé a pris une place trop importante dans la vie de certaines familles, qui la regardent sans cesse, jusqu'à en être abruties. (**opposition**) Il me semble qu' elle peut être fort utile à l'école, car quelques émissions sont très éducatives.

Claudine T., 18 ans, Nice

La télévision est devenue un membre à part entière de la famille française. (**concession**) Les producteurs d'émissions font très, très peu pour les adolescents.

Christophe G., Valence

4. Article de magazine: *Pour ou contre la télévision?*

a Les jeunes sont-ils en général pour ou contre la télévision? Un magazine d'adolescents a effectué une enquête sur la question. Vous trouverez à droite quelques-uns des témoignages qui ont été recueillis.

Travail à deux → Mise en commun Classez par écrit l'essentiel de ces témoignages en deux colonnes: **pour** ou **contre** la télévision.

Exemples:
— *Elle permet de vivre une retransmission en direct* (***pour***).
— *Elle ôte l'envie de lire* (***contre***).

Ensuite, discutez ensemble vos idées personnelles sur le pour et le contre de la télévision. Pouvez-vous ajouter d'autres points à l'une ou l'autre des deux colonnes?
Pour finir, comparez vos notes avec celles des autres étudiants. Le professeur écrira au tableau ce que vous aurez trouvé.

b Le magazine qui a effectué l'enquête mentionnée ci-dessus (*a*) a publié ses résultats en forme d'un article intitulé *Pour ou contre la télévision?*

Travail individuel Vous trouverez à droite le début de l'article: à vous de le compléter. Consultez avant d'écrire:
— *Activités* 1, 2 et 3, pp. 130–1 et ci-dessus
— les opinions sur la télévision exprimées par les jeunes Français (*à droite*)
— les notes du professeur (*a*).

Employez au moins une fois chacune des conjonctions ou expressions adverbiales présentées dans l'*Activité* 3.

POUR OU CONTRE LA TÉLÉVISION

La télé est une formidable invention car on peut vivre une retransmission en direct, comme la venue du président soviétique par exemple.

Avant de l'avoir, je lisais cinq à six livres en quinze jours, maintenant je n'en lis plus que deux.

Grâce à la télé, nous sommes plus au courant des événements d'actualité que les jeunes d'il y a trente ans.

Pour des milliers de vieillards isolés dans le monde par la maladie ou la peur, la télévision est un bienfait.

Je pense que certaines émissions sont partiales. Elles déforment la vérité et grossissent les faits.

C'est une extraordinaire machine à voyager dans le temps. Voilà mon avis.

Les émissions sont moches, elles manquent de variété. Heureusement que nous avons un magnétoscope à la maison. Avec ça, je peux voir les meilleurs films enregistrés sur cassette.

Je trouve que la TV est un bon moyen de divertissement. Elle nous apprend beaucoup. Mais il faut apprendre à l'enfant à poser sur la télé un regard critique, pour qu'il soit capable de juger, d'en distinguer les défauts et les qualités.

La télé amène souvent des jeunes qui n'aimaient pas lire à la lecture, par les adaptations de Jules Verne, de Victor Hugo, ou d'autres auteurs célèbres.

La télévision dispense d'efforts physiques, on reste assis, c'est tout. On regarde, en étant complètement passif.

Ce que je reproche le plus à la télé c'est la pub infligée à longueur de journée.

La télévision détruit la vie de famille. Avant, quand on ne l'avait pas, on jouait à des jeux de société, on discutait.

POUR OU CONTRE LA TÉLÉVISION?

Qu'on le veuille ou non, la télévision, ce phénomène de la seconde moitié du XXe siècle, nous concerne tous. Dans notre vie de tous les jours, elle s'est glissée insidieusement,

33 COMME SUR DES ROULETTES

COMME SUR DES ROULETTES°

Points de repère

 Les fanatiques du cyclisme, participants ou supporters, sont très nombreux en France. Dans l'article suivant, tiré du magazine *Antirouille*, une adolescente raconte une randonnée à bicyclette qu'elle a faite avec des amis pendant les vacances d'été.

Travail individuel → Mise en commun Lisez attentivement cet article et notez brièvement ce que vous apprenez sur:

- **la randonnée**
  - moment
  - région
  - durée
  - nombre de participants
  - âge des participants
  - itinéraire
  - hébergement
  - distances parcourues
  - durée des étapes
  - composition des groupes

- **les préparatifs**
  - révision des vélos
  - choses à apprendre
  - conseils échangés

- **l'expérience d'Isabelle**
  - réactions physiques
  - avantages, selon elle, des randonnées.

Comparez vos notes avec celles des autres étudiants.

Une envie qui traîne° depuis longtemps, qui germe° un jour un peu plus précisément, et c'est le point de départ d'une quinzaine de jours de randonnée à vélo° en Bretagne.

Isabelle, 17 ans, l'a fait l'an dernier avec une bande hétéroclite° d'amis: des adultes, des enfants d'une dizaine d'années, et deux copains° de son âge.

«On s'est tous retrouvé° à la fin du mois d'août, et on a fait connaissance° en révisant° ensemble tous les vélos: chaînes à tendre,° dérailleurs° et dynamos à régler,° pneus à gonfler° . . . et puis on a appris à réparer une crevaison,° changer un patin de frein,° graisser° la chaîne.

Une peau de chamois

Ceux qui avaient déjà fait ce genre de balade° nous ont donné leurs «trucs°», par exemple mettre une peau de chamois° sous les fesses° ou du moins mettre un slip° et un short sans couture;° on a vite compris l'utilité de ce conseil!

Pour l'itinéraire on n'avait rien prévu° à l'avance. On voulait voir simplement au jour le jour.° Une seule idée: nous retrouver tous les soirs, pour manger et dormir.

60 kms peinard°

Au début, on faisait environ 60–70 kms par jour. Deux fois deux heures de route, très peinard. On partait en petits groupes, un peu au hasard, plus en fonction de la force physique que de l'âge.

Les premiers jours, 60 kms ça me suffisait largement: au début les jambes tirent pas mal;° il y avait de bonnes côtes° et je n'arrivais pas à reprendre force° sur les plats;° le rythme est venu petit à petit. Et puis quelle griserie° dans les descentes!

Avec l'entraînement,° j'ai fait des détours pour voir des villages, aller me baigner. Je tenais° une centaine de kms par jour sans être épuisée en arrivant.

Loin des odeurs d'essence

Chaque soir, on se retrouvait, pour camper dans un champ que l'un ou l'autre repérait.° On n'a jamais eu de problème pour avoir l'autorisation du propriétaire.

Je me souviens d'un jour par exemple où on a été invité tous les quinze à un repas pantagruélique° par un fermier. On avait l'air de l'amuser à voyager comme ça. Il nous voyait d'un œil un peu différent des touristes classiques avec voiture et appareil photo.

En se baladant° à bicyclette, on sort de la course° aux kilomètres, et des odeurs d'essence des routes nationales. Les petites routes, les chemins creux° sont vraiment à nous. On peut réellement prendre le temps.»

---

comme sur des roulettes a real doddle **traîner** float around **germer** germinate, take shape **randonnée** (f) **à vélo** bike trip **hétéroclite** assorted **copain** (m) mate **se retrouver** meet up **faire connaissance** get to know each other **réviser** check over **tendre** tighten **dérailleur** (m) gears **régler** adjust **gonfler** pump up, inflate **crevaison** (f) puncture **patin** (m) **de frein** brake block **graisser** oil **balade** (f) trip **truc** (m) tip **peau** (f) **de chamois** piece of chamois leather **fesses** (f pl) bottom **slip** (m) pants **couture** (f) seam **prévoir** work out **(voir) au jour le jour** (take) each day as it comes **(très) peinard** nice and easy **les jambes tirent pas mal** (you) certainly feel it in the legs **côte** (f) hill **reprendre force** recover **plat** (m) flat part **griserie** (f) (feeling of) intoxication **entraînement** (m) training **tenir** manage **repérer** spot **pantagruélique** gigantic **se balader** go around **course** (f) race **chemin** (m) **creux** sunken lane

Activités

1. Vocabulaire: emploi familier ou argotique

a Dans son témoignage Isabelle a employé, comme n'importe quelle jeune Française, des expressions **familières** ou **argotiques**. En répondant aux questions du journaliste, elle aura vraisemblablement employé d'autres expressions de ce genre.
Travail individuel Récrivez les propos d'Isabelle qui suivent en remplaçant chaque fois les mots en italique par une expression **familière** ou **argotique**. Faites les changements grammaticaux qui conviennent.

Heureusement que j'avais des *amis* de mon âge mais les autres étaient *gentils* eux aussi … certains avaient déjà fait ce genre de *randonnée* … nous avons profité de leurs *astuces*: une peau de chamois sous les fesses par exemple … au début les jambes tiraient *beaucoup* … plus tard on faisait 100 km sans être *épuisé*, quatre heures de route, *tout tranquillement* … chaque soir on s'est réuni pour préparer notre *repas* et pour *dormir* … un soir on a *beaucoup mangé* chez un fermier qui trouvait ça *drôle* de nous voir à vélo … mais un vélo c'est finalement mieux qu'une *voiture*, on peut *se promener* comme on veut

b De retour en classe, une camarade d'Isabelle lui pose des questions sur ses vacances à vélo.
Exercice oral Posez des questions (pour la camarade) au professeur (qui prendra le rôle d'Isabelle). Employez chaque fois, de mémoire, une expression **familière** ou **argotique**.

Exemple:
Camarade:	*Tu es partie avec des copains?*
Isabelle:	*Oui, c'est ça, avec une bande d'amis.*

Demandez à Isabelle:

– si elle est partie avec des *amis*
– s'ils étaient *gentils*
– si c'était sa première *randonnée* à vélo
– quelles *astuces* ils ont apprises
– si elle n'était pas *fatiguée* tous les soirs
– s'ils roulaient donc *tranquillement*
– qui faisait la *cuisine*
– où ils allaient pour *dormir*
– s'il y a eu des incidents *amusants*
– pourquoi ils ne sont pas partis en *voiture*
– pourquoi elle aime *se promener* à vélo
– si elle a appris *beaucoup* de choses.

Expressions familières et argotiques

truc (m)
pas mal
se goinfrer
claqué
roupiller
sympa (inv)
bagnole (f)
se balader
très peinard
marrant
copain (m)
bouffe (f)
balade (f)

---

2. Les distances et l'espace

▶ En randonnée, Isabelle et ses amis faisaient «environ 60–70 km par jour». Pour indiquer la distance d'un endroit à un autre, on peut dire, par exemple:

> Calais **se trouve à trois cents kilomètres de** Paris
> **La distance de** Calais **à** Paris **est de 300 km.**

Pour poser une question sur la distance entre deux endroits, on peut dire:

> Calais **se trouve à quelle distance de** Paris?
> **Quelle distance/Combien de kilomètres y a-t-il de** Calais **à** Paris?
> **Où se trouve** Calais?, etc. ◀

a La carte (*à droite*) montre une partie de la Bretagne aux alentours de Dinan.
Travail individuel → Travail à deux En consultant la carte, composez mentalement sept ou huit questions sur les distances entre différents endroits, comme dans les exemples ci-dessus. Ensuite, interrogez un(e) partenaire et répondez à votre tour à ses questions.

Exemples:
– ***Quelle distance y a-t-il de*** Dinan à la Rougerais?
– ***Dix kilomètres.***

– ***Où se trouve*** la Rougerais?
– ***A dix kilomètres (au nord) de*** Dinan.

b La classe se divisera en deux équipes.
Jeu Les membres de chaque équipe interrogeront à tour de rôle ceux de

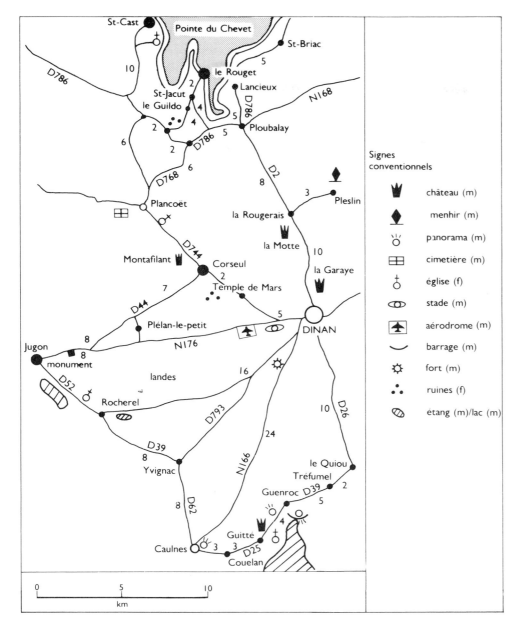

Signes conventionnels

♛	château (m)
◆	menhir (m)
☼	panorama (m)
⊞	cimetière (m)
☧	église (f)
⬭	stade (m)
✈	aérodrome (m)
‿	barrage (m)
☼	fort (m)
⦂	ruines (f)
◁	étang (m)/lac (m)

8 **En quittant** Dinan sur la D2, on voit le château de la Garaye.
9 **En arrivant à** la Rougerais, **vous avez** le château de la Motte **sur votre gauche**.
10 **Pour aller de** Dinan **à** Ploubalay **on emprunte** la D2. ◀

📖 **c** *Travail individuel* En consultant les détails de la carte, rédigez par écrit dix phrases ayant respectivement la même structure que chacune des phrases, ci-dessus et à gauche. Réemployez chaque fois les mots en caractères gras qui indiquent les **distances** et l'**espace**.

Exemple (première phrase):
   La distance de Dinan à Plancoët est de 14 kilomètres.

3.   Pronoms interrogatifs: lequel? etc. Pronoms démonstratifs: celui, etc., de/celui, etc., qui, que, dont

▶ **Lesquels** des amis d'Isabelle ont donné des conseils? **Ceux qui** avaient déjà fait ce genre de balade.
Le **pronom interrogatif (lequel,** etc.), implique un choix entre des personnes ou des choses. Le **pronom démonstratif (celui,** etc.), suivi de la préposition **de** ou des pronoms relatifs **qui**, **que**, **dont**, etc., sert à remplacer un nom déjà mentionné. ◀

a Les jeunes Français sont-ils sportifs? Une enquête du magazine *Elle* le met sérieusement en doute. En principe, les élèves du secondaire ont chaque semaine entre deux et trois heures d'éducation physique et sportive. Mais, dans la plupart des cas, ils n'y vont pas. Pourquoi? Vous trouverez à la page suivante ce qu'en disent des lycéens et des lycéennes.

l'autre équipe sur l'identité de certaines choses ou certains endroits marqués sur la carte. Ils emploieront chaque fois une expression de distance.

Exemples:
   – *Il se trouve à* (environ) *3 km de Dinan sur la Départementale 2.*
   – *C'est le château de la Garaye.*

   – *Elle est située à 2 km au sud-est de Plancoët.*
   – *Il s'agit d'une église.*

▶ Dans les itinéraires, les **distances** et l'**espace** s'expriment de diverses façons, comme dans les phrases suivantes par exemple:

1 **La distance de** Dinan **à** Pleslin **est de** 13 kilomètres.
2 Ploubalay **se trouve à** 18 km **de** Dinan.
3 Pleslin **est plus éloigné de** Dinan **que de** Ploubalay (**de** 2 km).
   (Pleslin est **plus près de** Ploubalay).
4 **A partir de** Dinan, **il faut passer par** Ploubalay **pour aller à** Lancieux.
5 **Partant de** Dinan sur la départementale 2, **on aboutit à** Ploubalay.
6 La D2 **mène de** Dinan **à** Ploubalay.
7 La D2 ne **passe** pas **par** la Motte, elle **passe à côté**.

Exercice oral Sous la direction du professeur, posez des questions, et donnez des réponses, portant sur l'identité de ces jeunes. Employez chaque fois **lequel**, etc., dans la question et **celui**, etc., **de** ou **celui**, etc., **qui** dans la réponse.

Exemples:
- *Laquelle* de ces lycéennes a dix-neuf ans?
- *Celle de* terminale.
- *Celle qui* habite une grande ville.

b *Exercice oral → Travail individuel* Posez entre vous des questions, et donnez des réponses, portant sur les mots en italique dans les déclarations présentées ci-dessous. Dans les questions, employez le **pronom interrogatif** (**lequel**, etc.) et dans les réponses, le **pronom démonstratif** (celui, etc.) suivi de **qui**, **que** ou **dont**.

Exemples:
- *Laquelle* des filles dit que l'éducation physique est une matière secondaire?

- *Celle dont* les notes sont lamentables.
- *Celle qui* a des notes lamentables.

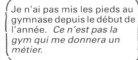 Composez ensuite par écrit **quatre** questions portant sur les déclarations en employant respectivement **lequel**, **laquelle**, **lesquels**, **lesquelles**. Donnez aussi les réponses avec **celui**, etc., **qui**, **que** ou **dont**.

4. Renseignements par téléphone

a Dans un article sur les vacances actives, vous avez relevé le numéro de téléphone de l'Association RACED (Randonnées à Cheval en Dordogne) qui offre, aux débutants comme aux cavaliers chevronnés, des vacances à cheval. Vous téléphonez à l'Association pour demander des informations.
Travail individuel En vous référant au schéma présenté ci-contre, composez d'abord les **questions** que vous allez poser, et notez les **informations** que vous allez donner.

b Maintenant écoutez la bande, au laboratoire par exemple: le responsable de l'Association (la bande) répondra à vos **questions** et vous demandera à son tour des **informations**.
Travail individuel → Mise en commun Posez oralement vos questions et donnez les informations indiquées dans le schéma. Notez soigneusement par écrit tout ce que le responsable vous dira sur:

- les places disponibles
- la durée des séjours
- l'hébergement et le confort
- les randonnées
- les autres activités
- les transports
- le niveau d'expérience exigé
- l'âge des stagiaires
- le prix des vacances
- les repas
- les distractions.

Pour finir, comparez vos notes avec celles des autres étudiants.

Mes notes en *éducation physique* sont lamentables. Mais *c'est une matière secondaire*, c'est écrit sur le carnet mais ça ne compte pas.

19 ans, terminale, grande ville (lycée technique)

Je n'ai pas mis les pieds au gymnase depuis le début de l'année. *Ce n'est pas la gym qui me donnera un métier.*

15 ans, seconde, grande banlieue parisienne

Je sèche le plein air en hiver. *Le foot sous la pluie, ce n'est vraiment pas marrant.*

17 ans, première, ville industrielle du Nord-Ouest

On nous encourage à croire que c'est plus important de réviser l'interrogation de maths. *Je vais au stade une semaine sur trois ou quatre.*

18 ans, première, station balnéaire en Normandie

Notre prof est très dynamique, c'est contagieux *On passe des heures dans le métro pour aller disputer des matchs de volleyball.*

16 et 17 ans, première, proche banlieue parisienne

Ici, *on a vraiment l'impression de faire du sport.* Hier, après le stade j'étais crevé. Mais c'est bien, on a vraiment travaillé.

19 ans, terminale, port de pêche en Bretagne

On nous fait attendre tout le temps puisqu'il n'y a qu'une corde et une poutre. Alors *notre mère nous écrit des mots d'excuses.*

16 ans, seconde, petite ville du Midi (soeurs jumelles)

Chez nous, il n'y a pratiquement pas d'absentéisme. Nous avons deux magnifiques stades et quatre heures d'éducation physique par semaine.

20 ans, première, station de ski dans les Alpes

Notre stade se trouve à 20 minutes en autobus. Si les bus n'arrivent pas, *nos deux heures de plein air se réduisent à 45 minutes.*

16 ans, seconde, port industriel dans le Midi

Vous appelez ça du sport? On nous fait jouer au handball dans la cour avec des arbres partout ou sous le préau avec des piliers.

17 et 16 ans, première, quartier ouvrier de Paris

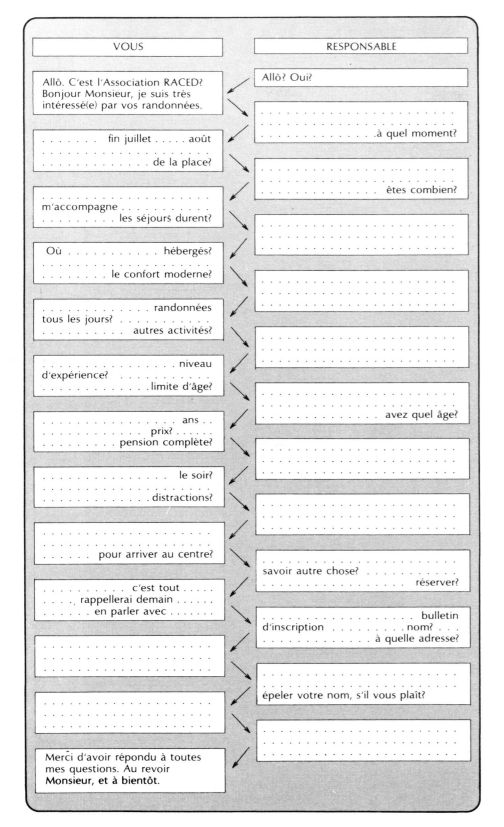

VOUS	RESPONSABLE
Allô. C'est l'Association RACED? Bonjour Monsieur, je suis très intéressé(e) par vos randonnées.	Allô? Oui?
	. . . . à quel moment?
. . . . . fin juillet . . . . . août . . . . de la place?	
	. . . . êtes combien?
m'accompagne . . . . les séjours durent?	
Où . . . . hébergés? . . . . le confort moderne?	
. . . . randonnées tous les jours? . . . . autres activités?	
. . . . niveau d'expérience? . . . . .limite d'âge?	
. . . . ans . . prix? . . . . pension complète?	. . . . avez quel âge?
. . . . le soir? . . . . distractions?	
. . . . pour arriver au centre?	
. . . . c'est tout . . . . rappellerai demain . . . . en parler avec	savoir autre chose? . . . . réserver?
	. . . . bulletin d'inscription . . . . nom? . . . . à quelle adresse?
	épeler votre nom, s'il vous plaît?
Merci d'avoir répondu à toutes mes questions. Au revoir Monsieur, et à bientôt.	

5. Expérience vécue: une randonnée. Article de magazine.

Vous allez échanger avec un(e) partenaire vos expériences d'une randonnée (à pied, à vélo, à cheval ou autre), de préférence réelle, que vous avez faite seul(e) ou avec des ami(e)s.
Travail individuel → Travail à deux Notez d'abord par écrit, au sujet de votre randonnée, des détails qui correspondent dans la mesure du possible aux indications suivantes:

- **la randonnée**
  moment, région, durée, etc.
- **les participants**
  nombre, âge, s'ils se connaissaient, etc.
- **les préparatifs**
  précautions ou, au contraire, manque de précautions, conseils échangés et leur valeur, etc.
- **ce qui s'est passé**
  temps qu'il a fait, circulation, difficultés rencontrées, réactions, rapports entre les randonneurs, etc.

Maintenant, composez mentalement des questions que vous poserez pour obtenir de votre partenaire le même genre d'informations.
Finalement, interrogez votre partenaire sur la randonnée qu'il/elle a vécue. Répondez à votre tour à ses questions.

b Vous rédigerez maintenant un article pour le magazine *Antirouille* au sujet de vos expériences.
Travail individuel Relisez le témoignage d'Isabelle *Comme sur des roulettes* (p. 133). Ensuite, en vous inspirant de cet article, composez le récit de votre randonnée.

34 POUCE, JE PASSE

AUTO-STOP

CONSEILS	BUT
Equipement	
Prenez:	Cela permet…
– un sac à dos	– de monter à l'automobiliste que vous êtes un stoppeur authentique
–	–
–	
–	
–	
	–
Endroits propices à l'auto-stop	
Evitez:	De cette façon, l'automobiliste…
–	–
–	–

Points de repère

🔲 En France, comme ailleurs, l'auto-stop offre à beaucoup de jeunes la possibilité de partir en vacances. C'est surtout le hasard qui décide du sort de l'auto-stoppeur. Mais quelques préparatifs, et quelques précautions, peuvent aider le hasard et éviter les risques inutiles. Dans l'enregistrement que vous allez écouter, Jean-Jacques C., auto-stoppeur expérimenté, nous offre des conseils sur l'auto-stop.
Travail individuel → Mise en commun Ecoutez une première fois son témoignage en entier. Ensuite, le professeur vous demandera de lui dire ce que vous aurez retenu des conseils de Jean-Jacques sur:

● **l'équipement de l'auto-stoppeur**
● **les endroits à choisir ou à éviter.**

Activités

1. Le témoignage en détail

🔲 Ⓛ *Travail individuel/à deux* Avec ou sans partenaire, écoutez de nouveau l'enregistrement et complétez la transcription (*Livret*, pp. 57–8). Arrêtez et repassez la bande quand il le faut.

2. La structure du témoignage: les conseils/le but

Le témoignage de Jean-Jacques se compose essentiellement d'une série de **conseils**, accompagnés de précisions sur leur **but**.
Travail à deux → Mise en commun
Avec un(e) partenaire, notez par écrit les **conseils** de Jean-Jacques: joignez-y si possible le ou les **buts** de chaque conseil. Composez un tableau comme celui présenté ci-dessus.

Comparez ensuite votre tableau complété avec celui des autres étudiants.

3. Ce qu'il faut faire en auto-stop. Le but

a Le tableau *Conseils pour l'auto-stoppeur* (*ci-contre, à droite*) présente d'autres conseils que l'auto-stoppeur ferait bien de prendre en considération.
Travail individuel A partir du tableau, notez, sous forme d'**impératif**, pour chacune des **trois rubriques** suivantes, **trois conseils** qui vous semblent particulièrement utiles pour l'auto-stoppeur (neuf conseils en tout):

– ce qu'il est utile de prendre: **vêtements/équipement**
– où il est utile de se placer: **endroits propices à l'auto-stop**
– ce qu'il est utile de faire: **comportement de l'auto-stoppeur.**

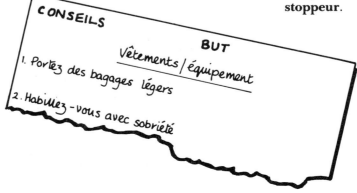

CONSEILS	BUT
	Vêtements/équipement
1. Portez des bagages légers	
2. Habillez-vous avec sobriété	

► En donnant des conseils à un débutant, un auto-stoppeur expérimenté pourrait en expliquer le **but** en disant:

«Portez des bagages légers **afin de marcher** plus facilement.»

ou bien:

«Portez des bagages légers **afin qu**'on vous **prenne** plus facilement.»

Pour exprimer le **but** d'une action on peut employer:

si le **sujet** des deux verbes est **le même**:

> pour
> afin de
> de manière à + infinitif.
> de façon à

si le **sujet** des deux verbes est **différent**:

> pour que
> afin que
> de (telle) sorte que + subjonctif.
> de façon (à ce) que

◄

b Un adepte de l'auto-stop donne des conseils à un(e) ami(e) qui part en stop pour la première fois.

Exercice oral → Travail à deux Sous la direction du professeur, donnez tour à tour des **conseils** sur l'auto-stop, en précisant chaque fois leur **but**. Reportez-vous à vos notes sur le tableau *Conseils pour l'auto-stoppeur* (*a*), et employez chaque fois une des formules à gauche (*pour, pour que*, etc.). Ensuite, donnez, de la même manière, des conseils à un(e) partenaire et écoutez à votre tour ses conseils.

c Travail individuel Composez maintenant par écrit six conseils pour le stoppeur. Employez les formules que vous venez d'utiliser à l'oral (*à gauche*).

CONSEILS POUR L'AUTO-STOPPEUR

En stop vous aurez intérêt à:

- porter des bagages légers
- être habillé(e) avec sobriété
- sourire aimablement en levant le pouce
- regarder l'automobiliste dans les yeux
- laisser au conducteur la place de se garer
- vous arrêter devant un restaurant routier
- vous installer à la sortie d'une station d'essence
- demander d'abord à l'automobiliste où il va
- avoir une tente ou un sac de couchage
- prendre des vêtements chauds et des chaussures robustes
- être muni(e) d'un anorak ou d'un imperméable
- bavarder avec le conducteur
- ne pas fumer dans la voiture
- ne pas vous égarer sur les petites routes secondaires
- éviter l'entrée des villes et les centres-ville
- être ajiste (adhérer aux auberges de jeunesse)
- ne pas voyager sans argent
- voyager à deux.

35 LA FRANCE QUI CAMPE

Points de repère

En écrivant l'article qui suit, le journaliste de *Paris Match* a adopté un ton très particulier pour décrire le camping, style de vacances que préfèrent des milliers de Français.

Travail individuel → Mise en commun Lisez attentivement l'article et notez brièvement ce que sont, pour le journaliste, les **avantages** et les **inconvénients** de:

- la vie quotidienne du Français
- la vie en camping.

Comparez vos notes avec celles des autres étudiants. Quelles conclusions en tirez-vous sur l'attitude du journaliste envers le camping?

LA FRANCE QUI CAMPE

Nos reporters l'ont rencontrée,
et partagé ses plaisirs et ses peines,°
dans les joyeux camps de concentration
qui poussent au bord de la mer pendant
l'août des vacances.

peine (f) trouble adepte (m/f)
enthusiast digne worthy consacrer
devote distrayant entertaining doté de
equipped with commodité (f)
convenience n'importe quel(le) any
siècle (m) century chauffage (m)
heating ascenseur (m) lift se pâmer de
be overcome with d'affilée in a row
agrémenter make pleasurable
supprimer remove éreintant
exhausting laid ugly champ (m) de
foire fairground ras short piétiner
trample se dresser stand ouvre-boîtes
(m) tin-opener tire-bouchon (m)
corkscrew s'engueuler yell at each
other apéro (= apéritif) (m) pre-meal
drink entasser cram together
bouleversant shattering s'ériger be set
up toile (f) canvas corvée (f) chore,
fatigue (duty) rite (m) ritual réchaud
(m) stove enterrer lay to rest, dispose of
grégaire gregarious, fond of company
coude (m) elbow sueur (f) sweat
surmonter overcome épreuve (f)
ordeal bâtir build

Le Français adepte° de camping est un animal digne° qu'on lui consacre° une étude sociologique. Il passe onze mois de l'année à vivre à peu près agréablement. C'est-à-dire qu'il travaille, ce qui est en général distrayant.° Il habite un logement doté de° tout le confort dans une ville où se trouvent toutes sortes de commodités.° Le seul jour un peu ennuyeux est le dimanche, pendant lequel on ne sait pas quoi faire et où les commerçants sont fermés. Bref, n'importe quel° Français du XIXᵉ ou du XVIIIᵉ siècle,° voyant un Français d'aujourd'hui, avec son eau courante chaude et froide, son chauffage° central, son téléphone, son ascenseur,° etc., se pâmerait° d'envie.

Il aurait tort. Pendant ses onze mois de vie confortable, le Français campeur songe avec tendresse au douzième, dit «mois de vacances», qui comporte trente et un dimanches d'affilée° (brrr . . .), et au cours duquel tout ce qui simplifie ou agrémente° son existence quotidienne lui sera supprimé.°

Après un voyage éreintant° et interminable (parce qu'on est pris dans la grande migration des vacances), on arrive à un endroit qui n'était pas laid° avant l'invention de l'automobile, ni même il y a vingt ans, mais qui l'est devenu, parce que c'est un camping municipal ou privé, et qu'il a été transformé en quelque chose qui ressemble à un champ de foire,° où l'herbe est rase° et piétinée,° quand il y a de l'herbe.

Se dressent° là trois cents ou quatre cents tentes, et, quelquefois, plus de mille, avec des gens qui regardent la télévision, qui écoutent la radio, qui s'empruntent des ouvre-boîtes° et des tire-bouchons,° qui s'engueulent,° qui — hélas! — jouent de la guitare, qui s'invitent à prendre l'apéro.° C'est la ville, sauf qu'on y est entassé,° qu'on y vit les uns sur les autres et que tout le monde finit par se connaître jusque dans les détails les plus secrets.

C'est certainement en juillet et août l'un des phénomènes les plus bouleversants° de la Côte d'Azur: tous les deux ou trois kilomètres, entre Fréjus et Sainte-Maxime, s'érigent° des villages de toile° que rien ne distingue les uns des autres, et où les humains retrouvent le goût de la vie primitive: celle où les commodités sont toujours au-dehors, où la corvée° d'eau est l'un des rites° principaux de la journée, avec la surveillance du réchaud° à gaz.

Le spectacle des terrains de camping enterre° définitivement la légende selon laquelle le Français est individualiste. C'est, au contraire, la créature la plus grégaire° du monde. Pour être au coude° à coude avec ses semblables, sentir leur sueur,° entendre leurs bavardages, faire les mêmes choses qu'eux, le Français surmonte° des épreuves° qu'il condamne pendant les autres onze mois de l'année. Alphonse Allais s'étonnait qu'on ne bâtît pas de villes à la campagne. C'est fait.

Découverte du texte

1. La structure de l'article

L'auteur de cet article critique, de façon implicite ou explicite, le camping comme style de vacances.

📖 **a** Dans les deux premiers paragraphes, par exemple, chacune de ses observations sur la **vie quotidienne** implique une critique de la **vie en camping**.
Travail individuel → Travail à deux Trouvez, dans ces deux paragraphes, une critique de la **vie en camping**, colonne (ii) du tableau

(i) VIE QUOTIDIENNE	(ii) VIE EN CAMPING
Le Français campeur passe onze mois de l'année à vivre à peu près agréablement.	La vie qu'il mène en camping est beaucoup moins agréable.
Il travaille, ce qui est en général distrayant.	
Il habite un logement doté de tout le confort dans une ville où se trouvent toutes sortes de commodités.	
Le seul jour un peu ennuyeux est le dimanche.	

(p. 140), qui correspond à chaque observation sur la **vie quotidienne**, colonne (i).

📖 **b** Dans les deux paragraphes suivants, le journaliste nous présente ses impressions personnelles de la vie en camping, impressions qui, à leur tour, comportent des **critiques**.
Travail individuel Notez brièvement quelques mots, pris dans les troisième et quatrième paragraphes, qui correspondent aux **critiques** de la colonne (i):

(i) CRITIQUE	(ii) MENTION DANS LE TEXTE
difficultés du voyage pour arriver au camping	*un voyage éreintant et interminable (parce qu'on est pris dans la grande migration)*
destruction de la nature	
encombrement des terrains de camping	
impossibilité de mener une vie tranquille	
fraternité excessive	

📖 **c** Les deux derniers paragraphes contiennent les conclusions du journaliste: ses critiques du campeur s'y transforment en **jugement** sur le caractère national.
Travail individuel Relisez la fin de l'article, puis mettez-le de côté et complétez le résumé qui suit. Servez-vous des mots imprimés dans le cadre: n'oubliez pas de faire les changements grammaticaux qui conviennent.

Loin d'être＿＿＿＿＿, le Français campeur:

– est le plus ＿＿＿＿ des hommes;
– vit dans des terrains qui sont tous ＿＿＿＿；
– accomplit tous les jours des tâches ＿＿＿＿.

uniforme
rituel
individualiste
grégaire

d *Mise en commun* A partir de vos notes, comparez vos idées sur les trois composantes de l'article (comparaison entre la **vie quotidienne** et la **vie en camping**, **critiques**, **jugement**) avec celles des autres étudiants.

2. Vocabulaire: le camping, pour ou contre

📖 **a** L'article de *Paris Match* met en avant une attitude envers le camping que les campeurs, en général, ne partageraient pas. La déclaration ci-dessous, faite par M. Pierre Cornu, partisan ardent du camping, offre une perspective très différente.
Travail individuel Recopiez les mots et expressions qui suivent dans l'ordre nécessaire pour compléter la déclaration de Pierre Cornu. N'oubliez pas de faire les changements grammaticaux qui conviennent. Ensuite, mémorisez les mots et expressions.

retrouver le goût de – une commodité – finir par – une corvée – un terrain de camping – l'existence quotidienne – être doté de – être transformé en – s'inviter à – comporter – la toile – agrémenter – entasser – passer des heures à

b *Travail à deux* Complétez oralement cette déclaration sans regarder ni votre liste de mots et d'expressions ni le cadre ci-dessus.

3. Le camping: avantages et inconvénients

a Pour une plus juste appréciation du camping, il faudrait mettre côte à côte les idées du journaliste de *Paris Match* et les observations de M. Cornu.

Pierre Cornu

Pour faire du camping, on n'est pas obligé de s'installer dans un de ces villages de ＿＿＿＿ uniformes de la Côte d'Azur où les gens sont ＿＿＿＿ les uns sur les autres. A la campagne, il y a des milliers de ＿＿＿＿ comme celui-ci, offrant au campeur l'espace, le calme, le repos et toutes sortes de ＿＿＿＿. Ici, il y a un bar, un supermarché, une piscine et des blocks sanitaires qui ＿＿＿＿ lavabos et douches avec eau chaude. Bref, il y a tout ce qui ＿＿＿＿ la vie ordinaire. Et n'oubliez pas que le campeur moderne est bien équipé, il ＿＿＿＿ tout le confort nécessaire.
Moi, je trouve que le vrai plaisir du camping, c'est de rencontrer d'autres campeurs. Loin de la solitude de la ville tout le monde ＿＿＿＿ se connaître. Ensemble on ＿＿＿＿, une vie simple, la beauté de la nature, On discute, on ＿＿＿＿ jouer à la pétanque, on ＿＿＿＿ partager les ＿＿＿＿ journalières: l'eau, la vaisselle, etc. En camping, le Français individualiste ＿＿＿＿ être sociable. On n'est jamais sans quelque chose à faire. De plus, le camping, c'est la liberté, l'absence de protocole et de routine. On peut aller où on veut, porter ce qu'on veut, faire ce qu'on veut. En camping, on oublie un peu ＿＿＿＿, on retrouve le calme, le repos et l'amitié.

Travail à deux A partir de votre analyse de l'article (*Découverte*, 1), notez tous les **inconvénients** du camping mentionnés par le journaliste. Ensuite, essayez de trouver dans la déclaration de M. Cornu (*Découverte*, 2) un **avantage** parallèle à chaque inconvénient. Rédigez vos notes de la manière suivante, et ajoutez d'autres avantages ou inconvénients qui vous viennent à l'esprit.

Exercices

1. Vocabulaire du camping: Conseiller

a Connaissez-vous les différents éléments de matériel dont on a besoin si on veut réussir des vacances en camping?

Travail individuel Relevez dans le cadre, et notez, le mot qui correspond à chaque objet numéroté du dessin (*ci-dessous*).

un maillet – une torche électrique – une tente canadienne – un sac de couchage – des piquets(m) – des ustensiles(m) de cuisine – des cordes de tente – un réchaud à gaz – un matelas pneumatique – une cartouche de rechange – une chaise pliante

LE CAMPING

INCONVÉNIENTS	AVANTAGES
les villages de toile bruyants de la Côte d'Azur	les terrains de camping tranquilles de la campagne

b ***Discussion*** En vous basant sur les notes que vous venez de prendre, et sur votre expérience personnelle, discutez avec le professeur et l'ensemble de la classe les avantages et les inconvénients du camping. Notez par écrit les points essentiels de la discussion.

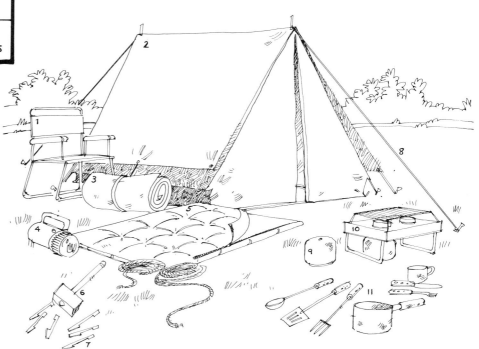

• A COMPLÉTER, A NOTER ET A MÉMORISER •

Expressions et structures

le Français _____ (= *fanatique*) de camping (cp. *Fréjus, ville galloromaine*)

il vit __ ____ ____ (= *plus ou moins*) agréablement

son logement est _____ __ (= *muni de*) tout le confort

le Français __ XIXᵉ siècle (cp. *au XIXᵉ siècle, au siècle où nous vivons*)

l'endroit n'était pas laid, mais il __' est devenu (= *il est devenu laid*)

trois _____ (300) tentes (cp. *3 000 tentes, 3 000 000 de tentes* → *en toutes lettres?*)

des gens qui __'engueulent (*l'un l'autre*) qui __'empruntent (*l'un à l'autre*) des tire-bouchons

on vit ____ ____ sur ____ autres

un réchaud __ gaz

Constructions verbales

on devrait consacrer une étude __ la vie en camping

il passe onze mois __ vivre agréablement

il se pâmerait __' envie

le campeur songe _____ vacances

un endroit transformé __ quelque chose qui ressemble __ un champ de foire

on ne peut distinguer un terrain __' un autre

Noms et Verbes

vivre → sa _____ est agréable

fermer → la _____ des magasins

chauffage (m) → une maison bien _____

simplifier → la _____ de son existence

agrémenter → il y trouve de l'_____ (m)

supprimer → la _____ du confort

distinguer → aucune _____ entre les terrains

bavarder → on entend leurs _____ (m)

s'étonner → l'_____ (m) d'Allais

b Un journaliste prépare, pour une revue de jeunes, un article adressé à ceux qui veulent faire du camping pour la première fois. Il décide de baser la première partie de l'article sur les **éléments de matériel** qu'il considère comme indispensables, et d'expliquer la **raison pour l'achat** de chacun.

Travail à deux → Mise en commun Trouvez oralement, dans la colonne (ii) du tableau présenté à droite, la **raison pour l'achat** qui correspond à chaque **élément de matériel** de la colonne (i).

Exemple:
  une tente canadienne – si on veut ne pas trop se charger/s'installer rapidement.

Comparez vos solutions avec celles des autres étudiants.

▶ En **conseillant** à ses lecteurs de se munir des éléments de matériel qu'il considère comme indispensables, le journaliste emploierait des formules comme les suivantes:

Vous aurez intérêt à **Vous ferez bien de** **Il faudra** **Vous devrez** **Vous aurez besoin de** **N'oubliez pas de**	choisir une tente canadienne.

◀

📖 **c** Vous trouverez ci-dessous le début de l'article *Le camping: ce que vous devez savoir*.
Travail individuel Complétez la première partie de cet article (*Le matériel*): référez-vous au tableau (ci-dessus), et aux formules que l'on emploie pour **conseiller** quelqu'un (ci-dessus). Verbes à utiliser: *choisir, acheter, prendre, se procurer, se munir de, emporter, employer.*

LE CAMPING: CE QUE VOUS DEVEZ SAVOIR

■ *Le matériel* En camping, on peut être aussi à l'aise que chez soi. Mais si vous vous équipez pour la première fois, un minimum de précautions s'impose.
  Vous aurez intérêt à choisir d'abord une tente canadienne si vous voulez ne pas trop vous charger

---

(i) ÉLÉMENT DE MATÉRIEL	(ii) RAISON DE L'ACHAT
une tente canadienne	afin de bien enfoncer les piquets
deux ou trois cordes de tente	qui vous permettront de faire une cuisine simple mais convenable
un maillet à tête de caoutchouc	pour assurer la stabilité de la tente
des piquets robustes	si on veut manger, lire à son aise
un matelas pneumatique et un sac de couchage	si on veut ne pas trop se charger/ s'installer rapidement
un réchaud à gaz, une cartouche de rechange et quelques ustensiles de cuisine	qui vous permettra d'éviter des catastrophes pendant la nuit
une petite chaise pliante	afin de bien ancrer les cordes, même si la terre est dure
une torche électrique	pour dormir aussi bien qu'à la maison

2. Le superlatif de l'adjectif (Demander un renseignement)

▶ Pour demander un renseignement (sur un endroit, une personne, un objet), on peut employer une de ces formules:

Vous connaissez (peut-être) **Vous avez des renseignements sur** Sainte-Maxime? ◀

a Un jeune étranger, qui veut faire du camping en France pour la première fois, rencontre un Français adepte du camping. Voulant profiter de son expérience, il l'interroge sur tout: régions à visiter, campings à considérer, matériel à acheter.
Travail à deux Avec un(e) partenaire, cherchez d'abord (avec un dictionnaire, s'il le faut) **l'adjectif** qui correspond à chacun des noms présentés dans la colonne (ii) du tableau *Le camping en France*, ci-dessous: *animation → animé*, etc. Ensuite, à partir des colonnes (i) et (ii) du tableau, dialoguez comme dans l'exemple qui suit. Prenez tour à tour le rôle du jeune étranger en employant chaque fois une des formules données ci-dessus:

Jeune étranger: **Vous connaissez** la station d'Argelès-sur-mer?
Campeur français: *Oui, elle est très* **animée.**

Le camping en France

(i) ENDROIT/OBJET	(ii) QUALITÉ	(iii) RÉGION, PAYS, ETC.
La station d'Argelès-sur-mer	animation	le Roussillon
Le camping du Ranolien, Perros-Guirec	grandeur	la Bretagne
Les tentes André Jamet	robustesse	la France
La forêt de la Sainte-Beaume	beauté	la Provence
Le camping des Cinq Vallées, Briançon	fréquentation	les Hautes-Alpes
Le village de la Roque-sur-Cèze	tranquillité	le Gard
Les appareils Camping-Gaz	prestige	l'Europe
Les îles d'Hyères	pittoresque	la Côte d'Azur

▶ Le **superlatif de l'adjectif** permet d'évaluer une personne ou une chose par comparaison avec d'autres personnes ou choses appartenant à la même catégorie:

«la créature **la plus grégaire** du monde»
«l'un des phénomènes **les plus bouleversants** de la Côte d'Azur».

Si l'adjectif précède normalement le nom (*beau, joli, grand, bon,* etc.), il garde cette position au superlatif:
le plus joli terrain de la région.
(Notez que le nom qui suit un superlatif est normalement précédé de la préposition **de**.) ◀

b En répondant au jeune étranger, le campeur pourrait employer le **superlatif de l'adjectif**.
Exercice oral → Travail individuel En vous référant aux trois colonnes du tableau *Le camping en France* à la page 143, dialoguez comme dans l'exemple suivant. Prenez tour à tour le rôle du jeune étranger.

Jeune étranger:	***Vous connaissez*** *la station d'Argelès-sur-mer?*
Campeur français:	*Oui, c'est la station* ***la plus animée*** *du Roussillon.*

📖 Rédigez ensuite par écrit une phrase sur chaque endroit ou objet mentionné dans le tableau. Employez dans chacune le **superlatif de l'adjectif**.

3. Pronoms relatifs: ce qui, ce que

▶ L'auteur de *La France qui campe* se demande **ce qui** attire des milliers de Français vers les terrains de camping. Il raconte aussi **ce qu'**ils font en camping.
Les pronoms relatifs **ce qui, ce que** se réfèrent à **quelque chose de général** plutôt qu'à un nom spécifique:

Le journaliste se demande **quelque chose**.	→ Il se demande **ce qui** attire les Français.
Quelque chose (*sujet*) attire les Français.	

Il raconte **quelque chose**.	→ Il raconte **ce que** font les campeurs.
Les campeurs font **quelque chose** (*objet direct*).	

Comme vous le savez déjà (*Exercices*, 4, p. 55) **qui** est le **sujet** du verbe qui suit; **que** en est l'**objet direct**.
Si le sujet du verbe qui suit n'est pas un pronom (*je, nous,* etc.), on fait souvent l'**inversion du verbe et de son sujet** après **ce que** (*ce que font les campeurs*), mais cela n'est pas essentiel (on peut aussi dire: *ce que les campeurs font*). ◀

a Dans les témoignages présentés à droite, trois personnes donnent leurs opinions du dimanche français.
Travail individuel/Exercice oral Lisez attentivement ces témoignages et, sans l'écrire, cherchez une **idée** (non pas un seul mot) qui correspond à «**quelque chose**» dans chacune des phrases qui suivent. Communiquez ces idées au professeur.

Exemple:
Quelque chose *empêche Pierrette de paniquer le dimanche matin.*
= le réveil ne sonne pas/elle n'a aucun programme précis.

1 **Quelque chose** empêche Pierrette de paniquer le dimanche matin.
2 Elle doit faire **quelque chose** pour trouver du lait.
3 **Quelque chose** permet de circuler librement le dimanche.
4 Les Parisiens font . . . sur les autoroutes.
5 . . . rend le dimanche de Christophe monotone.
6 . . . se passe en réalité dans sa chambre.
7 Il fait . . . pour donner l'impression de travailler.
8 . . . empêche Valérie de sortir avec ses amies.
9 Ses amies répondent toujours . . . quand elle téléphone.
10 Elle fait . . . pour terminer la journée.

Le professeur vous demandera maintenant de composer oralement, avec **ce qui/ce que**, dix phrases basées sur les phrases à gauche, en bas, disant ce que Pierrette, Christophe et Valérie (etc.) *disent, racontent, décrivent, expliquent, imaginent, savent,* etc.

Exemple:
Pierrette nous dit ***ce qui*** *l'empêche de paniquer dimanche matin.*

📖 Pour finir, rédigez ces phrases par écrit.

Pierrette, journaliste

Le dimanche, pas de panique. Le réveil ne sonne pas, je n'ai aucun programme précis pour la journée. Il faut en profiter. Je fais semblant de me plaindre, mais en réalité c'est mon jour favori. Rien ne se passe comme dans la semaine. Tout est fermé, je dois parcourir des kilomètres en voiture pour trouver du lait. Le petit déjeuner dure des heures; reposant, quoi. Toasts, oeufs au plat, confiture, oranges pressées. Et puis, on n'a pas de raison de se précipiter dans le métro, cela ne gâche rien! Pas d'embouteillages, les boulevards libres. Les Parisiens ont envahi leurs résidences secondaires, malgré les bouchons sur l'autoroute. Lundi ils seront tous revenus.

Christophe, lycéen

Juliette Greco chantait: «Je hais les dimanches». C'est bien ça. Pour moi c'est un jour synonyme de monotonie. Peut-être à cause de celle qui règne à la maison: mon père lit, ma mère tricote. Ils savent qu'en principe j'ai du boulot pour la semaine qui vient. Résultat: je m'enferme dans ma chambre, je lis des bandes dessinées, des magazines, tout ce qui me tombe sous la main, avec toujours un livre de classe à côté au cas où quelqu'un entrerait.

Valérie, étudiante

Quel ennui! Toutes mes copines ont un petit ami, moi non. Enfin, pas pour l'instant. Résultat: elles ne sont pas libres et je reste toute seule chez moi à me demander comment je vais survivre jusqu'au lundi. J'épuise mon carnet d'adresses au téléphone et c'est toujours pareil: «Non, je ne peux pas, je vois un tel . . .». En général le jour se termine devant la télé, avec *Télé 7 Jours* sur les genoux. Je jongle avec les différentes chaînes. Autre solution: un film en cassette déniché au vidéoclub du quartier. Heureusement que nous avons un magnétoscope.

▶ On emploie aussi **ce qui** et **ce que** pour résumer une idée précédente:

> *Pendant onze mois le Français travaille,* **ce qui** (*sujet*) est en général distrayant.
> *Les commerçants sont fermés,* **ce que** (*objet*) le Français trouve ennuyeux. ◀

b Dans les phrases qui suivent, on se réfère (avec **cela**) à une idée présentée dans un des témoignages à gauche.
Exercice oral/Travail individuel
Trouvez dans les témoignages l'idée que représente le mot **cela** dans chacune des huit phrases ci-dessous. Ensuite, composez oralement des déclarations où vous ajouterez à cette idée **ce qui/ce que** + la phrase qui convient (*1, 2, 3* etc.)

Exemple:
> *Pierrette n'a aucun programme précis pour la journée,* **ce qui** *l'empêche de paniquer.*

1 Cela empêche Pierrette de paniquer.
2 Cela fait du dimanche son jour favori.
3 Elle trouve cela reposant.
4 Elle préfère cela aux bouchons sur l'autoroute.
5 Christophe considère cela comme une façon monotone de passer le dimanche.
6 En principe, cela empêche Christophe de sortir s'amuser.
7 Cela permet à Valérie de se faire un programme de télévision pour elle-même.
8 Cela lui permet de choisir un film si elle le veut.

📖 Pour finir, rédigez les phrases par écrit.

4. Se renseigner sur ce qui est permis. Pourvu + subjonctif

► Si on veut **se renseigner**, par exemple dans un camping, **sur ce qui est permis**, on peut employer une de ces formules:

On a le droit d' ⎰ installer sa tente
Il est permis d' ⎱ sur un
On peut   emplacement
               libre? ◄

a Un nouvel arrivant, qui n'a pas vu, à l'entrée d'un camping, le panneau presenté à droite, veut **se renseigner** auprès du gardien **sur ce qui est permis**.

Exercice oral   Sous la direction du professeur, inventez, par rapport à chaque prescription du panneau, la question que pourrait poser le nouvel arrivant. Choisissez chaque fois, parmi les expressions ci-dessus, une formule qui convient.

► Le nouvel arrivant peut installer sa tente sur un emplacement libre pourvu qu'il remette d'abord une pièce d'identité au gardien. La structure **pourvu que + subjonctif** indique qu'une action (*installer sa tente*) peut se faire seulement si une autre action (*remettre une pièce d'identité*) est accomplie aussi. ◄

b Le gardien répond aux questions du campeur sur le règlement du camping.

Exercice oral → Travail individuel   Le professeur vous demandera maintenant de prendre tour à tour le rôle du campeur et du gardien. Le campeur demandera chaque fois si une action est permise (*a*). Le gardien expliquera à quelle condition elle est permise (avec **pourvu que + subjonctif**):

Exemple:
— ***On a le droit d'***installer sa tente sur un emplacement libre?
— *Oui,* ***pourvu que*** *vous* ***me remettez*** *d'abord une pièce d'identité.*

Pour finir, composez par écrit, à la troisième personne (*le campeur, les vacanciers, on,* etc.), dix phrases avec **pourvu que + subjonctif**, basées sur les prescriptions du panneau.

Exemple:
Le nouvel arrivant peut installer sa tente ***pourvu qu'il remette*** *d'abord au gardien une pièce d'identité.*

CAMPEURS
AFIN DE RENDRE VOTRE SÉJOUR AGRÉABLE NOUS VOUS DEMANDONS DE BIEN VOULOIR OBSERVER CES PRESCRIPTIONS:

★Avant d'installer votre tente sur un emplacement libre remettez au gardien une pièce d'identité.

★Vous pouvez sortir du camping sans formalité, mais montrez votre laissez-passer en rentrant la nuit.

★Si vous amenez un chien tenez-le en laisse à tout moment.

★Si vous amenez une caravane, ne vous mettez pas n'importe où. Utilisez les plateformes aménagées.

★N'utilisez pas votre poste de radio après vingt heures.

★Sur le terrain de jeux, les enfants de moins de 10 ans doivent être accompagnés d'un adulte.

★N'allumez vos feux de bois que dans les endroits signalés.

★Si vous étendez votre linge dehors, ramassez-le à midi.

★Lorsque vous faites votre vaisselle dans le bloc sanitaire, employez les bacs indiqués à cet effet

★Quand vous circulez en voiture sur le camping, roulez lentement . . . ne mettez pas en danger les enfants.

D'AVANCE MERCI ET BON SÉJOUR

Activités

1. Description de guide/description orale: un terrain de camping

a Si vous faites du camping en France, vous pouvez vous servir d'un guide pour chercher des renseignements sur les terrains qui se trouvent dans la région.
A l'Office de Tourisme du Havre, un touriste britannique rencontre par hasard une responsable du camping de la Forêt de Montgeon, le camping décrit dans l'extrait de guide, ci-contre, en haut.

Travail individuel/à deux → Mise en commun   Trouvez d'abord sur la petite carte, ci-contre, l'endroit où se trouve ce camping. Ensuite, avec ou sans partenaire, écoutez deux fois l'enregistrement. Regardez en même temps l'extrait de guide et essayez de déchiffrer la signification des symboles. N'écrivez rien pour le moment. Ensuite, avec les autres étudiants, communiquez au professeur ce que vous aurez retenu de la description faite par la responsable; aidez-vous de l'extrait de guide.

LE HAVRE (Seine Maritime)

**** Forêt de Montgeon (terrain tranquille)
NE: 3, 5 km par D 32
2, 7 hectares, 800 campeurs (72 , 150 ▲)
plat, sablonneux

glace

Pâques – septembre

LA ROQUE-GAGEAC (Dordogne)

* * * La Butte (terrain agréable)
E: 4, 5 km par N 703
3 hectares, 130 emplacements (▢ / ▲)
plat, en terrasses, herbeux

glace

15 mai – 15 septembre

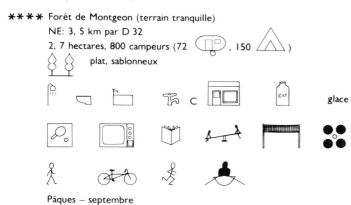

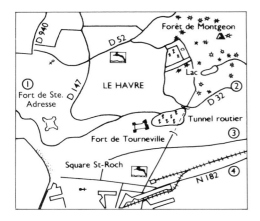

b Avant de réécouter
l'enregistrement, vérifiez s'il le faut le
sens de ces mots: *superficie* (f),
aménager, ombre (f), *sablonneux,
douche* (f), *lessive* (f), *vaisselle* (f),
rafraîchir, aire (f), *toboggan* (m),
tourniquet (m), *pétanque* (f), *marche* (f),
course (f), *canotage* (m), *barque* (f).
Travail individuel Écoutez encore
une fois ce que dit la responsable du
camping avec la description de guide
sous les yeux. Arrêtez la bande quand
vous le voudrez et notez par écrit
quelques mots qui correspondent à
chaque symbole.

Exemple:

> ****: *c'est un terrain confortable et bien
> aménagé*

c Le directeur du camping de la Butte,
à la Roque-Gageac (Dordogne), parle à
un visiteur de son camping.
Travail individuel/Exercice oral
Regardez attentivement l'extrait de
guide (*ci-dessus*)concernant ce camping.
Notez par écrit toutes les informations
que vous arrivez à déchiffrer. Ensuite,
le professeur vous demandera de
décrire oralement le camping en classe
ou individuellement, au
magnétophone ou au laboratoire.
Essayez de parler sans trop vous
arrêter.

2.   Article de magazine: pour et contre le camping

Un magazine pour jeunes publie un
article au sujet du camping: il en
présente les attraits, tout en attirant
l'attention de ses lecteurs et lectrices
sur les problèmes qui peuvent
survenir.

   Travail individuel Composez
cet article sur le pour et le contre du
camping. Référez-vous à l'article *La
France qui campe* et à vos notes sur les
avantages et les **inconvénients** du
camping (*Points de repère, Découverte,*
1–3).

Début possible:

«Le camping: c'est la liberté . . . »?

Les terrains de camping offrent-ils au vacancier la possibilité de
retrouver le goût d'une vie simple, la beauté de la nature? Ou sont-ils
plutôt de joyeux camps de concentration?

RÉSUMÉ GRAMMATICAL

In this section you will find listed, under appropriate headings, the grammatical points presented in the preceding *dossiers*, in *Exercices*, in *Activités*, in boxes (*A compléter, à noter et à mémoriser*) and in the *Programme de révision*. In the numerous cases where an exercise or activity provides fuller explanation, examples or practice, a reference to a main text, an *Exercice/Activité* and a page is given (21, ex 2, p. 90); references to the *Programme de révision* (pp. 188–203) are also given (rév, 19).

The left hand column (in bold text), in the following pages, presents grammatical **principles**, with abbreviated **explanations**. The right hand column gives an **example**, or examples, of each principle.

Although a few points, appropriate to a later stage in the course, are deferred, this section is relatively complete; so you will find it useful for revision and consolidation, as well as for reference. Keep your own notebook of grammatical points, particularly of corrections to your written work; your own examples, drawn from and recorded in a context, are more memorable than any provided for you.

ARTICLES AND DETERMINANTS

I. Definite article: *le, la, l', les*

Contracted after *à→ au, aux*
                 de→ du, des.

For unique thing(s), person(s) (*the*).
Thing(s), person(s) already mentioned.
A noun used in a general sense (*camping*).
A category of thing(s), person(s) (*the forest protects birds*).

A part of the body: possession.
An expression of manner, description (*with a calm gaze*).
After a reflexive verb.
An action, movement of the body.
An action done to part of somebody else's body (*she shakes his hand*).

Before an adjective + a named person.
A title or rank.

A language.
Omitted after *parler* + a language (without adverb).
A country.
Omitted with *de* + a country, if equivalent to an adjective.

Time of day (*in the evening*).
A day of the week: repetition (*on Friday mornings*).

A measurement, price (*3 francs a trip, 9 francs a kilo*).
Omitted in an enumeration, a list.

Une lettre adressée aux gagnantes.
L'ambition du père.

La côte méditerranéenne.
La tempête continuait.
J'aime le camping (8, act 1, p. 37).
La forêt protège les oiseaux (8, act 1, p. 37).

Il a les yeux bleus (6, ex 3, p. 31).
Le regard tranquille.
Elle s'est brûlé les mains.
Elle a ouvert les yeux (rév, 12).
Elle lui serre la main (rév, 12).

Le pauvre Thierry.
L'inspecteur Bouvier.

L'anglais est indispensable (rév, 5).
Elle parle anglais (cp. Elle parle bien l'anglais) (rév, 5).
La France est un pays d'individualistes (rév, 5).
L'équipe de France (= française).

Le soir elle rentre chez elle (15, act 1, p. 68).
Le vendredi matin (15, act 1, p. 68).

Trois francs le trajet, neuf francs le kilo (rév, 23).
Chaînes à tendre, dynamos à régler, pneus à gonfler.

2. Indefinite, article: *un, une, des*

For thing(s), person(s) not unique (*a tablecloth, burnt clothes*).
Reduced after a negative→ *de*.
Before a noun used like an adjective: *de*.

Included after *ne . . . que*.
Reduced after an expression of degree, quantity→ *de*.
Included after *encore* (*more things*).
Included in *bien des, la plupart des* (*many, most young people*).

Reduced before an adjective + plural noun→ *de*, in written language.
D'autres (*other*).
Not reduced when used before an adjective often associated with a given noun.

Generally omitted for a profession, after *il est, elle est*, etc.
Included for a profession after *c'est*.
Included before a profession + an adjective.

Omitted for a noun in apposition (*Monsieur C., the site manager, a camping enthusiast*).
Frequently omitted after *entre*.
Frequently omitted after *avec, sans*.
Frequently omitted after *ni . . . ni . . .*
Omitted after *travailler*, etc. *comme* (*as a teacher*).

Des omitted after a part participle + *de*.
Des omitted after an expression/construction ending with *de* (*she needs qualifications*).
Omitted in an enumeration, a list.

Une nappe, des vêtements brûlés.

Il n'y a pas eu de victimes (15, ex 1, p. 63).
Des récoltes de champignons (8, act 1, p. 37).

Ils n'ont que des opinions banales (31, act 2, p. 126).
Peu de chances de trouver du travail (rév, 22).
Encore des choses à faire (rév, 22).
Bien des jeunes, la plupart des jeunes (rév, 22).

De gros dessins, d'excellents rapports (rév, 2).

D'autres activités.
Des jeunes gens, des grandes personnes.

Elle est journaliste.
C'est une chanteuse.
C'est un savant renommé.

Monsieur C., responsable du terrain, partisan du camping.

Un échange entre familles.
Un studio avec/sans télévision.
On n'a besoin d'être ni champion ni vedette.
Elle travaille comme institutrice.

Une ville saturée de touristes.
Elle a besoin de diplômes.

L'équipement essentiel: raquette, balles, vêtements de tennis.

3. Partitive article: *du, de la, de l'*

For an 'uncountable' thing, substance (*nail varnish, eye shadow, powder*).

Du vernis à ongles, de l'ombre à paupières, de la poudre.

An activity, after *faire*.

Je fais du cyclisme (rév, 25).

Reduced after a negative→ *de*.
Reduced after an expression of degree, quantity→ *de*.
Included after *encore*.

Elle ne fait jamais de sport (15, ex 1, p. 63).
Trop d'indépendance, 300 hectares de forêt (rév, 22).
Encore du gâteau (rév, 22).

Frequently omitted after *avec, sans*.
Omitted after an expression/construction ending with *de*.
Omitted in an enumeration, a list.

Avec douceur, sans agressivité.
Elle manque de compréhension.
Ils font preuve de qualités remarquables: courage, optimisme, persistance.

4. Demonstratives: ce (cet), cette, ces (+ -ci/là) (rév, 10)

Cet before a masculine singular noun starting with a vowel sound.

Cet objet-ci sert à étudier les astres.

For particular thing(s), person(s) (*this, these; that, those*).

Cette ferme des Hautes-Pyrénées, ces individus.

Particular thing(s), person(s) distinguished from other(s) of the same type (*this/that car, these/those clothes*).

Cette voiture-ci, cette voiture-là. Ces vêtements-ci, ces vêtements-là.

5. Possessives:

mon	ma	mes
ton (*père*)	ta (*mère*)	tes (*parents*)
son	sa	ses

notre		nos
votre (*père, mère*)		vos (*parents*)
leur		leurs

Agreement with the noun following, not the possessor (*her weekend, his personality*).

Le weekend de Sophie→ son weekend.
La personnalité de Paul→ sa personnalité.

Mon, ton, son before a vowel sound: masculine or feminine singular noun.

Mon ͜ ambition, son ͜ hésitation.

Possessives emphasised with *à* + an emphatic pronoun (*her situation, not his*).

Sa situation à elle.

Required with each noun.

Sa personnalité, ses parents et son passé.

6. Indefinites

Quelque(s) some.

Quelque temps, à quelque distance.
Quelques milliers de vacanciers (rév, 27).

Plusieurs several.
Chaque each, every.
Tout(e), tous (toutes) all + article + noun.
Un(e) tel(le), de tel(le)s such.
Tout(e) any + noun.

Plusieurs campings sont déjà complets (rév, 27).
Chaque fois que nous partons (rév, 27).
Tout le voyage, toute la nuit. Dans tous les sens (rév, 27).
Une telle panique, de tels orages.
Tout repos, toute tranquillité est impossible (rév, 27).

NOUNS

7. Derivation of nouns

From an adjective: *blanc→ blancheur*, etc.
From a verb: *réparer→ réparation*, etc.

See boxes: **A compléter, à noter et à mémoriser**.

8. Formation of plurals

-s, -x, -z, no change.	bras, voix, etc.
-eu, -au → -eux, -aux.	feux, bureaux, etc.
-al → -aux.	hôpitaux, idéaux, etc.

Forms to note:

bal	*bijou*	*monsieur*	bals	bijoux	messieurs
pneu	*caillou*	*madame*	pneus	cailloux	mesdames
œil	*chou*	*mademoiselle.*	yeux	choux	mesdemoiselles.
travail	*genou*		travaux	genoux	
	hibou			hiboux	

A compound noun (noun (+ *de*) + noun):
timbre-poste, centre-ville, etc. → timbres-poste, centres-ville, etc.
chemin de fer, pomme de terre, etc. → chemins de fer, pommes de terre, etc.
A compound noun (verb + noun):
un essuie-glace, un ouvre-boîte(s), etc. → des essuie-glace, des ouvre-boîte(s), etc.
A compound noun (preposition + noun):
avant-centre, sous-vêtement, etc. → avant-centres, sous-vêtements, etc.
but *un(e) après-midi.* → des après-midi.

The name of persons or things, no change.	les Lahore, des Canadair.
(**N.B.** A collective noun is grammatically singular.	La police est intervenue.
La plupart de(s) + a plural noun, is plural.	La plupart des étudiants travaillent.
For *un groupe, une bande, une foule,* etc., *de* + a plural noun, the verb may be singular or plural.	Une bande de voyous entre/entrent.)

9. Masculine and feminine forms

Masculine and feminine forms identical.	un(e) élève, enfant, camarade, etc.
Masculine form only.	un professeur, médecin, menuisier, etc. (29, act 1, p. 121).
Feminine form only.	une dactylo, ménagère, sage-femme, etc. (29, act 1, p. 121).

Forms to note:

- —— → -e	commerçant(e), avocat(e), etc.
-er → -ère	prisonnier(-ière), sorcier (-ière), etc.
-eur → -rice	directeur(-trice), instituteur (-trice), etc.
-eur → -euse	travailleur(-euse), plongeur(-euse), etc.
-ien → -ienne	gardien(-ienne), informaticien(-ienne), etc.
-x → -se, -f → -ve	époux(-ouse), veuf(-euve), etc.

10. Gender

Endings generally masculine:

-ier	un quartier, sentier, etc.
-eau	un bateau, gâteau, etc.
	mais une peau, l'eau fraîche.
-ment	un appartement, bâtiment, etc.
-age.	un barrage, passage, etc.
	mais une cage, page, plage, image.

Endings generally feminine:

-ade	une promenade, escalade, etc.
-ette	une cigarette, camionnette, etc.
-ion	une inondation, proportion, etc.
	mais un camion, avion, million.
-ance, -ence	une distance, présence, etc.
	mais un silence.
-té, -tié	une amitié, bonté, etc.
	mais un été, côté.
-ière	une barrière, rivière, etc.
-ille	une famille, nouille, etc.

ADJECTIVES

11. Formation of feminines

Common formations:

-er → -ère	dernière, fière, etc.
-eux → -euse	curieuse, amoureuse, etc.
-el → -elle	personnelle, actuelle, etc.
-f → -ve	inoffensive, sauve, etc.
-et → -ète	secrète, complète, etc.
-en → -enne.	quotidienne, ancienne, etc. (rév, 1)

Irregular forms to note:

bas	*faux*	*long*	basse	fausse	longue
beau	*favori*	*mou*	belle	favorite	molle
bon	*fou*	*nouveau*	bonne	folle	nouvelle
bref	*frais*	*public*	brève	fraîche	publique
blanc	*gentil*	*sec*	blanche	gentille	sèche
chic	*gras*	*sot*	chic	grasse	sotte
doux	*gros*	*trompeur*	douce	grosse	trompeuse
épais	*jumeau*	*vieux*	épaisse	jumelle	vieille (rév, 1)

12. Formation of plurals

Common formations:

-al → -aux	sociaux, centraux, etc.
-eau → -eaux	beaux, nouveaux, etc.
-s, -x, -z → _ _____.	gris, heureux, etc. (rév, 1).

13. Masculine singular

Special form, used before a vowel sound:
bel, nouvel, vieil, fol.

Un bel homme, son nouvel amour, leur vieil ami, ce fol espoir (rév, 1)

14. Invariable forms

A noun used as an adjective. — Des yeux noisette, des chaussures marron (6 ex 3, p. 31).
A compound adjective of colour. — Des yeux bleu clair/bleu pâle/bleu foncé (6 ex 3, p. 31).
Demi-, nu- **preceding the noun.** — Une demi-heure, nu-tête.
(N.B. *Demi, nu* **are variable after the noun.** — Trois heures et demie, les pieds nus.)

15. Position of adjectives

Adjectives are normally placed after the noun. — Des gens célèbres, une langue étrangère (rév, 2).

Some common adjectives are normally placed before the noun:
autre, beau(belle), bon(ne), excellent(e), gentil(le), grand(e), gros(se), jeune, joli(e), mauvais(e), méchant(e), meilleur(e), petit(e), vieux(vieille), vilain(e).

Une meilleure formation, cette vieille école, d'autres avantages, d'excellents résultats, une grande ville industrielle (rév, 2).

Other adjectives can be used before the noun to reduce emphasis.

Ce célèbre monument, une paisible existence.

The meaning of some adjectives is affected by their position:

ancien(ne) = old (former ≠ ancient) — Une ancienne élève, un monument ancien.
certain(e) = certain (some ≠ definite) — Un certain intérêt, des progrès certains.
cher(chère) = dear (beloved ≠ expensive) — Mes chères sœurs, des vacances chères.
dernier(-ière) = last (latest ≠ past) — Les dernières nouvelles, l'an(née) dernier(-ière).
même (same ≠ actual) — Le même camion, ses paroles mêmes.

pauvre = *poor* (*unfortunate* ≠ *impoverished*)   Mon pauvre ami, les classes pauvres.
prochain(e) = *next* (**after noun** = *coming*)   La prochaine fois, le mois prochain.
propre (*own* ≠ *clean*).   Sa propre moto, les mains propres.
sale = *dirty* (**before noun** = *mean*).   Un sale tour, un enfant sale (rév, 2).

An adjective may be used without a noun.   Quel candidat? Le suivant.
    La camionnette rouge, ou la verte?

16. Comparative and superlative (see also 59 Comparison p. 168)

The comparative expressing superiority: *plus* + **adjective.**   Les Anglais sont plus taciturnes que les Italiens (6, ex 2, p. 30).

The comparative expressing inferiority: *moins/pas*   Ils sont moins bavards que les Italiens.
(aus)si + **adjective.**   Les Italiens ne sont pas (aus)si calmes (6, ex 2, p. 30).
The comparative expressing equality: *aussi* + **adjective** (*as*   Les Portugais sont aussi passionnés que les Espagnols (6, ex
passionate as).   2, p. 30).

The superlative of an adjective used before the noun: C'est le plus/le moins joli terrain (35, ex 2, p. 143).
le/la/les plus + **adjective** + **noun.**

The superlative of an adjective used after the noun: Les détails les plus intimes (35, ex 2, p. 143).
noun + *le/la/les plus* + **adjective.**
The superlative with *de* + **a noun** (*the liveliest resort in the*   C'est la station la plus animée du Roussillon (35, ex 2,
Roussillon).   p. 143).

Better, best **with a noun:** *meilleur, le meilleur,* **etc.** (*better*   Ce sont de meilleurs joueurs que leurs adversaires.
players, the best team).   La meilleure équipe de la région (rév, 26).
Better, best **with a verb or an adjective:** *mieux, le mieux* (*they*   Ils jouent mieux que leurs adversaires. Le club le mieux
play better, the best equipped).   équipé (rév, 26).
Le moindre, **etc., replacing** *le plus petit,* **etc., with an abstract**   Sans la moindre hésitation, dans les moindres détails (rév,
noun (*the least/the slightest hesitation*).   26).
Le pire, **etc., replacing** *le plus mauvais,* **etc., with an abstract**   Les pires conditions de travail (rév, 26).
noun (*the worst conditions*).

PRONOUNS

17. Subject pronouns: *je, tu, il, elle, nous, vous, ils, elles; on; ce*

Inverted in questions (see 65, Questions, asking p. 170).
Inverted after speech.   «Alors?» dit-elle/demanda-t-elle.
    «Non», a-t-elle répondu/s'est-elle écriée.
Inverted after *peut-être, sans doute* **used at the beginning of**   Peut-être/Sans doute la journaliste comprenait-elle.
a sentence.
(N.B. Conversationally *peut-être que, sans doute que* **are**   Peut-être/Sans doute qu'elle comprenait.)
used, without inversion.
Inverted after *aussi* (*so/consequently I needed*   Aussi avais-je besoin d'encouragement.
encouragement).
(N.B. *Aussi* = *also* **is not used at the beginning of a sentence**   J'avais aussi besoin d'encouragement.)
(*Also, I needed encouragement*).

On **with a general sense** (*one/people*).   On ne détruirait pas les plants.
On **with a passive sense** (*this distinction will be eliminated*).   On éliminera cette distinction (27, act 3, p. 111).
On **replacing** *nous.*   On s'est retrouvé à la fin du mois.
On, **with** *demander (à), dire (à), permettre (à),* **etc.,**   On leur demande/dit/permet de sortir pendant la journée.
= **English passive** (*they are asked/told/allowed*).

C'est, c'était, **etc., used with a noun.**   C'est un terrain merveilleux.
Il/Elle est, il/elle était, **etc., used with an adjective referring**   Il est merveilleux (ce terrain).
to particular thing(s), person(s).
Il est/était, **etc., with an adjective** + *de* + **infinitive** (*It is*   Il est difficile de trouver un endroit tranquille.
difficult to...).
Il est/était, **etc., with an adjective** + *que* + **verb** (*It is evident*   Il est évident que les campeurs sont méfiants.
that...).

C'est, c'était, etc., with an adjective, to summarise.

(N.B. *Ce* counts as masculine.
  (See also 2, Indefinite article p. 149)

On se repose, c'est agréable.

C'est beau, la vie (fam) = la vie est belle.)

18.   Object pronouns + y, en:

me	*le*	*lui*	*y*	*en*
te	*la*	*leur*		
se	*les*			
nous				
vous				

Le, la, l', les replacing direct object noun.

Nous l'encourageons (3, ex 1, p. 16; 12, ex 1, p. 53; 18, déc 2, p. 77).

Lui, leur replacing *à (au/aux)* + person(s) (*to him/her, to them*).

Elle leur parlait. Ils lui répondirent (3 ex 1, p. 16; 12, ex 1, p. 53; 18, déc 2, p. 77).

Y expressing location (*there*).
Y replacing *à (au, aux)* + thing(s)/infinitive (*at, in it/them,* etc.)

Il y a caché un arsenal (18, ex 4, p. 80).
Il y est arrivé (*au rendez-vous, à le faire*) (18, ex 4, p. 80).

En replacing *de (du, des)* + noun/infinitive (*some, any, of it/them,* etc.).

Elle en prenait. Il n'en fait pas. Ils en ont parlé (*de recommencer*) (18, ex 4, p. 80).

En with an expression of quantity, number (*of it/them,* etc.).

Il y en avait beaucoup (18, ex 4, p. 80).
Ils en ont trouvé quatre (18, ex 4, p. 80).

Pronouns in the normal position: before the verb.
In compound tenses: before the auxiliary.
(N.B. Agreement of the past participle with *la, les, nous,* etc.
Before an infinitive.

Le feu les attaquait (3, ex 1, p. 16).
Il leur a donné ce conseil (12, ex 1, p. 53).
Il les a incités à brûler leurs matelas (12, ex 1, p. 53).)
Il est venu nous voir (12, ex, 1, p. 53).

Two third person pronouns: order (direct→ indirect→ *y/en*).

Elle le lui a expliqué (26, ex 3, p. 107).

First/second person pronoun + third person pronoun: order (1st/2nd→ 3rd person).

Je te l'expliquerai (29, ex 1, p. 118).

After an imperative: with hyphen.
After an imperative, two pronouns: order (direct→ indirect→ *y/en*).
Before the negative imperative: normal order.
After an imperative *me, te→ moi, toi.*
(N.B. The second person singular imperative of an *-er* verb, and of *aller,* adds *-s* before *y, en.*

Ouvre-les (24, ex 3, p. 101).
Donne-le-lui.
Apportez-nous-en.
Ne vous en approchez pas (24, ex 3, p. 101).
Ecoutez-moi (24, ex 3, p. 101).
Manges-en. Vas-y.)

With *voici, voilà.*
Le with *croire, vouloir,* etc. (*I think so. If you want to.*)
Omitted with *trouver,* etc., + adjective + *de* + infinitive
(*I find it pointless to wait*).

Nous voilà en vacances. Les voici.
Je le crois. Si vous le voulez.
Je trouve inutile d'attendre.

19.   Emphatic pronouns: *moi, toi, lui, elle, nous, vous, eux, elles; soi*

Used alone.
After a preposition.
To emphasise the subject.
For a double subject.
Before a relative pronoun.

Qui était dans la cuisine? Moi.
Ses vêtements ont pris feu sur elle (12, ex 3, p. 54).
Un homme, lui, se tait (12, ex 3, p. 54).
Lui et Michèle passaient l'encaustique (12, ex 3, p. 54).
C'est lui qui a pris les choses en main (12, ex 3, p. 54).

With *aussi.*
With *-même* for emphasis.
In a comparison.
Expressing possession.

Ils sont partis eux aussi (12, ex 3, p. 54).
Le curé lui-même en était incapable.
Il était aussi impuissant qu'eux.
Les petits chemins sont à nous.

After a reflexive verb + *à.*
After a verb of movement or *penser* + *à.*

Elle s'est adressée à lui.
Elle vient à moi, nous pensons à elles.

Soi (-même) replacing *on* (*oneself*).
Soi (-même) replacing *chacun.*

On ne pense qu'à soi.
Chacun doit compter sur soi-même.

20. Relative pronouns

qui, que, dont,
lequel, laquelle, lesquels, lesquelles,
(auquel, à laquelle, auxquels, auxquelles,
duquel, de laquelle, desquels, desquelles)
ce qui, ce que, ce dont,
quoi.

Qui subject of the following verb.

Un astrologue c'est quelqu'un qui étudie l'influence des astres (12, ex 4, p. 55).

Que/qu' object of the following verb.

Une baguette c'est quelque chose qu'emploie un sourcier (12, ex 4, p. 55).

Dont when the following verb is constructed with *de* (*se souvenir de, etc.*).

Elle raconte un incident dont elle se souvient (24, ex 2, p. 100).

Dont expressing possession (*Sophie, whose weekends are nothing . . .*).

Sophie, dont les weekends ne sont rien, reste seule (15, ex 5, p. 66).

(N.B. Inversion is preferable after *que, dont* **(when the subject is a noun.**

Des plantes qu'utilise (dont se sert) un guérisseur (12, ex 4, p. 55).)

Qui after a preposition: for person(s).
C'est . . . qui/que/dont for emphasis.
(N.B. Agreement of the verb with the antecedent (*you who have . . .*))

Le reporter à qui les instituteurs ont parlé (21, ex 3, p. 91).
C'est le commissaire qui a dirigé l'enquête.
C'est vous qui avez dépisté les gangsters?)

Lequel, etc., after a preposition: for thing(s).

Une aventure au cours de laquelle ils ont surmonté la fatigue et le froid (21, ex 3, p. 91).

Lequel, etc., contracted to *auquel,* etc., when used with a verb constructed with *à.*
Duquel, not *dont,* after a compound preposition with *de* (*près de, à côté de, au moyen de, etc.*).
Dans lequel, etc., replaced by *où.*
Où (= *in which*) with a temporal sense (*the season when*).

Les journaux auxquels il a envoyé son article (21, ex 3, p. 91).
Le microphone au moyen duquel il a enregistré le témoignage (21, ex 3, p. 91).
Le refuge où ils ont passé la nuit (21, ex 3, p. 91).
La saison où il fait le plus froid.

Ce qui, ce que referring to something general (*he explains what they do*).

Il explique ce qu'ils font (35, ex 3, p. 144).

Ce qui/ce que to sum up (*he works, which is generally fun*).
Ce qui, ce que . . . c'est, c'était, etc., for emphasis (*what disgusted her/what she hated*).

Il travaille, ce qui est en général amusant (35, ex 3, p. 144).
Ce qui la révoltait/Ce qu'elle exécrait, c'était l'exploitation.

Tout ce qui, tout ce que (*everything which*).

Tout ce qui rend la vie agréable, tout ce que le Français trouve agréable.

21. Interrogative pronouns:

(See also 65, *Questions, asking,* **p. 170).**

qui (est-ce qui), qui (est-ce que)
qu'est-ce qui, (qu'est-ce)que
quoi
lequel, laquelle, lesquels, lesquelles
ce qui, ce que, ce dont.

Qui or *qui est-ce qui* for person(s) (subject).
Qui est-ce que, or *qui* + inversion for person(s) (object).

Qui (est-ce qui) a mis le feu? (9, ex 3, p. 42).
Qui est-ce qu'on a mobilisé?
Qui a-t-on mobilisé? (9, ex 3, p. 42).

Qui after a preposition.

De qui s'agit-il? Par qui le feu a-t-il été allumé? (9, ex 3, p. 42).

Qu'est-ce qui for thing(s) (subject).
Qu'est-ce que, or *que* + inversion for thing(s) (object).

Qu'est-ce qui vous a permis de tenir? (21, ex 1, p. 90).
Qu'est-ce que vous avez fait?
Qu'avez-vous fait? (21, ex 1, p. 90).

Quoi after a preposition.

Par quoi est-ce que les secours ont été ralentis? (9, ex 3, p. 42).

Lequel, etc., to ask which one(s) of several person(s), thing(s).
cp. **Quel,** etc., + noun.

Laquelle (de ces lycéennes) habite la banlieue? (33, act 3, p. 135).
Quelle lycéenne?

Ce qui, ce que, in indirect questions (*he asked them what had enabled them to hold out*).

Il leur a demandé ce qui leur avait permis de tenir (21, ex 2, p. 90).

Ce dont when the verb following is constructed with *de* (*what it is about*).

Je vous dirai ce dont il s'agit.

Que + infinitive (*what is to be done?*).

Que faire?

22.   Possessive pronouns:

le mien	*la mienne*	*les miens*	*les miennes*
le tien	*la tienne*	*les tiens*	*les tiennes*
le sien	*la sienne*	*les siens*	*les siennes*
le nôtre	*la nôtre*	*les nôtres*	
le vôtre	*la vôtre*	*les vôtres*	
le leur	*la leur*	*les leurs*	

To avoid repetition of a possessive + noun (*your character and hers*).

Comment voyez-vous votre caractère et le sien? (15, exs 3–4, pp. 65–6).

Le mien, etc., combining with *à*, *de* → *au mien*, *du mien* (*it is not like mine*).

Son caractère ne ressemble pas au mien.

Les miens, etc., similarly → *aux miens*, *des miens*, etc. (*different from hers*).

Mes habitudes sont différentes des siennes.

(N.B. After *être*, a possessive can be replaced by *à* + emphatic pronoun (*ours*).

Cette 2cv est à nous.)

23.   Demonstrative pronouns: *celui, celle, ceux, celles; ceci, cela*

With *-ci* or *-là*: to avoid repetition of a demonstrative *ce, cette*, etc., + noun + *-ci/-là* (*this one, that one, these, those*).

Cette maison-ci est à nous, celle-là est à Maryse.
Ces garçons-ci habitent à Paris, ceux-là en province (rév, 10).

With *de* possessive: to avoid repetition of a noun + *de* (*the Englishwoman's tactic and the Englishman's.*)

La tactique de l'Anglaise est de se maquiller beaucoup. Celle de l'Anglais est de ne rien faire (6, ex 4, p. 32).

With *qui, que, dont*: to avoid repetition of a noun + relative (*the one who*).

Laquelle de ces filles a dit cela? Celle qui a des notes lamentables (33, act 3, p. 135).

The former: celui-là, etc.
The latter: celui-ci, etc.

Mesrine et son complice sont blessés, celui-ci (son complice) à la jambe, celui-là (Mesrine) à la hanche.

Ceci, cela (*ça* in speech) when no particular noun is referred to (*this, that, it*).

Vous avez vu ceci?
Cela (Ça) n'a aucune importance.
Cela (Ça) m'ennuie de te le dire.

24.   Indefinite pronouns

Quelque chose (+ *de* + adjective) (*something*).

La solitude est quelque chose de noble (15, ex 1, p. 63).

Quelqu'un (+ *de* + adjective) (*someone*).

Quelqu'un (de sympathique) fera le premier pas (15, ex 1, p. 63).

Quelques-uns, quelques-unes (+ *de* + noun) (*some of*).

Quelques-unes de nos voisines (rév, 27).

Tout (*everything*).

Elle compresse tout avec une machine.

Rien (+ *de* + adjective) (*nothing*).

Ce sentiment n'a rien de vil (15, ex 1, p. 63).

Tous, toutes (*all*).

Je les comprenais toutes, tou*s* (On prononce le *s* final).

Tous/toutes les deux, trois, etc. (*both, all three*, etc.).

Nous sommes tous les deux journalistes (rév, 27).

Chacun(e) (+ *de/d'entre* + noun/pronoun) (*each of*).

Chacune (des ouvrières/d'entre elles) reste rivée à sa place (rév, 27).

Plusieurs (+ *de/d'entre* + noun/pronoun) (*several of*).

Plusieurs d'entre eux sont malades (rév, 27).

Autre chose (*something else*).

Autre chose que la radio.

Pas grand-chose (+ *à* + infinitive) (*not much*).

Elle n'a pas grand-chose à dire.

L'un(e) (+ *de/d'entre* + noun/pronoun) (*one of*).

L'un de ses complices, l'un d'entre eux.
L'une d'entre elles y a participé.

L'un(e) ... *l'autre* (*one ... the other*).

L'un était lycéen, l'autre étudiant.

L'un(e) l'autre, les un(e)s les autres (*each other*).

Ils se sont encouragés l'un l'autre/les uns les autres.

L'un(e) + preposition + *l'autre*.

L'un après l'autre ils sont partis.

Les un(e)s + preposition + *les autres*.

Ils vivent les uns sur les autres.

N'importe qui (*anyone*).

Elle écrit des articles sur n'importe qui

N'importe quoi (*anything*).

et sur n'importe quoi (rév, 16).

N'importe où (*anywhere*).

Elle les rédige n'importe où,

N'importe comment (anyhow).
N'importe quand (anytime).

n'importe comment
et n'importe quand (rév, 16).

Le seul, etc. (+ à + infinitive) (the only one to).
Le premier, dernier, etc. (+ à + infinitive) (the first/last to).

Tu n'es pas la seule à avoir cette vocation (rév, 27).
Nous avons été les premiers/derniers à couvrir cet
événement (rév, 27).

Adjectives used as pronouns: *l'important, l'essentiel, etc.*
(*the important thing, the most disagreeable thing***).**

L'important c'est d'avoir de la volonté. Le plus pénible c'était
la mise en boîtes.

PREPOSITIONS

25. A

Location, destination.

A l'hotel, au premier paragraphe, au volant de sa BMW, à la
main, à la campagne, au soleil, à l'ombre (cp. sous la
pluie/neige), à Strasbourg (*ville*), aux Andelys, au Mans
(*ville précédée de le(s)*), au Japon (*pays masculin*), aux
Etats-Unis (*pays pluriel*), etc.

Time.

A l'avance, à l'heure, à temps pour le voir, le 3 juin au matin,
au 19e siècle, etc.

Means, manner.

A vélo, à pied, skis aux pieds, le sourire aux lèvres, etc.

Type.

Du gâteau à la confiture, un sandwich au fromage; une
chemise à rayures bleues, travail à deux, un réchaud à gaz,
etc.

Use.

Une corde à sauter, du papier à écrire, etc.

Appearance.

A l'air inoffensif, au regard triste, aux yeux froids, etc.

Belonging.

Les chemins sont à nous, c'est à eux de protester, etc.

(N.B. Repetition with each noun.

Elle s'est adressée à la police, à la mairie, au bureau de
tourisme et aux pompiers.)

26. Chez

Residence.

Chez Sophie il y a mille objets inutiles, etc.

Place of business.

Chez le pharmacien, travailler chez IBM, etc.

In the case of, among.

C'est une manie chez lui, aucun respect chez les jeunes, etc.

27. Contre

Opposition.

La France contre l'Ecosse, fâché contre moi, etc.

Contrary to.

Contre toute attente, etc.

Protection.

Pour s'abriter contre l'orage, etc.

28. Dans

Location, destination.

Dans le Massif Central, dans la montagne, dans le Cantal
(*département*), etc.

Out of.

Prends-le dans l'enveloppe, on boit dans une tasse ou dans
un verre, etc.

Future time.

Nous partons dans deux jours, etc.

Approximation (*or thereabouts***).**

Dans les 20 ans, etc.

29. De

Out of, from.

Sortir du labyrinthe; une lettre d'un ami, revenir d'Espagne
(*pays féminin*) ou du Maroc (*pays masculin*), le train (en
provenance) de Paris, du Havre, des Eyzies (*ville précédée
de le(s)*), etc.

Composition.	Une robe de coton, de laine, etc.
Contents.	Une boîte de choucroute, etc.
Time.	Deux heures du matin, de l'après-midi, etc.
Direction, location.	D'un côté, de l'autre côté, du côté de Lyon, etc.
Measurement, age.	Vingt mètres de long(ueur), de large(ur), une fille de 6 ans, etc.
Means, manner.	Il nous parle de cette façon, il nous voit d'un œil différent, etc.
Cause.	A moitié morte de fatigue, ivre de joie, etc.
(N.B. Repetition with each noun.	On dépend de sa famille, de ses professeurs et de ses amis, etc.)

30. En

Location, destination.	En ville, en banlieue, en province, je vais en France, elle voyage en Belgique (*pays féminin*), en Provence, en Vendée (*province*), etc.
Time taken.	En quelques minutes, la forêt entière brûle, etc.
Purpose.	Partir en weekend, en vacances, etc.
Means.	En voiture, en car (*transports*), etc.
Situation.	En flammes, en panne, en danger, etc.
Composition.	Des piquets en acier, des assiettes en plastique, etc.

31. Par

Agent.	Maîtrisé par les pompiers, elle l'a appris par un ami, etc.
Means, manner.	Par le train, envoyer par avion, par la force, par hasard, etc.
Location.	Par terre, venez par ici, regardez par la fenêtre, etc.
Rate, measurement.	50 heures par semaine, 10 francs par personne, deux par deux, etc.
Weather.	Par beau/mauvais temps, par un temps magnifique, par un temps pareil, sortir par moins 10 degrés, etc.

32. Sur

Location.	Il neige sur les Alpes/sur le Bassin parisien, le monument est sur votre gauche, etc.
Manner, cause.	Sur un ton agressif, sur invitation, sur le plan psychologique, etc.
Subject.	Une émission sur la violence, etc.
Proportion.	Deux étudiants sur trois, etc.
Dimensions.	Neuf mètres sur dix, etc.
Off.	Elle le prend sur la table, etc.

33. Vers

Direction.	Ils se sont précipités vers la maison, etc.
Approximate time.	L'incendie a éclaté vers 9 heures, etc.

VERBS: *SIMPLE TENSES*

34.   Present tense: *formation*

Singular endings (2, ex 2, p. 10):

-er verbs: -e -es -e,	je parle, tu parles, il/elle parle.
other verbs: -s -s -t	je dis, tu dis, il/elle dit.
-ts -ts -t	je mets, tu mets, il/elle met.
-ds -ds -d.	je prends, tu prends, il/elle prend.
(N.B. *vouloir/pouvoir: -x, -x, -t*	je veux/peux, tu veux/peux, il/elle veut/peut.)

Plural endings (3, ex 2, p. 16; 6, ex 1, p. 29):
   -er, -re verbs: *-ons, -ez, -ent*

     Verbs like *partir, ouvrir* similarly
     Verbs like *finir*: *-issons, -issez, -issent.*

Irregular verbs:
   learn the *nous* form, and the *vous* form follows:
     -ons→ -ez
   except in *être, faire, dire*;
   learn *ils/elles* of all irregular verbs.
   (N.B. *être, avoir, faire, aller.*
Learn separately *être, avoir, aller* (see *Tableau de verbes*,
   pp. 184–7) in all persons.

Variations on *-er* verbs:

   -geons, -çons

   lever, mener, acheter, etc., grave accent if ending silent
   (*-e, -es, -ent*)
     no accent if ending sounded (*-ons, -ez*).

   appeler, jeter, etc., double letter before silent ending,
     single letter if ending sounded.

   espérer, répéter, protéger, etc. *é* before silent ending
   changes to *è*,
     é remains if ending sounded.

y→ i, before silent *e*,
-ayer verbs: *i, y* are both possible.

---

nous parlons, vous parlez, ils/elles parlent,
nous vendons, vous vendez, ils/elles vendent.
nous partons, vous partez, ils/elles partent.
nous finissons, vous finissez, ils/elles finissent.

nous craignons, vous craignez,
nous voulons, nous voulez, etc.
vous êtes, faites, dites.
ils/elles prennent, savent, lisent, etc.
ils/elles sont, ont, font, vont.)

nous partageons, nous lançons, etc.

je lève, tu mènes, il achète, elle rachète,
   ils amènent, elles relèvent.
nous levons, vous menez.

j'appelle, tu jettes, elle rappelle, ils rejettent,
nous appelons, vous jetez.

j'espère, tu répètes, il protège, elle cède, ils règnent, elles
   pénètrent,
nous espérons, vous protégez.

j'envoie, tu nettoies, elle essuie, etc.
j'essaie (j'essaye), etc.

Present tense: *uses*

For what is happening now (*it is raining*).

What is continuously true (*she looks plump*).
What has happened and will happen again (*she dozes, reads*).

Depuis, etc., what is still going on (*she has been alone for a long time*).
Instead of the past, for vividness in narrative.
Je viens de, etc., what has just happened (*they have just evacuated*).

Il pleut (= il est en train de pleuvoir) maintenant sur le
   littoral.
Sophie a l'air ronde et solide.
Le weekend, elle somnole, lit.

Elle est seule depuis longtemps (15, ex 2, p. 64).

Chez les habitants c'est la panique.
Ils viennent d'évacuer plusieurs terrains (rév, 3).

35.   Imperfect tense: *formation*

Stem: as *nous* present tense.
Irregular: *être* only.
Endings: *-ais, -ais, -ait,*
       -ions, -iez, -aient.
Notice: *g→ ge* before *a*.
      c→ ç before *a*.

---

nous recevons→ je recevais, etc.
j'étais, etc.
je savais, tu disais, il/elle venait,
nous voulions, vous alliez, ils/elles avaient, etc.
je mangeais (≠ nous mangions).
il/elle commençait (≠ vous commenciez).

Imperfect tense: *uses*

For a physical or mental state in the past (*they lived on a farm*).
What was happening when an event occurred (*I was looking through the window, when men emerged*).

What used to happen, repeated past events (*they kissed her sometimes but never listened*)
Circumstances already going on, or continuing (*the snow – already started – was getting thicker – and would continue*).

Ils habitaient une ferme. Elle était triste. Il avait le bras cassé.

Je regardais (= j'étais en train de regarder) par la fenêtre
   quand des hommes ont surgi d'un camion (12, ex 2, p. 53;
   18, ex 1, p. 77).

Ses parents l'embrassaient quelquefois, mais ne l'écoutaient
   jamais (15, act 2, p. 68).
La neige s'épaississait déjà.
Le petit bourg était lui-même touché par la neige (21, ex 4,
   p. 91).

Depuis, etc.: what had started and was still going on (*they had been on his track for 48 hours*).

Ils étaient sur ses traces depuis 48 heures (18, ex 2, p. 78).

Replacing the present tense in reported speech in the past (*he asked her if she wanted to go out*).

Il lui a demandé si elle voulait sortir (26, ex 2, p. 107).

Je venais de, etc., what had just happened (*he had just called a helicopter*).

Le préfet venait d'appeler un hélicoptère (rév, 3).

36. Future tense: *formation* (11, ex 3, p. 48)

Stem: infinitive (without *-e* when relevant).

dormir→je dormirai, etc.
prendre→je prendrai, etc.

Endings: *-ai, -as, -a,*
    -ons, -ez, -ont.
Notice: grave accent, double letter.
    y→i,
    acute accent remains.
Irregular: about 18 verbs (see *Tableau de verbes*, pp. 184–7).

je vivrai, tu riras, il/elle plaira,
nous boirons, vous entrerez, ils/elles diront, etc.
j'achèterai, il/elle appellera, etc.
tu emploieras, etc.
j'espérerai, il/elle répétera, etc.

Future tense: *uses*

For what will happen, prediction, etc. (*you will feel better*).

Demain tu te sentiras mieux (11, act 3, p. 48).

Replaced conversationally by the present tense (*I am going out with my friend*).

Cet après-midi je sors avec mon amie.

Replaced by *aller* + infinitive (*I am going to succeed*).
Replacing the imperative (*make sure you get up*).

Je vais réussir dans mes études.
Vous vous lèverez à cinq heures.

Required after *quand, lorsque, dès que, aussitôt que* when future time is referred to (*when she starts her career*).
(See also 60, *Condition*, p. 169).

Quand/Lorsqu'elle commencera sa carrière, l'important sera d'avoir de la volonté (29, ex 2, p. 119).

37. Conditional tense: *formation* (15, ex 6, p. 67)

Stem: as future tense.
Endings: as imperfect tense.

regretter-, perdr-, ir-, etc.
je dirais, tu servirais, il/elle aurait,
nous partirions, vous vendriez, ils/elles seraient.

Conditional tense: *uses*

For possible condition, in *si* sentences with the imperfect (*he would save her*) (see 60, *Condition*, p. 169).

Si quelqu'un allait à la rencontre de Sophie, il la sauverait 15, ex 6, p. 67).

Replacing the future tense in reported speech in the past (*he told her they would go to the cinema*)

Il lui a dit qu'ils iraient au cinéma (26, ex 2, p. 107).

What someone should/ought to do (*devoir*)
What someone could/could not do (*pouvoir*)

Il devrait prendre des précautions (rév, 21).
Elle ne pourrait pas éteindre le feu (rév, 21).

38. Passé simple: *formation* (18, ex 3, p. 79)

Endings, *-er* verbs:
  -ai, -as, -a,
  -âmes, -âtes, -èrent.
-ir, -re verbs and others:
  -is, -is, -it,
  -îmes, -îtes, -irent.

je jouai, tu jouas, il/elle joua,
nous jouâmes, vous jouâtes, ils/elles jouèrent.

je finis, tu répondis, il/elle dit,
nous fîmes, vous mîtes, ils/elles virent.

Some irregulars (see Tableau de verbes, pp. 184–7).
  -us, -us, -ut,
  -ûmes, -ûtes, -urent.
Venir, tenir:
  -ins, -ins, -int,
  -înmes, -întes, -inrent.

je voulus, tu sus, il/elle plut,
nous crûmes, vous pûtes, ils/elles lurent.

je vins, tu vins, il/elle vint,
nous tînmes, vous tîntes, ils/elles tinrent.

Notice: *g→ge, c→ç* before *a.*

il mangea, nous commençâmes.

Passé simple: *uses*

Reserved for formal literary narrative.
In letters, reports, etc., and even, frequently, in newspaper stories, the *passé composé* (see 40, below) is used instead.
For particular events in the past (*he escaped*).
A sequence of events in the past (*a car skidded . . . blocked the traffic . . . etc.*).

Mesrine s'évada de la Santé le 8 mai (18, ex 3, p. 79).
Une voiture dérapa et bloqua la circulation. Le chasse-neige poursuivit son chemin (21, ex 4, p. 91).

VERBS: *COMPOUND TENSES*

39. Compound tenses: *formation*

Auxiliary (*avoir* or *être*) + past participle:
   passé composé
   pluperfect
   future perfect
   conditional perfect
   (For these tenses see 40–43, below.)

j'ai travaillé, elle est née, ils se sont réveillés, etc.
tu avais ouvert, nous étions devenu(e)s, il s'était blessé, etc.
vous aurez pris, je serai monté(e), elles se seront levées, etc.
elle aurait bu, ils seraient partis, tu te serais échappé(e), etc.

Auxiliary *avoir*: most verbs.
Auxiliary *être*: some verbs expressing movement or change (9, ex 1, p. 41).

aller, venir (devenir, revenir), retourner, arriver, partir, entrer (rentrer), sortir, monter, descendre, naître, mourir, tomber, rester, passer (= aller).

Auxiliary of all reflexive verbs: *être* (21, déc 1, p. 89)
(For past participle agreement: see 45, *Past Participle*, p. 163).

40. Passé composé: *formation* (9, ex 1, p. 41; 21, déc 1, p. 89)

Present tense of *avoir* or *être* (see 39, above) + past participle (for agreement see 45, *Past Participle*, p. 163).

elle a pris, vous avez menti, nous sommes descendus, je suis venu(e), ils se sont tus, tu t'es trompé(e), etc.

Passé composé: *uses* (9, ex 1, p. 41)

For particular completed events in the past, in spoken or informal language (*their journey finished, did it snow? it did not rain*).

Leur odyssée s'est terminée.
A-t-il neigé hier dans l'Est?
Il n'a pas plu pendant 4 mois (9, ex 1, p. 41; 18, ex 1, p. 77).

A sequence of events in the past, in spoken or informal language (*fire broke out . . . the blaze spread . . . etc.*).

Le feu a éclaté . . . l'incendie a progressé . . . les habitants ont quitté leurs maisons . . . (9, ex 1, p. 41; 21, ex 4, p. 91).

A limited number of repeated events, in spoken or informal language (*they despatched the Canadairs several times*).

Les autorités ont mis les Canadair en action à plusieurs reprises.

When the effects of a past event continue in the present, in both formal and informal language (*they have rented a villa* and are still renting it).

Ils ont loué une villa en Bretagne.

41. Pluperfect tense: *formation*

Imperfect tense of *avoir* or *être* + past participle (see 39, above, and 45, p. 163).

nous avions pu, tu avais suivi, j'étais tombé(e), ils étaient morts, il s'était levé, vous vous étiez connu(e)(s), etc.

Pluperfect tense: *uses*

For events preceding a particular moment in the past (*they had overcome tiredness*).
Replacing *passé composé* in reported speech (*she told him that she had noticed him*).

Ils avaient surmonté la fatigue et le froid (21, ex 6, p. 92).

Elle lui a dit qu'elle l'avait remarqué (26, ex 2, p. 107).

42.   Future perfect tense: *formation*

Future tense of *avoir* or *être* + past participle (see 39, p. 161, and 45, p. 163).

j'aurai terminé, ils auront dit, elle sera revenue, nous serons sorti(e)s, tu te seras caché(e), vous vous serez lavé(e)(s), etc.

Future perfect tense: *uses*

Required after *quand, lorsque, aussitôt que, dès que* for events that will have been completed at a particular moment in the future (*when she has finished her studies she will leave*).

Quand elle aura terminé ses études au lycée, elle partira en faculté.
Dès qu'elle y sera entrée, elle reprendra ses études.

43.   Conditional perfect tense: *formation*

Conditional tense of *avoir* or *être* + past participle (see 39, p. 161 and 45, p. 163).

elle aurait mis, vous auriez sonné, ils seraient passés, tu te serais assis(e), nous nous serions vu(e)s, je me serais plu(e), etc.

Conditional perfect tense: *uses*

For 'unreal' condition in *si* sentences with pluperfect (*she would have respected it*) (see 60, *Condition*, p. 169).
A judgement on what someone has done (*I'd have been annoyed*).

Si elle avait compris sa fille, elle aurait respecté son indépendance.
Moi, à ta place, je me serais indignée.

What someone should/should not have done (*devoir*) (*they shouldn't have killed him*).

Ils n'auraient pas dû tuer Mesrine (18, act 1, p. 81) (rév, 21).

What someone could/could not have done (*pouvoir*) (*they could have taken him*).

Ils auraient pu le prendre vivant (18, act 1, p. 81) (rév, 21).

44.   The passive: *formation*

The appropriate tense of *être* + past participle:
  – **present passive** (*it is flooded*),
  – **future passive** (*they will be informed*),
  – **conditional passive** (*it would be surrounded*),
  – **imperfect passive** (*it was cut off*),
  – *passé composé* **passive** (*they were carried away*),
  – *passé simple* **passive** (*it was evacuated*),
  – **pluperfect passive** (*they had been looted*).
(N.B. The past participle agrees with the subject of the auxiliary *être*).

Le village est inondé.
Les autorités seront informées.
La banque serait entourée de militaires.
La voie était coupée.
Deux enfants ont été emportés par l'eau.
Le camping fut évacué.
Des magasins avaient été pillés.

The passive: *uses*

In a passive sentence, what would be the object in an active sentence becomes the subject.

Les habitants voient les voyageurs (*active*).
Les voyageurs sont vus par les habitants (*passive*) (21, ex 5, p. 92).

For emphasis on the consequences of an action for the person(s), thing(s) concerned (*a lorry was destroyed*); *par* for the agent (*by the fire*).

Un camion a été détruit par le feu (21, ex 5, p. 92).

An event in the past:
  in informal language *passé composé* (*a helicopter was called*)

Un hélicoptère a été appelé (21, ex 5, p. 92).

  in formal language *passé simple* (*buildings were submerged*).

Des bâtiments furent submergés.

On with a passive sense (*this distinction will be eliminated*).
A reflexive verb with a passive sense (*values were transmitted*).

On éliminera cette distinction (27, act 3, p. 111).
Les valeurs se transmettaient au moyen du mariage (27, act 3, p. 111).

Only verbs which take a direct object when active can become passive, with object becoming subject.
Verbs with indirect object (*à* + noun) cannot be passive (*dire, demander, permettre*, etc. *à*). Use *on* + active (*she was told, they were given*).

On a encouragé la fille.
La fille a été encouragée.
On a dit à la fille d'attendre.
On a donné des conseils aux parents.
(On lui a dit, on leur a donné.)

VERBS: *PARTICIPLES, IMPERATIVES, INFINITIVES*

45. Past participle: *formation, agreement, uses*

Infinitive in *-er* → *-é*.	demandé, allé.
Infinitive in *-ir* → *-i*.	rempli, dormi.
Infinitive in *-re* → *-u*.	répondu, battu.
Irregulars, see *Tableau de verbes*, pp. 184–7.	
An *être* verb in a compound tense: agreement with the subject.	Elle est descendue en courant. Ils ne sont jamais repartis (9, ex 1, p. 41).
An *avoir* verb in a compound tense: agreement with the object if already mentioned, especially	
– with an object pronoun *la*, *les*, etc.,	Il les a incités (12, ex 1, p. 53).
– in questions,	Quelle émotion a-t-elle ressentie?
– after the relative pronoun *que*.	La machine qu'ils ont installée (12, ex 4, p. 55).
En: no agreement.	J'en ai écouté (des discours).
A reflexive verb in a compound tense: agreement with the reflexive pronoun.	Ils se sont forcés à marcher (21, déc 2, p. 89).
A reflexive verb + direct object: no agreement.	Elle s'est brûlé les mains.
An *être* verb + direct object: *être* replaced by *avoir*.	Elle a monté l'escalier. Ils ont sorti des pistolets.
In the passive: the participle which follows the auxiliary *être* agrees with the subject.	Trois cents hectares ont été réduits en cendres (21, ex 5, p. 92).
A participle used as an adjective (+ *de* + noun).	Une ville saturée de touristes. Habillés de cuir noir.
A past participle equivalent to an English present participle (*sitting, kneeling, lying*).	Assis, agenouillés ou couchés par terre, ils écoutaient.

46. Present participle: *formation, uses*

Stem: as *nous* present tense.	nous écrivons → écrivant.
Ending: *-ant*.	
Irregular: *être, avoir, savoir*.	étant, ayant, sachant.
Used as an adjective, with agreement (*encouraging, running*).	Des résultats encourageants, de l'eau courante.
Equivalent to a relative *qui* + verb.	Patrick, attendant sur le trottoir . . .
Means, after *en* (*by doing night duty*).	Elle gagne de l'argent en faisant des gardes de nuit (3, ex 3, p. 17).
Manner, after *en* (*she runs down*).	Maryse descend l'escalier en courant.
Simultaneity, after (*tout*) *en* (*while watching television*).	Elle bavarde (tout) en regardant la télévision (26, ex 1, p. 106).
Successive actions, after *en*.	Je prends une douche en rentrant.

47. Imperatives: *formation* (rév, 18)

Most verbs:	
tu present, without pronoun,	prends, mets, etc.
nous present, without pronoun, (*let's go, let's drive*),	allons, conduisons, etc.
vous present, without pronoun.	buvez, dites, etc.
Exceptions: *tu* imperative of *-er* verbs, *aller*: s deleted.	cherche, écoute, va.

Reflexive verbs:
 positive, pronoun follows,
 negative, pronoun first.

lève-toi, dépêchons-nous, lavez-vous,
ne te fatigue pas, ne nous réunissons pas, ne vous asseyez
 pas.

Before, *y*, *en*: add *-s* to the *tu* imperative of an *-er* verb, *aller*.

manges-en, vas-y.

Avoir: aie, ayons, ayez.
Etre: sois, soyons, soyez.
Savoir: sache, sachons, sachez.
Vouloir: veuille, veuillons, veuillez.
S'en aller: va-t'en, allons-nous-en, allez-vous-en.
(see also *Object pronouns*, 18, p. 154).

Aie de la volonté.
Soyons persistants.
Sachez qu'il y a du chômage.
Veuillez m'envoyer le document.
J'en ai assez, allons-nous-en!

48. Infinitive: *uses* (see boxes: A compléter, à noter et à mémoriser)

Verbs taking a simple infinitive:
 aimer (mieux), aller, compter,
 désirer, devoir, espérer, il faut,
 laisser, oser, penser, pouvoir,
 préférer, savoir, sembler,
 souhaiter, il vaut mieux, vouloir, etc.

Je souhaitais la revoir.
Il allait me répondre.
Elle pense aller à l'université.
Elle compte obtenir un diplôme.
Je sais conduire (*can = know how to*)
Je peux conduire (*can = am able to*)

After verbs of seeing, hearing, feeling: a simple infinitive.

Ils voient passer un hélicoptère.
Ils entendent des avalanches descendre de tous les côtés.

After verbs of movement, *aller, venir, etc.*: **a simple infinitive.**
After *faire*: a simple infinitive.

Elle descendra manger au restaurant.

Tu m'as fait attendre.

The simple infinitive for instructions.
In definitions.
With a passive sense, after *à* (*no washing to be done*).
After interrogative word (*what is to be done? why go?*).
For negatives, *ne pas, ne plus, ne jamais* + **infinitive** (*not to speak, etc.*).
Personne **follows the infinitive** (*not to look at anyone*).

S'adresser à la réception.
La timidité c'est être incapable de parler (14, act 2, p. 60).
Pas de linge à faire.
Que faire? Pourquoi y aller?
Ne pas parler, ne plus savoir s'exprimer, ne jamais avoir de
 confiance (14, act 2, p. 60)
Ne regarder personne (14, act 2, p. 60)

After *pour*, purpose (*in order to sample the fresh air*).
After *assez*, *trop* + *pour* (*too independent to, flexible enough to*).
After *sans* (*without crying*).
After *sans* with *de* + noun.

Du camping pour goûter le plein air.
Il est trop indépendant/assez souple pour s'intégrer.

Sans pleurer.
Sans faire d'effort.

Commencer, finir par (*in the end they get rid of it*).
J'ai, etc., failli, je faillis, etc. (*they almost died*).
J'ai beau, etc. (*it was no use my thinking*).

Ils finissent par se débarrasser de leur appareil.
Ils ont failli/faillirent mourir de froid.
J'avais beau réfléchir.

After adjectives + *à* (*the traces are easy to distinguish*).
After *il est* + adjective + *de* (*it is easy/possible to distinguish them*).
Le/la premier(-ière)/dernier(-ière) à.
Le/la seul(e) à

Les traces sont faciles à distinguer.
Il est facile/possible de les distinguer.

Paul est le premier à arriver, le dernier à partir.
Nous sommes les seuls à comprendre.

The perfect infinitive: *avoir, être* + participle (*without having prepared anything*).

Sans avoir rien préparé.

The infinitive after a verb/expression + *à*/*de* (see boxes: A compléter, à noter et à mémoriser)
Check list:

s'accoutumer à	avoir à	avoir l'occasion de	continuer à
aider qqn à	avoir l'air de	avoir le temps de	craindre de
apprendre à	avoir besoin de	avoir raison de	décider de
apprendre à qqn à	avoir la chance de	avoir tort de	décider qqn à
s'apprêter à	avoir envie de	cesser de	se décider à
s'arrêter de	avoir l'habitude de	chercher à	demander à
arriver à	avoir honte de	commencer à (de)	se dépêcher de
s'attendre à	avoir l'impression de	consister à	destiner qqc à
autoriser qqn à	avoir du mal à	se contenter de	s'efforcer de

empêcher qqn de

encourager qqn à

essayer de

s'étonner de

être assis à

être capable de

être content(e), ravi(e),
   heureux (-euse) de

être prêt(e) à

être fâché(e), horrifié(e) de

il est question de

éviter de

s'excuser de

faire semblant de

feindre de

finir de

se forcer à

s'habituer à

hésiter à

s'indigner de

inviter qqn à

menacer de

se mettre à

obliger qqn à

être obligé de

oublier de

parvenir à

passer du temps à

perdre son temps à

persister à

persuader qqn de

se plaire à

prendre plaisir à

prendre la peine de

se préparer à

prier qqn de

promettre de

refuser de

regretter de

renoncer à

rester à

réussir à

risquer de

servir à

se souvenir d'(avoir)

tarder à

il me tarde de

tenir à

tenter de

se vanter de

The infinitive after a verb + *à* + person(s)/thing(s) + *de* (rév, 8).

commander à qqn de

conseiller à qqn de

défendre à qqn de

demander à qqn de

dire à qqn de

interdire à qqn de

ordonner à qqn de

permettre à qqn de

promettre à qqn de

proposer à qqn de

recommander à qqn de

reprocher à qqn de

c'est etc., à qqn de

Exemples:
   Elle a interdit à sa fille d'utiliser les produits.
   Je te conseille de te méfier des garçons.
   Elle reproche à sa fille d'être frivole.
   C'est à toi de choisir.

Replacing imperative in reported speech (*she told her to go and play*).

Elle lui a dit d'aller jouer.

VERBS: *CONSTRUCTIONS*

49. **Reflexive verbs** (see also 45 Past Participle, *formation*, p. 163)

Normal verbs used with a reflexive sense (*I wash myself*).
Verbs always constructed reflexively (*he escaped*).

Je me lave à l'eau froide.
Il s'est évadé de la Santé.

For a mutual action (*from, to*, etc. *one another*).
An action involving a thing, when the agent is not stated (*the door opens, closes*).

Ils s'empruntent des ouvre-boîte, s'invitent ou s'engueulent.
La porte s'ouvre, se ferme.

***S'asseoir* (*sit down*) ≠ *être assis(e)* (*be seated*).**
   cp. *se coucher* (*lie down*) ≠ *être couché(e)* (*be lying down*).

Ils s'asseyent/se couchent à l'ombre (*action*).
Ils sont assis/couchés à l'ombre (depuis quelque temps).

50. **Prepositional constructions with nouns, pronouns** (see boxes: A compléter, à noter et à mémoriser)

Verbs taking a simple direct object, notably:
   attendre, chercher, demander,
   écouter, payer, regarder, vivre.
   (*she waits for, they don't listen to,*
   I ask for, she lived through, etc.)

Elle attend l'ascenseur.
Ils ne l'écoutent jamais.
Je demande une explication.
Elle a vécu une expérience passionnante.

Verbs and expressions followed by a preposition.
Check list:

alimenter qqc/qqn en qqc

assister à qqc

s'attendre à qqc

changer de qqc

se charger de qqc

être content(e) de qqn/qqc

croire à qqc

être dégoûté(e) de qqn/qqc

dépendre de qqn/qqc

nuire à qqn/qqc

obéir à qqn/qqc

pardonner à qqn

participer à qqc
passer devant, à côté de qqn/qqc
passer un coup de fil à qqn
(re)penser à qqn/qqc
se plaindre de qqc à qqn
se diriger vers qqn/qqc
distinguer qqn/qqc de qqn/qqc
échapper à qqn/qqc
s'échapper de qqc
entrer dans/à qqc
exiger qqc de qqn
être fâché(e) contre qqn/qqc
se fier à qqn/qqc
être formé(e) en qqc

plaire à qqn
poser un lapin à qqn
prendre qqc sur, dans, sous, etc., qqc
promettre qqc à qqn
proposer qqc à qqn
ramasser qqc sur qqc
réduire qqc en qqc
répondre à qqn
remercier qqn de qqc
s'intéresser à qqn/qqc
jouer à qqc, jouer de qqc
jouir de qqc
laisser (la place) à qqn/qqc
se méfier de qqn/qqc

se mettre en colère
se mettre en route
montrer qqc à qqn
se moquer de qqn/qqc
se remettre de qqc
ressembler à qqn/qqc
réfléchir à qqc
se servir de qqc
sortir de qqc
se souvenir de qqc
se tourner vers qqn/qqc
transformer qqc en qqc
en vouloir à qqn

Exemples:
Elle alimentait la chaîne en boîtes.
Je m'attends à une intervention.
Nous avons changé de voiture.
Cela dépend de vous.
Ils ont échappé à leurs gardiens.
Il s'est échappé de la cellule.
Nous jouons au tennis, etc., (*jeux*) (rév, 25).
Elle joue du piano, etc. (*instruments*) (rév, 25).
Vous jouissez d'une bonne réputation.
Tu l'as pris sur la table ou dans le placard?
Je lui en veux (de l'avoir fait).

Verbs followed by a noun + *à* + noun:
   acheter, cacher, demander,
   emprunter, enlever, prendre, voler.

Ils empruntent toutes sortes de choses à leurs voisins, etc.

51. Faire

Expressions:
— *faire connaissance, faire une faveur à qqn, faire mal à qqn,*
   faire partie de qqc, faire peur à qqn, faire plaisir à qqn,
   faire semblant de, faire signe à qqn.

Nous avons fait connaissance.
Ils vont leur faire mal/peur.
La télévision fait partie de la vie.
Il faut faire plaisir au public.
Elle fait semblant d'écouter.

Constructions:
— *faire (réagir, pleurer, etc.) qqn*
   (*she made Caroline react*),

Elle a fait réagir Caroline.

— *faire (dessiner, comprendre, etc.)*
   qqc à qqn (she made her fill in the form),

Elle lui a fait remplir le formulaire.

— *faire (fabriquer, construire, etc.) qqc (he has the scenery*
   painted),

Il fait peindre le décor.

— *se faire (donner, expliquer, etc.) qqc (to have a beer brought*
   to me).

Je vais me faire apporter une bière.

52. Avoir

Expressions (rév, 9):
— *avoir chaud, froid, faim, soif, raison, tort, honte, peur,*
   sommeil (be hot, cold, hungry, thirsty, right, wrong,
   ashamed, afraid, sleepy)

Les instituteurs avaient sommeil.

— *avoir besoin de (need)*
— *avoir du mal à (have difficulty in)*
— *avoir envie de (want to)*
— *avoir l'air (look)*
— *avoir mal à (have an ache/pain)*
— *avoir lieu (take place).*

Il a besoin d'aide.
Ils ont du mal à bien jouer.
On avait envie de partir.
Ils avaient l'air découragé(s).
Il avait mal au genou.
La randonnée a eu lieu dimanche.

VERBS: *SUBJUNCTIVE*

53. Present subjunctive: *formation*

Stem: as *ils/elles* present tense indicative (26, ex 4, p. 108)

ils prennent→ je prenne, etc.

Endings: *-e, -es, -e*
          -ions, -iez, -ent.

je mette, tu partes, il/elle rie,
nous vivions, vous ouvriez, ils boivent etc.

Nous, vous identical to imperfect forms (26, ex 4, p. 108)

nous tenions, allions, prenions,
vous receviez, vouliez, deviez, etc.

Except: *avoir, être, pouvoir, faire, savoir.*

nous ayons, soyons, puissions,
vous fassiez, sachiez.

Irregular singular, 3rd person plural:
    aller, il faut, faire, pouvoir, savoir, il vaut, vouloir,

    être,
    avoir.

j'aille, il faille, tu fasses, je puisse, tu saches, il vaille,
elles veuillent,
je sois, tu sois, il/elle soit, ils/elles soient
j'aie, tu aies, il/elle ait, ils/elles aient.

Present subjunctive: *uses*

After verbs/expressions of necessity, obligation.
After verbs/expressions of wishing, preference.

Il faut que vous téléphoniez chez le docteur (24, ex 3, p. 101).
Je souhaiterais qu'elle puisse me comprendre (26, ex 4, p. 108).

After verbs/expressions of feeling.
After verbs/expressions of possibility.
After verbs/expressions of doubt.
After *penser, croire, dire, espérer*, only in the negative or interrogative.

Je m'étonne que l'usine n'ait aucun équipement de récréation.
Il est possible que nous partions demain.
Je doute qu'ils soient capables d'atteindre le village.
Je ne crois pas (Crois-tu . . . ?) qu'il le sache.

After *bien que/quoique*.

Bien qu'il ne soit pas essentiel de suivre des cours, il faut apprendre le métier (29, ex 3, p. 120).

After *avant que*, sometimes with *ne*.

Les fautes sont corrigées avant que le journal (ne) soit imprimé.

After *pourvu que*.

Vous pouvez étendre votre linge pourvu que vous le ramassiez à midi (35, ex 4, p. 146).

After *pour que/afin que*.

Soyez à l'heure, pour que les autres n'attendent pas (34, act 3, p. 138).

After *jusqu'à ce que*.
After a superlative.

Le travail continue jusqu'à ce qu'il soit terminé.
Le plus joli camping que je connaisse.

54. Perfect subjunctive: *formation*

Present subjective of *avoir, être* + past participle.

j'aie fait, elle ait couvert, tu sois parti(e), vous soyez entré(e)(s), nous nous soyons levé(e)s, ils se soient tus, etc.

Perfect subjunctive: *use*

Used, in the same contexts as present subjunctive, when the sense demands it (*the most interesting evening I have spent, I do not think she has left*).

La soirée la plus intéressante que j'aie vécue.
Je ne pense pas qu'elle soit partie.

55. Imperfect subjunctive: *formation*

Rare except *il/elle*; derive from *il/elle* of *passé simple*:

    -a→ -ât
    -it→ -ît
    -ut→ -ût.

il entrât, elle allât,
elle fît, il craignît,
il fût, elle reçût.

Imperfect subjunctive: *use*

Il/Elle may be used in formal style after a verb in the past.

Je m'étonnais que l'usine n'eût (n'ait) aucun équipement.
Elle craignait qu'il ne fût (soit) dangereux.

In other persons, use present subjunctive.

Elle craignait qu'ils ne soient dangereux.

ADVERBS

56. Adverbs of manner: *formation* (rév, 7)

From most adjectives: feminine + -*ment*.
From adjectives ending in a vowel: masculine + -*ment*.
From adjectives ending in -*ent*, -*ant*: -*emment*, -*amment*.

lentement, rapidement, heureusement, quotidiennement.
vraiment, absolument.
évidemment, constamment.

Irregulars from:
   gentil, bref, gai, profond, précis, énorme, grave.

gentiment, brièvement, gaîment/gaiement, profondément,
   précisément, énormément, gravement/grièvement.

From *meilleur*: *mieux*.
Vite (adverb), distinguish from *rapide*.

Il joue mieux (cp. c'est un meilleur joueur) (rév, 26).
C'est une voiture rapide. Elle roule vite.

Tout (*quite, really*):
   becomes *toute(s)* before a feminine adjective,
   but remains *tout* before a vowel sound.

Il est tout content de son succès.
Elle est toute fière de gagner.
Elle est tout heureuse (rév, 27).

Comparatives.
Superlatives.

Elle coûte plus/moins cher (*invariable*).
Ils partent le plus loin possible. C'est elle qui travaille le
   mieux.

57. Position of adverbs

Normally after the main verb.

Elle habite toujours son appartement.

In compound tenses: generally before the participle.
Indicating a particular time, place: after the participle (*ici*,
   hier, etc.).

Elle a beaucoup pleuré.
Elle est venue ici hier.

Forms in -*ment*: generally after the participle.
Certainement: before the participle.

Il s'est échappé miraculeusement.
Elle a certainement beaucoup appris.

Bien, mal, mieux: before an infinitive.
Même, surtout, certainement, quand même precede *pas*.

Nous essayons de bien/mieux comprendre.
Ne le faites surtout/quand même pas.
Ils ne s'arrêtent même pas.

Adverbs, especially of time, place, may introduce a
   sentence.

Partout on entend des voix, des rires.

NOTIONS: *GENERAL*

58. Cause, consequence

With emphasis on the cause: *parce que*,
   à cause de + noun.

Parce qu'elle est arrivée en retard. A cause de son retard (26,
   act 2, p. 110).

Emphasis on the consequence: *donc, par conséquent*.

Il est donc mécontent. Par conséquent, tout lui déplaît (26,
   act 2, p. 110).

Emphasis on the intensity of a cause:
   si/tellement + adjective + *que* (so nervous that).

Elle était si/tellement nerveuse qu'elle a trop parlé (26, act 2,
   p. 110).

Emphasis on the persistence of a cause: *à force de* (by
   continuing (to)).

A force de pleurer, à force de cris et de larmes.

Emphasis on the cause-effect relationship: *si . . . c'est que*
   (if he did it, it was because).

S'il l'a fait, c'est que cela lui semblait naturel.

Expressing the realisation of a consequence: *de sorte que, si
bien que* (so that).

Il a sprinté, de sorte qu'il est passé en première position.

59. Comparison

Expressing superiority and inferiority:
   plus/moins + adjective + *que* (more/less patient than),
   plus/moins + *de* + noun + *que* (more/less patience than),

Elle est plus/moins patiente que son frère (6, ex 2, p. 30).
Elle a plus/moins de patience que son frère (29, act 1, p.
   121).

pas (aus)si + **adjective** + *que* (*not as patient as*). | Elle n'est pas (aus)si patiente que lui (6, ex 2, p. 30).

Equality: *aussi* + **adjective** + *que* (*as tiring as*).
autant + *de* + **noun** + *que* (*as much tiredness as*).

Cet emploi est aussi fatigant que les autres. (6, ex 2, p. 30).
Elle ressent autant de fatigue que nous (29, act 1, p. 121).

Progression: *de plus en plus(de), de moins en moins (de)* (*more and more, less and less*).
More, less than + **a number.**
How much *more, less* (*two kilometres farther/less far from*).

Une situation de plus en plus précaire. De moins en moins de journaux.
Plus/moins de 300 hectares.
Plus/moins éloigné de Dinan de deux kilomètres.

Intensity: *un(e) tel(le)* (*such a noise that*).
Difference: *alors que, tandis que* (*while/whereas*).

Un tel bruit qu'on n'entend rien.
Ses weekends sont intéressants, alors que ceux de Sophie sont monotones (15, ex 3, p. 65).

Plus . . . plus (*the more . . . the more*).

Plus on est exigeant, plus on est solitaire.

60. Condition

Real condition: *si* + **present** + **present** (*if she is there, she feels alone*).

Si elle s'y trouve, elle se sent seule (14, act 2, p. 60).

Probable condition: *si* + **present** + **future** (*if Mark criticizes her she will be cross*).

Si Marc la critique, elle s'indignera (11, act 5, p. 50).

Possible condition: *si* + **imperfect** + **conditional** (*if someone got close to her, she would be saved*).

Si quelqu'un s'approchait d'elle, elle serait sauvée (15, ex 6, p. 67).

Unreal condition: *si* + **pluperfect** + **conditional perfect** (*if she had understood – but she didn't – she would have respected her*).

Si elle avait compris, elle l'aurait respectée (24, ex 1, p. 100).

Necessary condition: *pourvu que* + **subjunctive** (*provided that*).

Pourvu que je puisse faire de la recherche (35, ex 4, p. 146).

61. Emphasis

Emphasis on one element of the sentence: *c'est . . . qui/que,* etc.

C'est le commissaire qui a dirigé l'enquête.

Ce qui/que . . . c'est . . . (*What disgusted me was the exploitation*).

Ce qui me révoltait c'était l'exploitation.

62. Negation

Expressions of negation, *ne* + :
pas, more formally *point* (*not*)
plus (*no more, no longer*)
rien (*nothing*)
jamais (*never*)
personne (*no one, nobody*)
ni . . . ni (*neither . . . nor*)

(6, ex 5, p. 32)
On ne m'écoute pas (point).
Elle n'a plus grand-chose à dire.
Elle ne fait rien.
Ils ne l'écoutent jamais.
Elle ne voit personne.
Ses weekends ne sont ni bons ni mauvais.

que (*only*)
guère (*hardly*)

Ce n'est qu'un rite (31, act 2, p. 126).
Elle ne parle guère (31, act 2, p. 126).

aucun(e), nul(le) (*no*)

Elle n'a aucun/nul espoir (15, ex 1, p. 63).
Aucune de ses collègues ne la connaît (15, ex 1, p. 63).

In compound tenses: *ne* **before auxiliary** (*avoir, être*) **other negative word** (*pas, rien, jamais,* etc.) **after auxiliary, before participle.**
Personne **is placed after the participle.**

Ils ne l'ont jamais écoutée.
Elle n'a rien entendu.

Elle n'a vu personne.

A negative subject: *personne, rien, aucun(e)/nul(le)* . . . + *ne* + **verb.**

Personne, aucun ami ne l'attend (6, ex 5, p. 32).

Que, aucun(e), nul(le): **before the appropriate noun.**

Elle n'entend chez elle que le silence/aucun bruit.

A double negative, with a negative sense: *plus rien, guère personne, jamais rien,* etc., (*no longer . . . anything; hardly . . . anybody; never . . . anything*).

Elle ne veut plus rien.
Elle ne connaît guère personne.
Il ne se passe jamais rien.

. . . que non (*I thought not*).

Si j'aimais la ville? Je croyais que non.

... *non plus* (*I didn't like it either*).
Peu + adjective, with a negative sense (*unusual*).

Rien with *à* + infinitive (*nothing to lose*).
The negative infinitive: *ne pas, ne plus, ne jamais*, etc.,
   together before the infinitive (*not to be able*).

Pas de, plus de, jamais de + noun (*no ambition, no more
   illusions, never any hope*).
Negative question with an affirmative answer: *si* (*yes*).
After *savoir, pouvoir*, the omission of *pas* is optional.

Je n'aimais pas la campagne non plus.
Il est peu commun pour une fille d'être ingénieur.

Ils n'avaient rien à perdre.
La timidité c'est ne pas pouvoir s'exprimer (14, act 2, p. 60).

Elle n'a pas d'ambition. Elle n'a plus d'illusions. Elle n'a
   jamais eu d'espoir (15, ex 1, p. 63).
Tu n'aimes pas l'effort? Si, j'aime les entreprises difficiles.
Ils ne sauraient (pas) répondre.

63.　Opposition (32, act 3, p. 131)

Contrast between actions, states: *mais* at the beginning
   of a clause (*but*).
Cependant, pourtant, toutefois, commonly after the verb
   (*however*).

Néanmoins, often at the beginning of a clause (*nevertheless*).

Stronger contrast: *en revanche, par contre* (*on the other
   hand*).
Contrast between actions, states existing together: *tandis
   que, alors que* (*while, whereas*).
Emphasis on both sides of an opposition: *d'un côté ... d'un
   autre côté* (*on the one hand ... on the other hand*).

An outcome different from that expected, concession: *bien
   que/quoique* + subjunctive (*although*).
Quand même (*all the same*).

Tout en + present participle (*whilst being addicted*).
Malgré + noun (*in spite of*).
Sans + infinitive (*without admitting*).
Likely outcome replaced by another: *au lieu de* + infinitive
   (*instead of*).

Autrefois je faisais du sport, mais maintenant je regarde la
   télévision.
Le poste est un bien de consommation; ce n'est cependant
   pas un meuble ordinaire.

Ils regardent la télévision tous les soirs; néanmoins, ils
   n'admettent pas leur dépendance.
Le lave-vaisselle est simplement un élément de confort; le
   téléviseur en revanche s'est substitué au foyer.
Ils disent ne pas être dépendants de la télévision, alors qu'ils
   la regardent constamment (15, ex 3, p. 65).
D'un côté on ne va plus au cinéma, d'un autre côté les bons
   films font toujours recette.

Bien qu'ils la regardent 18 heures par semaine, ils ont une
   idée peu complète de l'actualité (29, ex 3, p. 120).
Ils n'en retiennent quand même que des images.

Tout en étant des drogués du petit écran.
Malgré leur dépendance.
Sans admettre leur dépendance.
Au lieu de regarder la télévision, ils s'endorment.

64.　Possession

See *Possessives* 5, p. 150.
Possessive pronouns 22, p. 156.
Describing someone 98, p. 177.
Colours 79, p. 173.

Sa situation à elle.
Votre caractère et le sien (15, exs 3–4, pp. 65–6).
Ils ont les yeux bleu clair.
Elle a les yeux marron (6, ex 3, p. 31).

65.　Questions, asking

Normal style: *est-ce que*.
Formal style, inversion.
Informal style, without an interrogative structure.

Questions relating to the subject of a sentence:
   (*Qui est-ce*) *qui* for people,
   Qu'est-ce qui for things.

Questions relating to the object:
   Qui est-ce que ⎫ for people
   Qui + inversion ⎭
   Qu'est-ce que ⎫ for things
   Que + inversion ⎭

Questions relating to particular notions: time, place, etc.
   (*when? where? how? why?*).
No inversion with *je*.
... *n'est-ce pas?* (*isn't there? aren't you?* etc.).

Indirect questions with *ce qui, ce que* (*what*).

Quand est-ce que l'incendie a eu lieu? (9, ex 3, p. 42).
Quand l'incendie a-t-il eu lieu? (9, ex 3, p. 42).
L'incendie a eu lieu quand? (9, ex 3, p. 42).

Qui (est-ce qui) a allumé le feu? (9, ex 3, p. 42).
Qu'est -ce qui a attisé les flammes? (9, ex 3, p. 42; 21, ex 1,
   p. 90).

Qui est-ce que les pompiers ont sauvé?
Qui les sauveteurs ont-ils évacué?
Qu'est-ce qu'ils ont fait? (21, ex 1, p. 90).
Qu'ont-ils fait? (21, ex 1, p. 90).

Quand est-ce que cela s'est passé? Où? Comment? Pourquoi?
   (9, ex 3, p. 42)
(Est-ce que) je vous rappelle?
Il y a du soleil, n'est-ce pas? Vous êtes bronzé, n'est-ce pas?

Il a demandé ce qui leur avait permis de tenir (21, ex 2, p.
   90).

66. Purpose, intention

With the same subject in two clauses: *pour, afin de, de manière à, de façon à* + infinitive.
Different subjects: *pour que, afin que, de sorte que, de façon à ce que* + subjunctive.
Various expressions: *dans l'intention de, en vue de*, etc. (*with a view to*).

Portez des bagages légers afin de marcher plus facilement (34, act 3, p. 138).
Portez des bagages légers afin qu'on vous prenne plus facilement (34, act 3, p. 138).
Prenez une tente canadienne en vue de pouvoir vous arrêter n'importe où.

67. Time: *o'clock, days, months, seasons, years*

Time on the clock: *heure(s)*.
Demi, demie (*half past*).

Il est trois heures dix, à une heure moins le quart (rév, 17).
Quatre heures et demie, midi/minuit et demi.

Time of day: . . . *heures du matin/soir, de l'après-midi* (*at nine in the morning, evening, etc*).
Time of day on a given date.

A neuf heures du matin/du soir.
A deux heures moins cinq de l'après-midi.
Le matin du 10 juin, le 10 juin au matin.

Approximate time: *vers* (*about*).
Adjectival use: *de* + time (*the eight o'clock news*).
24 hour clock (*9.30 a.m., 7.55 p.m.*).

Vers sept heures et quart.
Les informations de huit heures.
09h 30, 19h 55 (Neuf heures trente, dix-neuf heures cinquante-cinq).

A day of the week (*on Monday, on Thursday*).
Repetition (*on Wednesdays, every Wednesday*).

Il arrive lundi, elle est venue jeudi.
Elle le voit le mercredi, tous les mercredis (15, act 1, p. 68).

Dernier, prochain (*last, next*).
Le jour où (*the day when*).

Lundi dernier, samedi prochain (rév, 14, 15).
Le jour où ils sont partis. (rév, 17).

A month (*in October, in August*).
A date (*on the 1st March, on the 16th October*).
(N.B. *Le onze* no contraction.
Un jour de (*one day in*).

En octobre, au mois d'août (rév, 11).
Le premier mars, le seize octobre (rév, 11).
Le onze juillet.)
Un jour d'avril (rév, 11).

A season (*in summer, autumn, winter, in spring*).
A year (*in 1947*).

En été, automne, hiver; au printemps (rév, 11).
En 1947 (dix-neuf cent/mille (mil) neuf cent quarante-sept) (rév, 11).

A century (*in the 19th century*).

Au 19e (dix-neuvième) siècle.

68. Time: *before (anteriority)*

Avant de + infinitive (*before becoming*).
Avant que (+ *ne*) + subjunctive (*before you become*).

Avant de devenir journaliste (30, act 2, p. 123).
Avant que tu (ne) deviennes journaliste.

Before the present moment (*last year/week; yesterday morning/evening; the day before yesterday*).
Before a moment past or future (*the previous year; the day before, the morning/evening before, the afternoon before: two days before*).

L'année/la semaine dernière; hier matin/soir; avant-hier (rév, 14).
L'année précédente; la veille, la veille au matin/soir, la veille dans l'après-midi; l'avant-veille (rév, 14).

Il y a + time (*three years ago*).

Il y a trois ans (rév, 14).

69. Time: *during (simultaneity)*

Pendant + noun (*during*).
Pendant que (*while*).

Pendant son travail.
Pendant qu'elle travaille.

(*Tout*) *en* + present participle (*while watching*).
Expressions: *à la fois, en même temps, au fur et à mesure* (*at the same time, as one goes along*).

Il bavarde (tout) en regardant la télévision (26, ex 1, p. 106).
Elle est à la fois effrayée et fascinée.
Elle est effrayée, et en même temps elle est fascinée.
En travaillant elle acquiert de l'expérience au fur et à mesure.

70. Time: *after (posteriority)*

Après avoir/ayant, etc. + past participle (*after passing*).
(*Une fois* +) noun + past participle (*once she has passed*).

Après avoir/ayant réussi ses examens (30, act 2, p. 123).
(Une fois) ses examens réussis.

After the present moment (*next month, year; tomorrow afternoon; the day after tomorrow*).

Le mois, l'an prochain/l'année prochaine; demain après-midi; après-demain (rév, 14).

After a moment past or future (*the next week, the next evening, two days later*).

La semaine suivante, le lendemain soir, le surlendemain (rév, 14).

Dans + indication of time (*in two minutes' time*).

Elle partira dans 2 minutes (rév, 17).

71.   Time: *recent, current and imminent actions* (rév, 3)

Event(s) that have just happened: *venir de* + infinitive (*she has just eaten*).

Elle vient de prendre son petit déjeuner.

Event(s) happening now: *être en train de* + infinitive (*she is in the process of*).

Elle est en train de mettre son imperméable.

Event(s) about to happen: *aller, être sur le point de* + infinitive (*she is about to leave*).

Elle va partir, elle est sur le point de partir.

Event(s) that had just happened at a moment in the past (*she had just got up*).

Elle venait de se lever.

Event(s) in the course of happening at a moment in the past (*she was in the process of washing*).

Elle était en train de se laver.

Event(s) just about to happen at a moment in the past (*she was about to eat*).

Elle allait manger, elle était sur le point de manger.

Expressions (*now, at this moment, etc.*) (*at that moment, etc.*)

Il travaille maintenant, en ce moment. Il travaillait à ce moment-là.

72.   Time: *frequency and repetition*

Expressions: *chaque jour/tous les jours, d'habitude, souvent, rarement, etc.*

Chaque jour/tous les jours elle rentre seule (15, act 1, p. 68).

Definite article + **noun** (*on Thursdays*).

Le jeudi.

In the morning(s), afternoon(s), evening(s). At night.

Le matin, l'après-midi, le soir. La nuit.

73.   Time: *duration*

Simple duration: *pendant* (*for a year*).

J'ai suivi des cours pendant un an.

Pre-arranged time: *pour*.

Je pars pour six mois.

Time taken: *en* + indication of time (*I learnt in 3 weeks*).

J'ai appris à taper à la machine en 3 semaines (rév, 17).

Passer (*du temps*) *à* + infinitive (*we spent two hours cooking*).

Nous avons passé deux heures à préparer le déjeuner.

Mettre, il faut (*du temps*) *pour* + infinitive.

Il nous a fallu deux heures pour faire le trajet.

A time expression without a preposition (*for three hours*).

Elle a travaillé 3 heures.

Expressions (*from morning till night, for hours on end, etc.*).

Ils ont marché du matin au soir, plusieurs heures de suite.

For several mornings, evenings, days, years taken together: *matins, soirs, jours, ans.*

22 jours perdus dans la montagne (rév, 24).

Emphasis on what happens during mornings, etc: *matinées, soirées, journées, années.*

10 journées entières enfermés dans leur tente (rév, 24).

(**N.B.** After *quelques, plusieurs,* always *années*, not *ans.*

Quelques, plusieurs années plus tard. Cp. quelques jours.)

74.   Time: *duration of an incomplete action, state*

In the present: present + *depuis* (*she has been alone for a long time*).

Elle est seule depuis longtemps (15, ex 2, p. 64).

Il y a/Ça fait . . . que + present.

Il y a/Ça fait longtemps qu'elle est seule (15, ex 2, p. 64).

In the past: imperfect + *depuis* (*they had been on his track for 48 hours*).

Ils étaient sur ses traces depuis 48 heures (18, ex 2, p. 78).

Il y avait/Ça faisait . . . que + imperfect.

Il y avait/Ça faisait 48 heures qu'ils étaient sur ses traces.

Expression: *jusqu'à* (*until*).

Jusqu'à présent je n'ai eu que des emplois temporaires.

75.   Time: *beginning and ending*

A partir de, dès (*starting from*).

A partir du 1er octobre, dès demain, dès son retour (rév, 17).

Dès que, aussitôt que + **future** (*as soon as*).

Dès qu'elle obtiendra sa licence (29, ex 2, p. 119).

Commencer par + **infinitive** (*they started by*).

Ils ont commencé par monter la tente.

Jusqu'à + noun (*until*).

Jusqu'à ce que + subjunctive (*until we lost sight of them*).

Finir par + infinitive (*in the end they got rid of it*).

Jusqu'à leur départ (rév, 17).

Jusqu'à ce que nous les perdions de vue.

Ils ont fini par se débarrasser de leur appareil.

76. Time: *punctuality and lateness*

Early, late generally: *tôt, tard*.

Early, on time, late, for an appointed time: *de bonne heure, à l'heure, en retard*.

In time to do something: *à temps pour* + infinitive, noun.

To be fast/slow of clock, etc.: *avancer, retarder*.

Il se lève tôt et se couche tard.

On lui a dit d'être à l'heure. Il a promis de venir de bonne heure. En fait il est arrivé en retard.

Il est venu à temps pour manger (rév, 17).

Ma montre avance, ou c'est peut-être la pendule qui retarde.

NOTIONS: *SPECIFIC*

77. Age

Age of person(s), thing(s).

Order of birth (*eldest, younger, youngest*) (*cadet(te)* usu. = *2nd*).

Comparison of age (*older than*).

Elle a 23 ans, une femme de 30 ans, il est âgé de 18 ans.

C'est l'aîné(e), le/la cadet(te), le/la benjamin(e) de la famille.

Il est plus âgé que son frère.

78. Approximation, imprecision

A number, quantity: *environ, à peu près* (*about*).

Collective numerals: *une/des dizaine(s), quinzaine(s), centaine(s)*, etc., *un/des millier(s)* (*about ten, fifteen or so/a fortnight, hundreds, thousands*).

Time (*about 10 o'clock*).

Imprecision (*it is not exactly known*, etc.).

Environ dix kilomètres.

Une dizaine d'années, une quinzaine (de jours), des centaines de km², des milliers d'hectares.

Vers dix heures.

On ne le sait pas au juste, etc.

79. Colour

Asking about colour.

A noun as an adjective, no agreement (*chestnut brown, hazel*).

A compound adjective, no agreement (*clear blue, pale grey, dark brown*).

De quelle couleur est sa motocyclette? Elle est bleue.

Ses yeux sont marron, des yeux noisette (6, ex 3, p. 31).

Un garçon aux yeux bleu clair, gris pâle, brun foncé (6, ex 3, p. 31).

80. Countries: nationality, language (1, act 2, p. 7; rév, 5)

Names of countries must normally be preceded by *le, la, l', les*.

In or *to* a feminine country (ending in *-e*): *en* (*in France, to England*).

In or *to* a masculine country (not ending in *-e*): *au* (*in Canada*).

But note: *au Mexique* (m).

In or *to* a country beginning with a vowel sound: *en*.

In or *to* a plural country: *aux*.

In or *to* an island, usually: *à*.

When an island = a country, often *en*

From a feminine country: *de*.

From a masculine country: *du*.

From an island which is feminine: *de la*

From a plural country: *des*.

La Martinique, le Canada, les Antilles.

En France les débouchés sont limités, elle repart en Angleterre.

Elle aimerait travailler au Canada.

Nous allons au Mexique.

En Iran (m).

Elle a débarqué aux Etats-Unis.

A Jersey, à Chypre.

En Nouvelle Calédonie.

Je reviens d'Espagne.

Vous repartez du Portugal?

Je viens de la Martinique.

Il arrive des Pays-Bas.

A language: *le/l'*, no capital letter.

Le/l' omitted after *parler* used without an adverb.
An inhabitant, with a capital letter.

**Names of frequently used countries, adjectives of
nationality:**

L'anglais est la langue principale de l'Amérique du Nord.
Il parle parfaitement l'italien (6, ex 2, p. 30).
Au Brésil on parle portugais.
Un Marocain parlera arabe (6, ex 2, p. 30).

la France	français(e)	la Suède	suédois(e)	le Maroc	marocain(e)
l'Angleterre	anglais(e)	l'Autriche	autrichien(ne)	l'Inde	indien(ne)
l'Ecosse	écossais(e)	la Suisse	suisse	le Japon	japonais(e)
l'Irlande	irlandais(e)	l'Espagne	espagnol(e)	le Pakistan	pakistanais(e)
le Pays de Galles	gallois(e)	le Portugal	portugais(e)	la Chine	chinois(e)
la Grande-Bretagne	britannique	l'Italie	italien(ne)	les États-Unis	américain(e)
l'Allemagne	allemand(e)	la Hongrie	hongrois(e)	le Canada	canadien(ne)
la Belgique	belge	la Pologne	polonais(e)	le Mexique	mexicain(e)
les Pays-Bas,	néerlandais(e),	la Turquie	turc (turque)	les Antilles	antillais(e)
la Hollande	hollandais(e)	la Grèce	grec (grecque)	le Brésil	brésilien(ne).
la Norvège	norvégien(ne)	l'Union soviétique (l'URSS)	russe		

81. Degree, quantity (rév, 22)

Common expressions + *de* + noun:
  beaucoup (much, many),
  peu (few, little),
  un peu (a little),
  assez (enough),
  trop (too much, too many),
  tant (so much, so many),
  autant (as much, as many).

Beaucoup de contacts,
peu de difficultés,
un peu d'argent,
pas assez de moyens de transport,
trop de bruit,
tant de déplacements,
pas autant de problèmes que nous.

Assez, trop + adjective + *pour* + infinitive (*too independent to
  fit in*).

Elle est trop indépendante pour s'intégrer.

Assez, trop de + noun + *pour* + infinitive (*enough flexibility to
  adapt*).

Elle a assez de souplesse pour s'adapter.

Encore du, de la, des (more cake).
Bien des (many problems).
La plupart des followed by a plural verb (*most students
  work*).

Encore du gâteau (rév, 22).
Elle a bien des ennuis (rév, 22).
La plupart des étudiants travaillent.

Tellement/si + adjective (*such a deafening noise*).
Tout(e), tous (toutes) + article + noun (*all*).
Tout (everything).
Tous, toutes, pronoun (all) (I know them all).

Un bruit tellement/si assourdissant.
Tous les aspects du mariage.
J'ignorais tout.
Je les connais tou*s* (on prononce le *s*).

Quelques, plusieurs, chaque (see 6, *Indefinites*, p. 150).
Quelques-un(e)s, plusieurs, chacun(e), (see 24, *Indefinite
  pronouns*, p. 156).

82. Dimensions

*Avoir . . . mètres, etc., de haut(eur), de long(ueur), de large(ur)
  (to be . . . metres, etc., high, long, wide).*
Être haut(e), long(ue), large de . . . mètres, etc.
Sur (20 metres long by 1 metre wide).

La muraille a 4 mètres de haut(eur).

Elle est haute de 4 mètres.
Elle a 20 mètres de long(ueur) sur 1 mètre de large(ur).

83. Distance, speed

*Être, se trouver à . . . kilomètres, etc., de (Calais is 300 kms
  from Paris).*
*La distance de . . . à . . . est de . . . (the distance from P. to D. is
  13 kms).*

Éloigné de, près de (far from, near to).

Calais se trouve à 300 km de Paris (33, act 2, p. 134).

La distance de Pleslin à Dinan est de 13 km (33, act 2,
  p. 134).

Pleslin est plus éloigné de Dinan que de Ploubalay, etc. (33,
  act 2, p. 134).

Parcourir (they went/covered 3 kms).   Ils ont parcouru (une distance de) 3 km (33, act 2, p. 134).
Kilomètres (à l') heure, km/h. (kilometres per hour, kph).   Nous roulions à 80 kilomètres-heure (80 km/h).

84. Fractions

La moitié de, le tiers de, le quart/ les trois quarts de (a half, a third, a quarter/three quarters of).   La moitié des fils de patrons restent cadres supérieurs.

Le/un cinquième, les deux sixièmes (one fifth, two sixths, etc.).   Les deux cinquièmes des fils d'employés deviennent ouvriers.

Un quart de (a quarter litre).   Un quart de litre.

Demi- **before a noun, no agreement.**   Une demi-heure.
Demi(e) **after a noun, agreement.**   Une bouteille et demie.
Moitié . . . moitié . . . (half English, half French).   Il est moitié anglais moitié français.
A moitié + **adjective** (*half dead*).   A moitié morts de fatigue.
Mi-: **expressions** (*half time, mid July, half way*).   La première mi-temps, mi-juillet, à mi-chemin.

85. Geographical terms (see also 80 Countries: nationality, language) (1, act 2, p. 7)

To or in a town: à, au, aux (in/to Strasbourg, le Havre, les Eyzies).   A Strasbourg, au Havre, aux Eyzies.

To or in a department: dans + **article, except those with -et-: *en*.**   Dans la Gironde, dans le Gard.
    En Seine-et-Marne.
To or in provinces of France: en.   En Bretagne, en Picardie, en Vendée.
To or on a coast: sur.   Sur la Côte d'Azur, sur les côtes de l'Atlantique.
To or in an ocean: dans   Dans l'Océan pacifique.
From: *de, du, de la, des.*   J'arrive de Strasbourg, de Bretagne, du Gard, du Havre, de la Haye, de la Côte d'Azur, des Eyzies.

Geographical area, with a capital letter: *le Nord, le Sud, l'Est, l'Ouest.*   Il habite (dans) le Nord de la France.

Direction from a given point: *au nord/sud de, à l'est/l'ouest de.*   Le village se trouve à l'ouest de Rouen.

Compounds: *le Nord-Est, au sud-ouest de, etc.*   Ses vacances dans le Sud-Ouest.
Le Midi (the South of France).   Elle a l'accent du Midi.

86. Space and movement

Starting points and destinations.   On part de Dinan pour aller à Ploubalay, on se met en route, on arrive à destination, etc. (33, act 2, p. 134).

Routes, direct and indirect.   La D2 mène de Dinan à Ploubalay.
    Il faut passer par Ploubalay.
    Nous nous sommes écartes du chemin, etc. (33, act 2, p. 134).

87. Measures: weight, price, etc.

Weight: *kilo(gramme)s, grammes (une livre = un demi-kilo).*   Ce melon pèse plus de 800 g. Une livre/Un demi-kilo de raisin (singulier), de tomates, etc.

Containers: *une bouteille, un paquet, un verre, une boîte, etc., de.*   Une bouteille de vin contient 75 centilitres (75 cl).

Price (*5 francs a kilo/each*).   5 francs le kilo/la pièce, 4F50 le trajet (rév, 23).

Area: *un centimètre carré (cm^2), des kilomètres carrés (km^2).*   Des centaines de kilomètres carrés de forêt.
Volume: *un mètre cube (m^3), des centimètres cubes (cm^3).*   La R14 a une cylindrée de 1218 cm^3.

Rate: *par jour, par semaine, etc. (per day, per week).*   Le téléphone sonne vingt fois par jour (rév, 23).
Wages, salaries: *de l'heure, par jour/semaine.*   Elle gagne 50F de l'heure, soit 400F par jour. Son salaire est de 2000F par semaine (rév, 23).

88. Numbers

1–20.

Un(e), deux, trois, quatre, cinq, six, sept, huit, neuf, dix, onze, douze, treize, quatorze, quinze, seize, dix-sept, dix-huit, dix-neuf, vingt.

30, 40, 50, 60, 70, 80, 90, 100.

Trente, quarante, cinquante, soixante, soixante-dix, quatre-vingts, quatre-vingt-dix, cent.

Formation: hyphen except before and after *et, cent, mille, million.*

Vingt-trois, quarante-huit, soixante-quinze, trois cent quatre-vingt-dix-neuf, mille cinq cent cinquante et un.

Et in 21, 31, etc., and 71, not in 81, 91.

Trente et un(e), soixante et onze.
Quatre-vingt-un, quatre-vingt-onze.

-s **on** *quatre-vingt, cent,* **only when no number follows.**

Quatre-vingts, trois cents.
Sept cent cinquante.

Never *-s* **on** *mille.*

Trente mille.

De **after** *million(s).*

Cinq millions de vacanciers.

Note: *des milliers, quelques centaines,* **etc.,** *de (thousands, hundreds of).*

Plusieurs milliers de tentes.

Ordinals *(first, second, third, etc.).*

Le premier reportage (cp. le premier juillet).
La deuxième/seconde rue à gauche.
La neuvième fois (cp. le neuf janvier).
Le vingt et unième incident.

Addition, subtraction.

Trois et quatre font sept, treize moins sept égale(nt) six.

Multiplication, division.

Deux fois deux font quatre, vingt-cinq divisé par cinq égale(nt) cinq.

Decimals.

7, 5 (sept virgule cinq).

89. Proportion

La plupart des, peu de, **etc.**

La plupart des étudiants travaillent, etc.

Sur (out of).

Deux étudiants sur trois.

90. Substance, material

En métal, fer, acier, plastique, **etc.** (*en* **emphasises substance**).

Des piquets en acier, des assiettes en plastique.

De cuir, coton, bois, laine, **etc.** (**adjectival**).

Une robe de coton, un pullover de laine.

91. Transport

En autobus, avion, taxi, voiture, moto, **etc.;** *en/par le train, métro.*

Elle va à l'hôpital en autobus. Tu rentres en train/par le train?

A bicyclette, à pied; à/en vélo.

Rouler à/en vélo calme les nerfs.

Mail, etc.: *par avion, par terre, par mer.*

Je l'ai expédié par avion.

92. Weather, temperature (20, acts 1–3, p. 86)

Il fait beau, mauvais (temps).

Il fait beau (temps) partout en France.

Il fait **+ set range of adjectives** (*chaud, lourd, frais, froid, tiède, doux,* **etc.**).

Il fait plus doux aujourd'hui malgré la neige.

Il fait un temps **+ (other) adjective.**

Il fait un temps agréable, infect.

Il fait du vent, du brouillard, de l'orage, des éclairs.

Il fait du brouillard sur le Bassin Parisien.

(**N.B.** *Le temps est beau, agréable,* **etc., not** *fait.*

Le temps est magnifique sur la Côte d'Azur.)

Il **+ a set range of verbs:** *il pleut, neige, grêle, gèle* **etc.,** (*it is raining, snowing, hailing, freezing*).

Il a neigé hier dans l'Est.
Il gèlera pendant la nuit.

Par (in fine weather, **etc.**).

Par beau temps, par mauvais temps, par un temps merveilleux, par moins dix (degrés).

Dark and light.

Il fait jour, il fait nuit.
Il fait noir dans la grotte.

FUNCTIONS

93. Advising

Essaie/Essayez de . . .
Efforce-toi/Efforcez-vous de . . .
N'oublie pas/N'oubliez pas de . . .
Evite/Evitez de . . .
Assure-toi de . . .
Il faut/Il ne faut pas . . . (11, act 4, p. 49)

Je te conseille de . . .
Tu ferais bien de . . .
Tu dois/Tu devrais . . .
Il faut/Il faudrait . . .
Il faut/Il faudrait que (+*subjunctive*) (24, act 2, p. 102).
Vous aurez besoin de . . .
Vous aurez intérêt à . . .
Vous ferez bien de . . . (35, ex 1, p. 142).

Imperatives: Regardez . . . ne regardez pas, etc.

94. Agreeing/Disagreeing

Je suis/Je ne suis pas d'accord.
Il est vrai/faux que . . .
. . . a raison/tort (4, act 4, p. 22).

95. Certainty, expressing

Ce qui saute aux yeux, c'est que . . .
Il est évident que . . .
Il est clair que . . . (26, act 2, p. 110).

96. Comparing

see *Notions, general* 59 (p. 168).

97. Contrasting

see *Notions, general* 63 (p. 170).

98. Describing someone

Describing someone or something

C'est un . . . aux (yeux bleus).
Il/Elle a les (yeux bleus).
Ses (yeux) sont (bleus) (6, ex 3, p. 31).
C'est/C'était, etc. un(e) (jeune) (*nom*).
Il/Elle est/était (jeune) (*adjectif*).

99. Doubt/Uncertainty, expressing

Je doute que . . .
Il est peu probable que . . .
Je ne crois pas que . . .
Je ne pense pas que . . . } +*subjonctif*

100. Emphasising

see *Notions, general* 61 (p. 169).

101. Explanation, giving

En effet . . ./Car . . .

102. Feelings, expressing

see *Verbs* 53 (p. 167).

103. Forbidding

Il ne faut pas . . .
Il est défendu de . . .
Il est (formellement) interdit de . . . (8, act 2, p. 39).

104. **Indifference, expressing**

Ça m'est égal que . . .
Ça ne me fait rien que . . . } +*subjonctif*
J'accepterais que . . . (26, ex 4, p. 108).

105. **Information, asking for**

Vous connaissez (peut-être) . . . ?
Vous avez des renseignements sur . . . (35, ex 2, p. 143).

106. **Intentions, asking about**

Qu'est-ce que tu vas/as l'intention de (faire)?
Qu'est-ce que tu comptes/penses (faire)?

107. **Judgement, making
(about an action)**

Moi, j'aurais (fait) . . .
Je n'aurais pas (fait) . . . (24, ex 1, p. 100).

Son erreur a été de . . .
Il/Elle a eu tort de . . .
On peut lui reprocher de . . . (26, act 2, p. 110).

Il/Elle aurait dû . . . (18, act 1, p. 81).

108. **Likes/Dislikes, asking about**

Est-ce que tu aimes . . . ?
Est-ce que . . . t'intéresse?
Qu'est-ce que tu aimes? (11, act 1, p. 47)

Likes/Dislikes, expressing

J'aime bien . . .
J'adore . . .
. . . m'intéresse (11, act 1, p. 47).

Je n'aime pas . . .
Je déteste . . . (11, act 1, p. 47).

109. **Negating**

see *Notions, general* 62 (p. 169).

110. **Opinion, asking about someone**

Quel caractère a . . . ?
Comment est-ce que tu vois . . . ?
Qu'est-ce que tu penses de . . . ?
Comment trouves-tu . . . ? (6, ex 2, p. 30)

Opinion, giving

A mon avis . . ./A mon sens . . .
Pour moi . . .
Personnellement, je . . .
Mon opinion, c'est que . . .
Je trouve/pense, moi, que . . .
J'ai l'impression que . . .
Il me semble (bien) que . . . (6, ex 2, p. 30; 18, act 1, p. 81).

Opinion, giving (about oneself)

Je crois que je suis . . .
J'ai l'impression d'être . . . (11 act 1, p. 47).

111. **Permitted, finding out what is**

On a le droit de . . . ?
Il est permis de . . . ?
On peut . . . ? (35, ex 4, p. 146)

112. **Predicting**

(A l'avenir) tu (feras) . . . (11, act 4, p. 49).

113. **Preferences, expressing (positive)**

Je voudrais que . . .
Je préférerais que . . . +*subjonctif*
J'aimerais bien que . . .
Je souhaiterais que . . . (26, ex 4, p. 108).

Preferences, expressing (negative)	Je ne voudrais pas que . . .
	Je n'aimerais pas du tout que . . . *+subjonctif*
	Je détesterais que . . . (26, ex 4, p. 108).

114. **Questions, asking**

see *Notions, general* 65 (p. 170).

115. **Recommending**

Il faut que vous/il/elle etc. (*+subjunctive*).
(Il/Elle) doit (faire) . . . (24, ex 3, p. 101).

116. **Reporting questions**

see *Notions general* 65, (p. 170).

Reporting what one was required to do

J'ai dû . . . (rév, 21).

Reporting what was said

see *Verbs* 35, 37, 41 (pp. 159, 160, 161).

117. **Requiring someone to do something**

Il faut (absolument) . . .
Il est essentiel de . . .
Il est obligatoire de . . .

Prière de . . .
Respectez . . . s'il vous plaît.
Attention à . . . (8, act 2, p. 39).

118. **Wishes, expressing**

see *Preferences* 113, *Indifference* 104.

INTONATION

119. **Declarative intonation**

Il est grand

Il a les cheveux noirs

et le teint pâle (6, ex 3, p. 31; 6, act 1, p. 34).

Je l'ai rencontré

dans une ville du Nord

un soir de Nouvel An (25, act 2, p. 104).

120. **Interrogative intonation, with question word**

Où est-ce que tu habites?

without question word

Tu habites près d'ici? (2, déc 2, p. 9).

INDEX

Note: Numerals in bold type refer to sections dealing specifically with the items listed.

TABLEAU DE VERBES

These tables give key forms of regular verbs like *donner, finir, vendre* and of common irregular verbs. All other forms can be deduced from the forms given, e.g.:

Passe composé (perfect), pluperfect, conditional perfect are all compound tenses formed with an auxiliary (*avoir* or *être*) + **past participle**.
(See *Résumé grammatical*, 39–44)

Imperfect can be deduced from **nous** form (1st plural) of **present indicative** (except *j'étais*).
(See *Résumé grammatical*, 35)

Tenses listed in full (**present indicative** and **subjunctive**) and in part (**passé simple**) are given in abbreviated form, e.g.:

Present indicative of *donner*

je donne	*nous* donn**ons**	presented as:	donne -es -e
tu donn**es**	*vous* donn**ez**		donn**ons** -ez -ent
il/elle donne	*ils/elles* donn**ent**		

Present subjunctive of *aller*

*j'*aille	*nous* allions	presented as:	aille -es -e
tu ailles	*vous* alliez		allions -iez aillent
il/elle aille	*il/elles* aillent		

Passé simple of *boire*
(1st and 3rd persons only):

je bus	*nous* bûmes	presented as:	bus -ut
il/elle but	*ils/elles* bûrent		bûmes -urent

Future and **conditional** tense are given in 1st person singular only as they are always regular in conjugation:

Future	Conditional
je finir**ai**	*je* vendr**ais**
tu finir**as**	*tu* vendr**ais**
il/elle finir**a**	*il/elle* vendr**ait**
nous finir**ons**	*nous* vendr**ions**
vous finir**ez**	*vous* vendr**iez**
ils/elles finir**ont**	*ils/elles* vendr**aient**

For variations on -er verbs, *lever/acheter*, etc., *appeler/jeter*, etc. *espérer/protéger*, etc. and also verbs ending **-ger, -cer, -yer**, see *Resumé Grammatical*, 34, 35, 36, 38.

REGULAR VERBS

Infinitive	Present Participle Past Participle	Present Indicative	Passé Simple	Future Conditional	Present Subjunctive
donner	donnant donné	donne -es -e donnons -ez -ent	donnai -a donnâmes -èrent	donnerai donnerais	donne -es -e donnions -iez -ent
finir	finissant fini	finis -is -it finissons -ez -ent	finis -it finîmes -irent	finirai finirais	finisse -es -e finissions -iez -ent
vendre	vendant vendu	vends vends vend vendons -ez -ent	vendis -it vendîmes -irent	vendrai vendrais	vende -es -e vendions -iez -ent

IRREGULAR VERBS

Infinitive	Present Participle Past Participle	Present Indicative	Passé Simple	Future Conditional	Present Subjunctive
acquérir	acquérant acquis	acquiers -s -t acquérons -ez acquièrent	acquis -it acquîmes -irent	acquerrai acquerrais	acquière -es -e acquérions -iez acquièrent
aller	allant allé	vais vas va allons allez vont	allai -a allâmes -èrent	irai irais	aille -es -e allions -iez aillent

Infinitive	Present Participle Past Participle	Present Indicative	Passé Simple	Future Conditional	Present Subjunctive
apercevoir: *like* recevoir					
s'asseoir	asseyant assis	assieds -s assied asseyons -ez -ent	assis -it assîmes -irent	assiérai assiérais	asseye -es -e asseyions -iez -ent
atteindre: *like* craindre					
avoir	ayant eu	ai as a avons avez ont *Imperative*: aie ayons ayez	eus -ut eûmes eurent	aurai aurais	aie aies ait ayons ayez aient
battre	battant battu	bats bats bat battons -ez -ent	battis -it battîmes -irent	battrai battrais	batte -es -e battions -iez -ent
boire	buvant bu	bois -s -t buvons -ez boivent	bus -ut bûmes -urent	boirai boirais	boive -es -e buvions -iez boivent
concevoir: *like* recevoir					
conclure	concluant conclu	conclus -s -t concluons -ez -ent	conclus -ut conclûmes -urent	conclurai conclurais	conclue -es -e concluions -iez -ent
conduire	conduisant conduit	conduis -s -t conduisons -ez -ent	conduisis -it conduisîmes -irent	conduirai conduirais	conduise -es -e conduisions -iez -ent
connaître	connaissant connu	connais -s connaît connaissons -ez -ent	connus -ut connûmes -urent	connaîtrai connaîtrais	connaisse -es -e connaissions -iez -ent
construire: *like* conduire					
courir	courant couru	cours -s -t courons -ez -ent	courus -ut courûmes -urent	courrai courrais	coure -es -e courions -iez -ent
couvrir: *like* ouvrir					
craindre	craignant craint	crains -s -t craignons -ez -ent	craignis -it craignîmes -irent	craindrai craindrais	craigne -es -e craignions -iez -ent
croire	croyant cru	crois -s -t croyons -ez croient	crus -ut crûmes -urent	croirai croirais	croie -es -e croyions -iez croient
croître	croissant crû (*f* crue)	croîs croîs croît croissons -ez -ent	crûs -ût crûmes -ûrent	croîtrai croîtrais	croisse -es -e croissions -iez -ent
cueillir	cueillant cueilli	cueille -es -e cueillons -ez -ent	cueillis -it cueillîmes -irent	cueillerai cueillerais	cueille -es -e cueillions -iez -ent
découvrir: *like* ouvrir					
détruire: *like* conduire					
devoir	devant dû (*f* due)	dois -s -t devons -ez doivent	dus -ut dûmes -urent	devrai devrais	doive -es -e devions -iez doivent
dire	disant dit	dis -s -t disons dites disent	dis -it dîmes -irent	dirai dirais	dise -es -e disions -iez -ent
dormir	dormant dormi	dors -s -t dormons -ez -ent	dormis -it dormîmes -irent	dormirai dormirais	dorme -es -e dormions -iez -ent
écrire	écrivant écrit	écris -s -t écrivons -ez -ent	écrivis -it écrivîmes -irent	écrirai écrirais	écrive -es -e écrivions -iez -ent
envoyer	envoyant envoyé	envoie -es -e envoyons -es envoient	envoyai -a envoyâmes -èrent	enverrai enverrais	envoie -es -e envoyions -iez envoient
être	étant été	suis es est sommes êtes sont *Imperative*: sois soyons soyez *Imperfect*: j'étais	fus -ut fûmes -urent	serai serais	sois sois soit soyons soyez soient
faillir	faillant failli	—	faillis -it faillîmes -irent	faillirai faillirais	—
faire	faisant fait	fais -s -t faisons faites font	fis -it fîmes -irent	ferai ferais	fasse -es -e fassions -iez -ent

Infinitive	Present Participle Past Participle	Present Indicative	Passé Simple	Future Conditional	Present Subjunctive
falloir	— fallu	il faut	il fallut	il faudra il faudrait	il faille
fuir	fuyant fui	fuis -s -t fuyons -ez fuient	fuis -it fuîmes -irent	fuirai fuirais	fuie -es -e fuyions -iez fuient
haïr	haïssant haï	hais hais hait haïssons haïssez haïssent	haïs haït haïmes haïrent	haïrai haïrais	haïsse -es -e haïssions -iez -ent
lire	lisant lu	lis -s -t lisons -ez -ent	lus -ut lûmes lurent	lirai lirais	lise -es -e lisions -iez -ent
mentir: *like* dormir					
mettre	mettant mis	mets -s met mettons -ez -ent	mis -it mîmes mirent	mettrai mettrais	mette -es -e mettions -iez -ent
mourir	mourant mort	meurs -s -t mourons -ez meurent	mourus -ut mourûmes -urent	mourrai mourrais	meure -es -e mourions -iez meurent
naître	naissant né	nais -s naît naissons -ez -ent	naquis -it naquîmes -irent	naîtrai naîtrais	naisse -es -e naissions -iez -ent
nuire	nuisant nui	nuis -s -t nuisons -ez -ent	nuisis -it nuisîmes -irent	nuirai nuirais	nuise -es -e nuisions -iez -ent
offrir: *like* ouvrir					
ouvrir	ouvrant ouvert	ouvre -es -e ouvrons -ez -ent	ouvris -it ouvrîmes -irent	ouvrirai ouvrirais	ouvre -es -e ouvrions -iez -ent
paraître: *like* connaître **partir**: *like* dormir					
plaire	plaisant plu	plais -s plaît plaisons -ez -ent	plus -ut plûmes -urent	plairai plairais	plaise -es -e plaisions -iez -ent
plaindre: *like* craindre					
pleuvoir	pleuvant plu	il pleut	il plut	il pleuvra il pleuvrait	il pleuve
pouvoir	pouvant pu	peux (puis) -x -t pouvons -ez peuvent	pus put pûmes -urent	pourrai pourrais	puisse -es -e puissions -iez -ent
prendre	prenant pris	prends -s prend prenons -ez prennent	pris -it prîmes -irent	prendrai prendrais	prenne -es -e prenions -iez prennent
produire: *like* conduire					
recevoir	recevant reçu	reçois -s -t recevons -ez reçoivent	reçus -ut reçûmes -urent	recevrai recevrais	reçoive -es -e recevions -iez reçoivent
réduire: *like* conduire					
résoudre	résolvant résolu	résous -s -t résolvons -ez -ent	résolus -ut résolûmes -urent	résoudrai résoudrais	résolve -es -e résolvions -iez -ent
rire	riant ri	ris ris rit rions riez rient	ris -it rîmes -irent	rirai rirais	rie -es -e riions riiez rient
savoir	sachant su	sais -s -t savons -ez -ent *Imperative*: sache sachons sachez	sus -ut sûmes -urent	saurai saurais	sache -es -e sachions -iez -ent
sentir: *like* dormir **servir**: *like* dormir **sortir**: *like* dormir **souffrir**: *like* ouvrir					
suffire	suffisant suffi	suffis -s -t suffisons -ez -ent	suffis -it suffîmes -irent	suffirai suffirais	suffise -es -e suffisions -iez -ent

Infinitive	Present Participle Past Participle	Present Indicative	Passé Simple	Future Conditional	Present Subjunctive
suivre	suivant suivi	suis -s -t suivons -es -ent	suivis -it suivîmes -irent	suivrai suivrais	suive -es -e suivions -iez -ent
tenir	tenant tenu	tiens -s -t tenons -ez tiennent	tins -s -t tînmes tîntes tinrent	tiendrai tiendrais	tienne -es -e tenions -iez tiennent

traduire: *like* conduire

Infinitive	Present Participle Past Participle	Present Indicative	Passé Simple	Future Conditional	Present Subjunctive
vaincre	vainquant vaincu	vaincs -s vainc vainquons -ez -ent	vainquis -it vainquîmes -irent	vaincrai vaincrais	vainque -es -e vainquions -iez -ent
valoir	valant valu	vaux -x -t valons -ez -ent	valus -ut valûmes -urent	vaudrai vaudrais	vaille -es -e valions -iez vaillent
venir	venant venu	viens -s -t venons -ez viennent	vins -s -t vînmes vîntes vinrent	viendrai viendrais	viennes -es -e venions -iez viennent
vêtir	vêtant vêtu	vêts -s -vêt vêtons -ez -ent	vêtis -it vêtîmes -irent	vêtirai vêtirais	vête -es -e vêtions -iez -ent
vivre	vivant vécu	vis -s -t vivons -ez -ent	vécus -ut vécûmes -urent	vivrai vivrais	vive -es -e vivions -iez -ent
voir	voyant vu	vois -s -t voyons -ez voient	vis -it vîmes -irent	verrai verrais	voie -es -e voyions -iez voient
vouloir	voulant voulu	veux -x -t voulons -ez veulent *Imperative*: veuille veuillons veuillez	voulus -ut voulûmes -urent	voudrai voudrais	veuille -es -e voulions -iez veuillent

PROGRAMME DE RÉVISION

A note on using this section
These revision exercises give you a chance to bring together what you know about some important grammar points. You will certainly have met examples of most of these points in the *dossiers*. Now you can check your knowledge of them systematically.

At the end of each revision exercise you will find references to sections of the *Résumé grammatical* which deal with the grammar points being tested. **Look these up** *before* you attempt the exercise.

1. Formes des adjectifs

Vous avez déjà rencontré de nombreux adjectifs irréguliers. Connaissez-vous parfaitement leur formation? Vérifiez ces formes dans le *Résumé grammatical* (p. 152) ou avec un dictionnaire.

Donnez la forme indiquée:

Le féminin
dernier, premier→
curieux, amoureux→
personnel, actuel→
actif, inoffensif→
secret, complet→
ancien, indien→

bas→
beau→
bon→
blanc→
doux→
favori→
vieux→

gentil→
gras→
gros→
long→
nouveau→
public→
fou→

Le masculin du pluriel
social, central→
beau, nouveau→
gris, heureux→

Le masculin du singulier
devant une voyelle ou un *h* muet (homme, hôtel, etc.)
beau→un ＿＿＿ homme
nouveau→son ＿＿＿ amour
vieux→leur ＿＿＿ ami
fou→un ＿＿＿ espoir

Voir: *Résumé grammatical*, 11–14, p. 152.

2. Place de l'adjectif

La Martinique est une **petite** île **ensoleillée**.
Savez-vous quels adjectifs on place normalement **avant** le nom, et lesquels **après**?
N'oubliez pas que normalement **des** devient **de** devant adjectif + nom au pluriel: **de** bonnes nouvelles, **de** nouveaux élèves.

Combinez tour à tour nom + adjectif de la manière suivante: *un beau pays, un pays magnifique*.

un pays: beau, magnifique, joli, formidable, célèbre.
des élèves: mauvais, intelligent, jeune, gentil.
une impression: grand, bon, excellent, étrange.

Voir: *Résumé grammatical*, 15, p. 152.

3. Venir de + infinitif, être en train de + infinitif, aller + infinitif

Mireille nous dit que sa fille Pauline **vient d'avoir** dix-huit ans (*passé récent*). Son petit ami, Nicolas, **est en train de faire** des études de pharmacie (*action qui se déroule au présent*). Mireille croit qu'il **va encourager** Pauline (*futur proche*) à abandonner ses études.

Complétez la légende de chacun des croquis suivants: employez chaque fois l'expression qui convient – **venir de + infinitif, être en train de + infinitif** ou **aller + infinitif**.

1.

Son entreprise _____ renvoyer Marc. Véronique _____ le consoler.

2.

Dans leur appartement, Marc _____ tourner en rond. Véronique _____ décrocher le récepteur du téléphone. Elle _____ demander des conseils à une amie.

3.

Marc _____ casser une assiette. Il _____ faire la vaisselle. Véronique _____ sortir de la cuisine.

4.

Marc _____ regarder la télévision. Véronique _____ écrire à la rubrique *Courrier du cœur* et elle _____ mettre sa lettre à la poste.

Voir: *Résumé grammatical*, 71, p. 172.

4. Prépositions + noms géographiques

Jean-Loup s'ennuie à Limoges, qui se trouve **dans la** Haute-Vienne, un département **du** centre de la France. Pendant les vacances, il fait souvent un séjour chez son oncle, qui habite **aux** Andelys. Savez-vous quelle préposition il faut employer devant un nom de **ville**, de **pays**, de **département** ou de **région**?

Voici quelques détails sur l'oncle de Jean-Loup:
    Lieu de naissance: Guingamp (Bretagne)
    Domicile: les Andelys
    Métier: ingénieur
    Lieu de travail: Le Havre
    Séjours à l'étranger: les Etats-Unis, l'Allemagne, le
    Portugal, l'Italie.

A partir de ces détails, complétez le texte suivant (lisez *d'abord* les notes du *Résumé grammatical*).

    Jean-Loup vient ___ Limoges, mais il passe ses vacances ___ Normandie chez son oncle Alain qui est ingénieur. Alain est né ___ Guingamp ___ Bretagne, ___ ___ Nord-Ouest ___ ___ France. Mais lui et sa famille habitent maintenant ___ Andelys; Alain travaille ___ Havre dans une entreprise pétrochimique.
    Pendant sa carrière, Alain a fait de nombreux séjours à l'étranger: il a travaillé ___ Etats-Unis, ___ Allemagne, ___ Portugal et ___ Italie.
    Jean-Loup veut terminer ses études ___ France, mais ensuite il espère travailler ___ Tokyo, ___ Japon.

Voir: *Résumé grammatical*, 80, p. 173, 85, p. 175.

5. Pays, langues, nationalités

Le cricket est un sport typique de **la Grande-Bretagne**. C'est un sport typiquement **britannique**. Savez-vous parler des **pays**, des **langues**, des **nationalités**?

Trouvez les adjectifs, puis les noms demandés:

    Un plat typique de la Suède est un plat typiquement
    _____.

    Un plat typique de l'Allemagne est un plat typiquement
    _____.

    Et un plat typique de l'Irlande, de l'Autriche, de l'Espagne, du Japon, de la Turquie, de la Grèce, du Maroc, du Canada, de la Chine?

    Une coutume écossaise est typique de l'_____.

    Et une coutume typiquement portugaise, russe, mexicaine, américaine, belge, indienne, suisse, néerlandaise, brésilienne?

Complétez les phrases suivantes avec des noms indiquant chacun une **langue** ou une **personne** d'une certaine nationalité: *(le) français, Français*, etc.:

    Un Français parlera français: un _____ parlera italien.
    Un habitant de l'Allemagne s'appelle un _____.
    Au Maroc, on parle _____.
    _____ est la langue principale de l'Amérique du Nord.

En Suisse, on peut parler _____, _____ ou
_____.

_____ se parle très largement en Amérique latine,
mais au Brésil on parle _____.
(*Et vous?*) Je parle parfaitement _____ et assez bien
_____.

Voir: *Résumé grammatical*, 80, pp. 173–4.

6. Constructions avec l'infinitif (i)

Le ministère de l'Agriculture **espère protéger** la forêt
française et **essaie d'empêcher** les incendies qui la ravagent
chaque année. Savez-vous après quels verbes on emploie un
infinitif sans préposition (*à*, *de*), et dans quelles constructions
il faut employer *de* devant l'infinitif?

Complétez le texte suivant, en mettant chaque fois **de** ou
rien devant l'infinitif, selon la construction.

L'expert anti-feu Haroun Tazieff est en colère. Il vient __
critiquer vivement le gouvernement, et il souhaite __
provoquer une réaction. «L'État refuse __ mener une
politique de prévention d'incendies de forêt. Nous avons
besoin __ nettoyer les sous-bois. La forêt n'est plus
surveillée; il faut __ la débarrasser de ces plantes asséchées
qui brûlent si rapidement. Il est essentiel donc __ fournir
une somme importante si l'on veut __ arrêter la
destruction de la forêt. Nous devons __ agir dès
aujourd'hui. Mais l'État préfère __ continuer une
politique inutile de lutte contre les incendies.» Selon M.
Tazieff, le gouvernement a tort __ dépenser l'argent
public dans une bataille perdue d'avance. Seule une
campagne de prévention pourra __ sauver la forêt.

Voir: *Résumé grammatical*, 48, pp. 164–5.

7. La formation des adverbes

A Saint-Raphaël l'avance des flammes a été **rapide**, c'est-à-
dire les flammes ont avancé **rapidement**. Le résultat
heureux de l'intervention des pompiers, c'est qu'il n'y a pas
eu de victimes. **Heureusement**, tous ont eu le temps de
prendre la fuite.
Savez-vous former ainsi un adverbe de manière, à partir
d'un adjectif?

Trouvez les adverbes qui correspondent:

lent→   bref→
quotidien→   gai→
personnel→   profond→
absolu→   énorme→
évident→   violent→
gentil→   grave→
intense→   meilleur→

Voir: *Résumé grammatical*, 56, p. 168.

8. Constructions avec l'infinitif (ii)

Les voyants, les exorcistes et les hommes de science ont **renoncé à trouver** la personne qui allumait les feux de Séron. Enfin, c'est la présence constante des gendarmes qui a **permis à la famille de retrouver** la tranquillité.

Dans cet exercice, vous allez vérifier votre connaissance des constructions suivantes:

   verbe + infinitif
   verbe (+ nom) + de + infinitif
   verbe (+ nom) + à + infinitif
   verbe + à + nom + de + infinitif

Complétez le texte suivant (*à*, *de* ou *rien*?):

Les amours d'été

L'été, c'est bien pour bronzer et on a souvent l'occasion __ faire des rencontres. Certains signes du zodiaque peuvent __ s'entendre plus facilement que d'autres. N'oubliez pas __ demander son signe à celui ou à celle qui vous invite __ rêver! Cette liste doit __ permettre __ certains de nos lecteurs __ trouver le/la partenaire qu'il leur faut.

Poissons-Cancer: ils se mettent __ s'aimer immédiatement. Mais attention! Ils risquent __ avoir des ennuis d'argent. Les Poissons encouragent les Cancer __ faire des dépenses excessives. Si les Cancer réussissent __ limiter les dépenses de leur partenaire, ils auront l'occasion __ faire durer cet amour.

Cancer-Gémeaux: Ils ont raison __ se chercher. Les Gémeaux refusent __ voir la vie en noir. Très organisés, les Cancer permettent __ Gémeaux __ mener une vie plus régulière. Mais c'est avec le mariage qu'ils commenceront __ se disputer. Je leur conseille __ tous les deux __ se limiter à une tendre amitié.

Taureau-Balance Ils ne tardent pas __ s'aimer; ensemble, ils ont l'impression __ vivre au même rythme. Ils arrivent __ créer la beauté et la poésie partout. Mais pour la Balance, il est question __ se méfier. Son charme risque __ irriter le Taureau possessif, qui reproche __ la pauvre Balance __ séduire tout le monde. Si le Taureau continue __ montrer cette mauvaise humeur, je propose __ la Balance __ chercher un(e) partenaire moins difficile.

Voir: *Résumé grammatical*, 48, pp. 164–5.

9. Expressions avec 'avoir'

La bonne, Michèle, a hurlé parce qu'elle **avait peur**. Connaissez-vous ces expressions avec le verbe avoir:

   avoir chaud, froid, faim, soif, raison, tort, sommeil, honte;
   avoir mal à la tête, au ventre, etc.; avoir besoin de; avoir lieu?

Transformez ces phrases de la manière indiquée:

   Michèle était effrayée→*Elle avait peur*
   La famille voulait dormir→
   La tête de Mme Lahore lui fait mal→
   Jean-Marc est affamé→
   Il lui faut être rassuré→
   Le curé s'est trompé→
   Il rougit de son impuissance→
   Les feux se sont produits en août→
   Les hommes du village sont assoiffés→

Voir: *Résumé grammatical*, 52, p. 166.

10. Démonstratifs et pronoms démonstratifs: ce(t)/cette/ces . . . -ci/là; celui/celle/ceux/celles-ci/là

Quelles seraient, à votre avis, les préférences de Sophie et de Maryse en matière de vêtements, de boissons, etc.? Les **démonstratifs** et les **pronoms démonstratifs** suivis de **-ci** ou **-là** permettent de distinguer des choses appartenant à une même catégorie. Sauriez-vous distinguer les préférences de Sophie de celles de Maryse?

Quelle boisson choisiraient-elles, l'une et l'autre?

Sophie choisirait cette boisson-ci.
Maryse choisirait celle-là.

Regardez les dessins à droite. En employant chaque fois d'abord **ce(t)/cette/ces .. -ci/là** et ensuite **celui/celle/ceux/ celles -ci/là**, dites, comme dans les phrases ci-dessus:

— quelle boisson elles choisiraient, l'une et l'autre;

— quelles chaussures elles achèteraient pour sortir le soir;

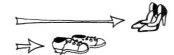

— quels disques elles écouteraient de préférence, en rentrant;

— quels livres elles liraient, avant de s'endormir;

— quel sac elles utiliseraient tous les jours;

— quel collier elles porteraient au bureau;

— quelles lunettes elles emporteraient en vacances;

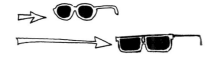

— quelle bague elles aimeraient recevoir en cadeau.

Voir: *Résumé grammatical*, 4, p. 150 et 23, p. 156.

11. Jours, mois, saisons, années

Mesrine et son complice ont réussi l'exploit du casino de Deauville **en** 1978, **au mois de** mai. Connaissez-vous d'autres expressions de ce genre: **dates, saisons**, etc?

Complétez cette déclaration faite par Charlie Bauer, le complice de Mesrine:

«Jacques Mesrine a demandé à me voir la première fois ___ 1979, ___ printemps. Le rendez-vous a enfin eu lieu ___ été, ___ mois ___ juillet. Nous nous sommes rencontrés ___ après-midi, dans une petite rue du 18ème arrondissement, et on a bavardé. ___ soir ___ mercredi, 30 octobre, au cours d'un deuxième rendez-vous, nous avons décidé de partir pour l'Italie. Le départ a été fixé pour ___ onze novembre. Mais une semaine avant le jour ___ nous devions quitter le pays, Mesrine est mort, à 15h ___ l'après-midi.»

Voir: *Résumé grammatical*, 67, p. 171.

12. Parties du corps: emploi des articles, etc.

Blessé **à la** main et **à la** hanche, Mesrine s'est réfugié dans une ferme.
Connaissez-vous l'emploi des articles avec les **parties du corps**?

Complétez le texte suivant:

Quand l'avocate de Mesrine est entrée dans le parloir, elle ___ a serré ___ main. Devant elle, elle a vu un homme ___ visage souriant, qui avait ___ yeux marron et ___ cheveux châtains. Il est resté assis, ___ bras croisés. Puis Mesrine a envoyé le «maton» chercher un document. Lorsque ce dernier est revenu, il a trouvé Mesrine debout, ___ yeux féroces, un pistolet ___ la main.

Voir: *Résumé grammatical*, 1, p. 149, et 25, p. 157;
Exercices, 3, p. 31.

13. Temps de verbe avec 'si'

Savez-vous quel temps de verbe il faut employer dans une phrase conditionnelle avec **si**?

Complétez les phrases suivantes, en employant, au temps qui convient, les verbes présentés à la page 195:

S'il ne _____ pas pendant cet hiver, nous souffrirons de la sécheresse l'été prochain.
S'il ne neige pas cette année sur les Alpes, les stations de ski _____ beaucoup de touristes.
Il y aurait moins d'accidents en montagne si les alpinistes _____ d'une manière plus prudente.
Normalement, si on est bien préparé, on ne _____ pas de risques en montagne.
Hervé et Patricia Ranville _____ s'ils n'avaient pas montré tant de ténacité.

Si on écoutait toujours la météo avant de partir en randonnée, on _____ comment s'habiller.
Si les gendarmes de haute montagne _____ à arriver, ils n'auraient pas pu sauver les quatre jeunes alpinistes.

> tarder perdre pleuvoir mourir courir s'équiper savoir

Voir: *Résumé grammatical*, 60, p. 169;
     Exercices, 5, p. 50, 2a, p. 61, 6, p. 67, 1, p. 100.

14. Antériorité et postériorité: dernier, prochain, etc.

Aux Arcs, la montagne a fait six victimes à **la veille** des vacances de Noël, c'est-à-dire un jour avant le début des vacances.
La veille fait partie d'une série d'expressions qui indiquent l'antériorité (le fait de venir **avant**) et la postériorité (le fait de venir **après**).

Complétez ce schéma:

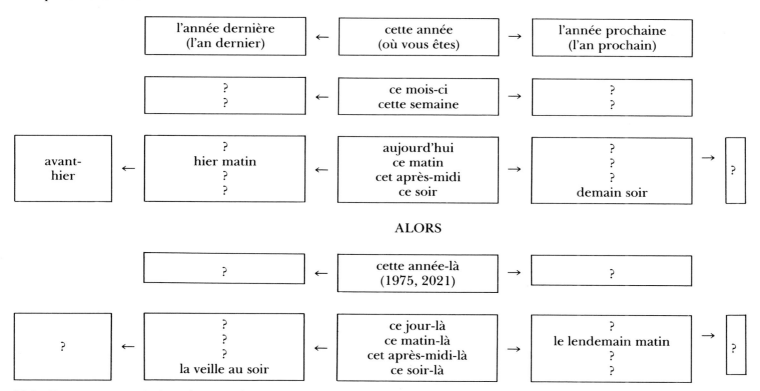

Voir: *Résumé grammatical*, 68–70, pp. 171–2.

15. Sens de l'adjectif, selon sa place

Pendant l'hiver, on trouve dans les Alpes des hôtels et des restaurants **chers** (d'un prix élevé). C'est pourquoi de nombreux habitants de stations d'hiver comme les Arcs, préfèrent quitter leur **cher** village natal (leur village bien-aimé) à cette époque de l'année.
Connaissez-vous d'autres adjectifs qui changent de sens selon leur place (**avant** ou **après** le nom)?
Dans chacune de phrases suivantes employez, comme dans l'exemple ci-dessus, **deux fois** le **même** adjectif, respectivement: *dernier, cher, ancien, certain, propre, même, prochain*. Mettez chaque fois l'adjectif à la place qui convient:

Lundi Nathalie a reçu la *nouvelle* de sa famille dans le Midi.
Son *frère* vient d'acheter un grand *appartement* au centre
d'Aix-en-Provence.
Elle adore les *monuments* de cette ville qu'elle a visitée
autrefois avec une *camarade de classe.*
Une *nostalgie* l'a envahie devant la *perspective* de revoir Aix.
Emue par ses *réflexions,* elle a dû chercher un *mouchoir*
pour essuyer quelques larmes.
En rentrant, son mari a eu la *réaction* qu'a eue Nathalie, ses
propos ont exprimé les *sentiments* de sa femme.
Dimanche ils téléphoneront au frère de Nathalie pour lui
dire qu'ils aimeraient passer leurs *vacances* avec lui à Aix.

Voir: *Résumé grammatical,* 15, pp. 152–3.

16. N'importe qui, n'importe quoi, etc.

La mère de Clarisse ouvrait toutes ses lettres; peu importait
l'expéditeur (= **n'importe qui** les avait envoyées).
Connaissez-vous d'autres expressions avec **n'importe**. . . ?

Complétez chacune des déclarations à droite de manière à
reproduire le sens de celles qui sont à gauche:

Mme V a dit que Clarisse devait lui obéir:	Elle a dit: "Tu m'obéiras:
– dans toutes les circonstances possibles;	– dans _____ _____ _____
– à tous les moments possibles;	– _____ _____
– dans tous les endroits possibles;	– _____ _____
– devant toutes les personnes possibles.	– devant _____ _____.»

Voir: *Résumé grammatical,* 24, pp. 156–7.

17. Expressions de temps

Clarisse va avoir seize ans **dans** quatre mois.
Savez-vous employer des **expressions de temps** telles que:

dans (voir *Résumé grammatical,* 70), *en* (73), *il y a* (68), *dès*
(75) *vers* (67), *être en train de* (71), *jusqu'à* (74), *le jour,* etc.,
où (67), *à temps pour* (76), *tout de suite, l'instant d'après, de
nouveau, à l'avenir, d'abord . . . puis . . . enfin?*

Complétez cette déclaration de Clarisse. Employez une fois
chacune des expressions ci-dessus:

«Véronique, cette fois-ci maman a vraiment dépassé
toutes les bornes! Tu te rappelles Peter, ce garçon anglais
que j'ai rencontré __ _ __ huit jours, le soir __ nous sommes
allées dans cette nouvelle boîte? Il m'a dit qu'il rentrait en
Angleterre _____ trois jours et qu'il m'écrirait __ son
retour. Eh bien, aujourd'hui j'attendais sa lettre; je suis
rentrée du lycée __ cinq minutes, espérant être __ temps
_____ devancer maman. Hélas, quand je suis arrivée _____
quatre heures et demie, j'ai _____ __ _____ vu que le
courrier n'y était plus. L'instant _'_____ j'ai vu maman
dans la cuisine. J'ai _' _____ pensé qu'elle avait tout lu,

_____ j'ai vu qu'elle était __ _____ _' ouvrir une enveloppe qui portait un timbre anglais. _____, à force de protester, j'ai récupéré ma lettre. _____'_ présent je n'ai rien caché à maman. Mais vraiment elle exagère, n'est-ce pas? Peter va sans doute m'écrire __ _____. Je peux lui dire de m'écrire __ _'_____ chez toi?»

Refaites oralement cet exercice. Ne regardez pas les expressions à la page 196.

Voir: _Résumé grammatical_, 67–76, pp. 171–3.

18. Quelques formes de l'impératif

La conseillère qui a été consultée par les parents de Clarisse aurait pu dire à la jeune fille: «**Sache** que ta mère ne cherche pas à te blesser» (= tu dois savoir que ta mère ne cherche pas à te blesser).

Récrivez à l'impératif de la même manière:

«Tu dois _savoir_ que ta mère ne cherche pas à te
   blesser.» → _Sache_ . . .
«Tu dois _te calmer._» →
«Tu dois _faire_ un effort pour comprendre l'attitude de ta
   mère.» →
«Tu peux _expliquer_ ton point de vue à tes parents.» →
«Tu dois _prendre_ soin de leur présenter tes amis.» →
«Tu as besoin de _montrer_ que tu es maintenant adulte.» →
«Nous devons _apprécier_ les inquiétudes de ta mère.» →
«Nous devons _ménager_ ses sensibilités.» →
«Il te faut _essayer_ de les rassurer.» →
«Tu dois _avoir_ confiance en l'amour de tes parents.» →
«L'important, c'est d'_être_ compréhensif.» →
«Enfin, tu _veux_ m'écouter, Clarisse?» →

Voir: _Résumé grammatical_, 47, pp. 163–4.

19. En + participe présent: le moyen

Au cours de ce dossier, vous avez employé le participe présent pour indiquer la simultanéité (Sylvie a fait ses préparatifs **en pensant** à Patrick). Mais vous avez déjà appris à utiliser le participe présent pour exprimer le **moyen** de faire quelque chose (= 'by doing something'):
Patrick a observé que Sylvie se conduisait comme si elle lui faisait une faveur **en acceptant** de sortir avec lui.

Pour chacune des phrases de la colonne de gauche (p. 198), choisissez celle de la colonne de droite qui correspond le mieux et qui exprime le **moyen** par lequel Patrick ou Sylvie a fait son action. Ensuite, joignez les deux phrases correspondantes en employant **en + participe présent** pour exprimer le moyen.

Exemple: (*Elle a contrarié Patrick*)
Elle a contrarié Patrick **en arrivant** en retard.

Les actions	**Les moyens**
Sylvie a offensé Patrick	Elle ne s'est pas excusée
Elle a fait preuve d'égoïsme	Elle est arrivée en retard
Elle s'est montrée insensible	Elle a fait la conversation toute seule au snack
Elle a contrarié Patrick	Elle a retiré sa main
Patrick a montré sa colère	Il a dit qu'il lui passerait un coup de fil
Il a essayé de rassurer Sylvie	Il a marché très rapidement
Il a humilié Sylvie	Il a regardé autour de lui au snack
Il lui a menti	Il l'a invitée à manger un hamburger

Voir: *Résumé grammatical*, 46, p. 163.

20. Adjectif + à/de + infinitif

Il est difficile de réussir un premier rendez-vous.
Un premier rendez-vous est **difficile à réussir**.
Savez-vous employer ainsi **à** ou **de** + infinitif après un **adjectif**?

(**a**) En suivant l'exemple, faites deux phrases pour chacun des adjectifs + infinitifs etc. qui suivent.

Exemple (agréable + rencontrer une personne sympathique)
   1 ***Il est agréable de*** *rencontrer une personne sympathique.*
   2 *Une personne sympathique est* ***agréable à*** *rencontrer.*

Adjectif	**Infinitif etc.**
agréable	rencontrer une personne sympathique
horrible	rater un premier rendez-vous
amusant	voir un bon film
intéressant	lire un roman policier
affolant	observer un accident de la circulation
difficile	interpréter les sentiments d'un(e) inconnu(e)

Voir: *Résumé grammatical*, 17, p. 153, 48, p. 164.

(**b**) Complétez chacune des phrases suivantes avec la préposition qui convient.

Après avoir rencontré Sylvie en boîte, Patrick était heureux __ fixer un rendez-vous avec elle.
Patrick était le premier __ arriver au rendez-vous.
Sans se presser, il était difficile __ arriver à temps au cinéma.

Au snack, Sylvie était la seule __ parler.
Elle se sentait capable __ éclater en sanglots.
A la fin de la soirée, Patrick n'était pas prêt __ fixer un deuxième rendez-vous.
Les deux jeunes étaient les derniers __ comprendre pourquoi leur soirée était devenue un désastre.

Voir: *Résumé grammatical*, 24, pp. 156–7 et 48, pp. 164–5.

21. Les différents temps de devoir et de pouvoir (*must, can, should, could, etc.*)

Les deux verbes **devoir** et **pouvoir** expriment chacun plusieurs idées différentes. Pour bien les comprendre, et les employer, il est utile de les comparer avec des expressions équivalentes en anglais. Voilà pourquoi cet exercice se base, pour une fois, sur la traduction.

(a) Avec le professeur, cherchez d'abord dans la colonne de droite (en français) les formes qui correspondent à celles indiquées entre parenthèses (en anglais) dans les phrases qui suivent.

DEVOIR

L'obligation/la nécessité (*must/have to*)

1. Sylvie se dit maintenant qu'elle _____ (*must*) oublier Patrick.
2. Ce soir-là, Patrick _____ (*had to*) attendre Sylvie dans la rue.
3. Pour arriver à l'heure il _____ (*had had to*) faire lui-même un gros effort.

a. **avait dû**
b. **aurait dû**
c. **devrait**
d. **doit**
e. **a dû (i)**
f. **devait**
g. **a dû (ii)**

La prévision (*be due to*)

4. Sylvie _____ (*was meant to/supposed to*) revoir Patrick à 7h 30.

La supposition (*must 'no doubt'*)

5. «Elle _____ (*must have*) avoir un accident», s'est dit Patrick.

La recommandation (*ought/should*)

6. Sylvie _____ (*ought to/should*) parler de cette soirée ratée avec sa mère.
7. Patrick _____ (*ought to have/should have*) comprendre la nervosité de Sylvie.

POUVOIR

La permission

8. La mère de Sylvie lui demande si elle _____ (*may/can*) entrer dans sa chambre.

La possibilité

9. Au cinéma, Patrick _____ (*couldn't*) prendre la main de Sylvie parce qu'elle l'a retirée.
10. Il s'est dit qu'elle _____ (*couldn't*) être la fille qu'il avait imaginée.

h. **ne pouvait pas**
i. **peut**
j. **pourrait**
k. **aurait pu**
l. **n'a pas pu**

La condition

11. Si Patrick demandait à Sylvie un deuxième rendez-vous, elle _____ (*could/would be able*) reprendre confiance en elle.
12. Patrick _____ (*could have/would have been able*) s'expliquer le retard de Sylvie s'il avait compris son désir de paraître «cool».

Vous pouvez maintenant vérifier vos solutions en consultant la clef (en bas de la page). Ensuite, cachez la colonne au milieu et complétez les phrases de memoire.

(b) Traduisez en français les phrases suivantes.

1. Patrick ought to ring Sylvie to explain his behaviour.
2. If Sylvie discussed the evening with her mother, she would be able to understand Patrick's reaction.
3. Patrick must have felt humiliated.
4. He would have been able to understand why Sylvie was late if she had explained her feelings.
5. They were supposed to spend a wonderful evening together.
6. Instead of withdrawing her hand, Sylvie should have allowed Patrick to hold it.
7. He must try to understand Sylvie's nervousness.
8. They had to walk quickly to arrive at the cinema before the beginning of the film.
9. She asks if she can go home.
10. After the film, she couldn't refuse to go to the café.
11. Patrick had had to listen to her for an hour.
12. If he had invited her again, she would have stayed at home.

22. Expressions de degré et de quantité

Annick, a-t-elle dit, était **un peu** mieux traitée que les autres ouvrières.

Connaissez-vous les expressions de **degré** et de **quantité** telles que *assez, autant, bien (des), encore, peu, un peu, la plupart, le plus, ne . . . que, tant, tellement, très, trop* et leurs constructions?

Complétez ces paragraphes, en employant, une fois chacune, les expressions ci-dessus:

Ne disposant d'aucun revenu fixe pendant l'année, Annick n'a jamais _____ _'argent. Comme la _____ ___ étudiants elle est donc obligée de travailler pour avoir __ ___ _'argent pour le superflu. Elle aimerait surtout s'acheter une voiture, car ses allées et venues entre la faculté, la bibliothèque et l'hôpital sont ____ fatigantes. D'ailleurs, ____ ___ déplacements lui laissent très ___ ___ temps pour ses quelques loisirs. Bref, même si elle n'a pas _____ ___ problèmes que les étudiants mariés, elle estime que le travail est un besoin vital.

Dans l'usine de conserves où elle a travaillé, Annick a été
_____ secouée par son expérience qu'elle _'est restée
___ trois semaines. Selon elle, le ___ pénible c'était le
travail à la chaîne: au bout de 10 heures, elle rentrait ___
épuisée pour parler.

Etant partie avant la fin du mois, Annick a encore ___ ___
ennuis d'argent: elle devra trouver _____ ___ travail avant
la rentrée.

Refaites oralement cet exercice. Ne regardez pas les
expressions à la page 200.

Voir: *Résumé grammatical*, 81, p. 174.

23. Quelques chiffres

Annick travaillait 50 heures **par** semaine.
Savez-vous employer une **préposition** (*par, de,* etc.), ou un
article défini (*le, la, les*), pour exprimer la **distribution** d'un
nombre ou d'une quantité?

Complétez ces phrases:
Annick faisait 50 heures ___ semaine et elle gagnait 48
francs ___ jour, soit 6 francs ___ l'heure. Son salaire mensuel
était donc ___ 1000 francs seulement, et ses déplacements
coûtaient cher: 4F 50 ___ trajet.

Voir: *Résumé grammatical*, 88, p. 176.

24. An, année, jour, journée

Annick faisait dix heures par **jour**. Mais elle changeait de
poste plusieurs fois dans la **journée**.
Savez-vous distinguer **jour/an** de **journée/année**?

Complétez ces phrases:
Annick a 24 _____.
Il y a quelques _____, en 1981, elle a décidé de devenir
médecin.
Ses études durent au moins sept _____.
Elle passe la plupart de l'_____ soit en faculté, soit à
l'hôpital.
A l'usine elle a fait des _____ de dix heures.
Elle n'y est restée qu'une vingtaine de _____.

Voir: *Résumé grammatical*, 73, p. 172.

25. Faire du . . . etc., jouer au . . . etc., jouer du . . . etc.

Les Ranville **faisaient du ski**. Véronique **joue de la guitare**, mais son frère préfère **jouer au foot**.
Savez-vous employer correctement ces expressions?

Vérifiez d'abord la signification de chacun des noms présentés ci-dessous: est-ce qu'il représente une activité, un sport particulier ou un instrument de musique?
Ensuite, formulez des phrases en utilisant **faire du** . . . etc., **jouer au** . . . etc., ou **jouer du** . . . etc.

Exemple:
    On **fait de** l'*équitation* (activité).

échecs (m)	peinture (f)
piano (m)	cuisine (f)
photographie (f)	boules (f)/pétanque (f)
danse (f)	boxe (f)
badminton (m)	bricolage (m)
planche (f) à voile	ping-pong (m)
ski (m)	batterie (f)
pêche (f)	équitation (f)
football (m)	camping (m)
randonnées (f)	athlétisme (m)
à pied	tennis (m)
escrime (f)	natation (f)
guitare (f)	voile (f)
philatélie (f)	judo (m)
poterie (f)	chasse (f)

Voir: *Résumé grammatical*, 3, p. 150, 50, pp. 165–6.

26. Mots comparatifs

Véronique considère sans doute que la musique est un passetemps **meilleur** que n'importe quel autre, tandis que Jean-Michel aime **mieux** le cyclotourisme.
Savez-vous employer correctement les mots comparatifs mieux, meilleur(e)?

Vérifiez d'abord l'emploi de ces expressions (*Résumé grammatical*, 16, p. 153): puis complétez les phrases suivantes.

Véronique connaît la musique _____ que Jean-Michel.
= Sa connaissance de la musique est _____ que celle de Jean-Michel.

Le champion du monde de tennis joue _____ au tennis que ses rivaux.
= Son jeu est _____ que le leur.

Le Français adepte de camping croit qu'il s'amuse _____ en vacances que ses compatriotes.
= Il pense qu'il passe des vacances _____ que les leurs.

Complétez le texte suivant en employant chaque fois
meilleur, mieux, moindre, moins, pire:

> Pendant onze mois de l'année, le campeur mène une vie
> bien _____ que celle en camping: chez lui, il vit
> _____, il se fatigue _____. Sa maison est cent fois
> _____ équipée que celle du Français d'il y a cent ans;
> par conséquent, le niveau de confort est bien _____.
> Le Français du dix-neuvième siècle possédait bien
> _____ d'appareils ménagers, par exemple. Pourquoi
> donc le Français d'aujourd'hui choisit-il souvent de passer
> ses vacances en camping, dans les _____ conditions,
> sans le _____ confort, sans la _____ vie privée?
> Même si la vie sociale est _____ que chez lui (puisque
> tout le monde finit par se connaître en camping), de toute
> évidence, on se repose _____ à la maison.

Voir: *Résumé grammatical*, 16, p. 153.

27. Indéfinis: déterminants, pronoms, adjectifs, adverbes

Quand *L'Express* a distribué à ses lecteurs un questionnaire
sur les vacances, tous ceux qui ont répondu étaient d'accord
sur leur importance, mais quelques-uns de leurs
commentaires étaient peu flatteurs.

Connaissez-vous les indéfinis suivants:
  quelque(s), plusieurs, chaque (déterminants),
  quelques-un(e)(s), plusieurs, chacun(e) (pronoms),
  tout (toute, tous, toutes) (adjectif),
  tout (toute(s)) (adverbe)?

Complétez les phrases suivantes en employant chaque fois
un **indéfini** qui convienne:
  L'année dernière Michelle a passé _____ temps dans le
  Massif central avec sa famille.
  Il a plu _____ le temps et les Dutronc sont rentrés
  trempés _____ les quatre.
  Comme _____ détente était impossible en vacances, elle
  a été _____ contente de rentrer.
  Cette année elle passera _____ jours à l'hôtel.

Voir: *Résumé grammatical*, 6, p. 150, 24, p. 156, 56, p. 168.

VOCABULAIRE

Whilst this vocabulary contains well over 3 000 entries
- it lists only those meanings of words which occur in the book
- it tends to present only root words, so that students who do not know, for example, *dérangement* will need to deduce its meaning from *déranger*.

French abbreviations used: adj adjectif **adv** adverbe **f** féminin **fam** familier
inv invariable **m** masculin **pl** pluriel **qqc** quelque chose **qqn** quelqu'un
subj subjonctif **usu** usuellement.

English abbreviations used: sb somebody **sg** something

abandon, à l'— in a state of neglect
abandonner give up; withdraw from (race)
abattre bring down, knock down; shoot down
　s'— fall to the ground
abbaye (f) abbey
abonnement (m) subscription, season ticket
d'abord first of all
aborder approach; deal with; start on, set about, tackle
aboutir à end up at
abri (m) shelter
(s') abriter shelter, take cover
abruti(e) de besotted with
absorber absorb, devour
abuser de abuse, misuse
　— de ses forces overdo it
accablant(e) oppressive
accalmie (f) lull
accaparer monopolise
accéder à reach; gain access to
accent, mettre l'—sur emphasise
accentué(e) emphatic
accès (m) access
　difficultés (f pl) **d'—** problems of getting there
accessoirement secondarily; if necessary
accomplir carry out
accord (m) agreement
　d'— (that's) right, OK
　être d'— agree
accorder grant, give; make agree
　s'— go together, agree
accourir rush up
accoutré(e) de got up in, decked with
s'accoutumer à get used to
accrocher hook on
accroissement (m) growth
accroître increase
accueil (m) reception
accueillir greet, welcome, accept, take in
acharné(e) relentless
achat (m) purchase
achever complete
acompte (m) deposit
acoustique (f) acoustics
acquérir acquire
âcre pungent
actualité (f) current events
　d'— topical
actuel(le) present
　à l'heure— at the present time
actuellement at present
addition (f) bill
adepte (m/f) enthusiast
adhérer à join, be a member of
adhésion (f) membership
　—à support for
adjoint(e) (m, f) deputy, assistant
s'adonner à devote oneself to, take up; indulge in
adresse (f) skill

adresser send (letter)
　s'—à speak to, consult; apply to; be intended for
advenir de become of
adversaire (m/f) opponent
adverse opposing
aéroglisseur (m) hovercraft
s'affaiblir become weaker
affaire (f) matter, business
　avoir—à have to deal with
　la belle—! what a song and dance!
　faire l'— do nicely
affaires (f pl) business; belongings
　homme d'— businessman
　faire de bonnes— pull in the money
s'affaler slump
affamé(e) starving
affecter post
affectif(-ive) emotional
affectueux(-euse) affectionate
affiche (f) poster
d'affilée in a row
affirmation (f) assertion
affirmativement in the affirmative, by saying yes
affirmer assert
affoler terrify, throw into a panic
affreux(-euse) awful, horrible
affronter face
afin de in order to, so as to
afin que (+*subj*) in order that, so that
agacer annoy, irritate
agence (f) agency, office
　—d'intérim agency for temporary work
agenda (m) diary
agent (m) helper (in children's holiday camp)
agglomération (f) city, built-up area
aggravation (f) deterioration
aggraver increase (score)
agir act, behave
　il s'agit de it is about/a question of; there has been a . . .
agité(e) troubled, restless
agiter wave
agréable pleasant
agréer accept; approve
agrément (m) attractiveness; approval
agrémenter make pleasurable
agresser attack; be aggressive towards
agricole agricultural
agrippé(e) à clinging to
s'aider de make use of
aigu(ë) acute; high-pitched
aiguille (f) needle
ailier (m) winger
ailleurs elsewhere
　d'— besides, what is more, in fact
aimable nice, friendly
aîné(e) (m, f) elder, eldest (child)
ainsi in this way
　—que as well as

air (m) manner, look; tune
　avoir l'—(de) look (as if/like); seem (to)
aire (f) area
　—d'atterrissage landing pad
aisance (f) affluence
aise (f) ease
　à l'— at ease, comfortable
　mal à l'— ill at ease
aisé(e) well-off
AJ (auberge (f) **de jeunesse)** youth hostel
ajiste (m/f) youth-hosteller
ajouter add
alcootest (m) breathalyser
alentours, aux—de around
alimentation (f) diet; grocery (store)
alimenter (en) supply (with)
allée (f) path
s'en aller go off
allier combine
allocation (f) allowance
allonger lengthen, deal (a blow)
allumer light
allure (f) speed
　—désordonnée breakneck speed
allusion, faire—à refer to
alors then; in that case; so, well
　—? well then?
　—que while, when; whereas
alpage (m) mountain pasture
alpestre alpine
alpinisme (m) climbing, mountaineering
amabilité (f) politeness, courtesy
amant (m) lover
amarré(e) anchored, secured
ambiance (f) atmosphere
âme (f) soul
(s') améliorer improve
aménager equip; put in; lay out
amener bring
ami(e) (m, f), **petit(e)—** boyfriend, girlfriend
amical(e) friendly
amitié (f) friendship
s'amonceler pile up
amoureux(-euse) (m, f) sweetheart
　—(adj) de in love (with)
ampleur (f) breadth; widespread effect
ampoule (f) light bulb
s'amuser have a good time, have fun
an (m) year
　bon—mal— taking one year with another
analogue (à) similar (to)
ancien(ne) ancient, old; former (before noun)
ancrer anchor, fix firmly
Angevin(e) (m, f) person from Anjou
anglophile (m/f) anglophile, lover of the English/British
angoisse (f) fear
anguleux (-euse) angular
animation (f) liveliness; organised activities
animer organise
　s'— liven up

année (f) (whole) year
les—**s cinquante** the fifties
annonce (f) advertisement
s'**annoncer mal** look unpromising/dodgy
annuler cancel out
anodin(e) harmless
anonymat (m) anonymity
anormal(e) abnormal, unusual
antérieur(e) previous, earlier
Antilles (f pl) West Indies
apercevoir notice, catch sight of
s'—**de** notice
apéro (= **apéritif**) (m) (*fam*) pre-meal drink
s'**aplatir** flatten oneself
apparaître appear
appareil (m) appliance; (piece of) apparatus; aircraft
—-**photo** camera
apparence (f) appearance
apparent(e) exposed (beam)
s'**apparenter à** resemble
apparition (f) appearance
appartenir à belong to
appel (m) call; appeal
—**téléphonique** phone call
faire—à call in; appeal to
appeler call (for)
appliquer apply
s'—**à** be applied to
apporter bring; provide (explanation)
appréciation (f) appraisal, assessment
apprécier enjoy
appréhender catch (criminal)
apprendre inform; learn (to cope with); teach
apprenti(e) (m, f) apprentice
apprentissage (m) learning; apprenticeship
s'**apprêter à** get ready to
approbation (f) approval
approfondie, d'une manière— in depth
s'**approprier** make one's own
appuyer sur press
s'—**sur** lean on
d'**après** according to, from
après-demain the day after tomorrow
âpreté (f) harshness
aquilin(e) aquiline (nose)
araignée (f) spider
arbitre (m) referee
ardemment ardently
ardu(e) difficult
argotique slang (expression)
argumentation (f) line of argument
arme (f) weapon
armement (m) arms, weapons
—**s terrestres** ground weapons
armoire (f) cupboard
arnaquer (*fam*) rip off
s'**arranger** work out (all right)
arrêt (m) (coach) stop
à l'— when stationary
sans— continually
(s')**arrêter** (**de faire**) stop (doing)
arrière (m) back (of car); full-back
en— backwards
arrière-plan (m) background
arrivant(e) (m, f) newcomer
arrivée (f) arrival; finishing-line
arriver happen
—**à** be able to, manage to
arrondi(e) rounded
arrondissement (m) district
arrosé, café— coffee with spirits added
artichaut (m) artichoke
artisanat (m) arts and crafts
ascendant (m) upper hand
ascenseur (m) lift
aspect (m) appearance
asséché(e) dried up
assez (de) enough; quite

en avoir— have had enough of it
assidu(e) painstaking
assistant(e) (m, f) personnel officer
—**social(e)** social worker
assister à attend, be present at, see
assommant(e) (*fam*) deadly
assouplir make more supple/flexible, relax
assourdissant(e) deafening
assumer take on
assurance (f) self-confidence; insurance
assurer assert; ensure; be responsible for
s'—**de** make sure of, check
astres (m pl) stars
astrologue (m) astrologer
astuce (f) trick
atelier (m) workshop, shop (in factory)
athlétisme (m) athletics
atroce ghastly
s'**attarder** linger
atteindre reach; catch; affect (health), wound
attendre wait (for), expect; look forward to
s'—**à** expect
—**que** (+*subj*) wait until
attente (f) wait(ing); expectation
attention (à) watch out (for)
faire—(à) pay attention (to); be careful (with)
attentionné(e) attentive
attentivement carefully
atterrage (m) dinghy-park (on land)
attirance (f) attraction
attirer attract, draw
attiser fan (flames)
attrait (m) attraction, appeal
attraper catch, get
attribuer assign
aube (f) dawn
auberge (f) **de jeunesse** youth hostel
aucun(e) (. . . ne) no, not one
ne . . .— no, not any
audace (f) boldness, daring
audacieux(-ieuse) bold, daring
auditeur(-trice) (m, f) listener
audition (f) (sense of) hearing
augmentation (f) increase
augmenter increase (in price)
auparavant earlier
auprès de close to, by, with; from; in connection with, based on
auquel (à laquelle) at which, to which
aussi too, also
—**. . . que** as . . . as
—**bien que** as well as
aussitôt immediately
autant as much/many
—**de . . . que** as much/many . . . as
d'—**(plus) que** all the more so because
auteur (m) author; person responsible for
authentique genuine
(auto)car (m) coach
autodéfense (f) self-defence
automatiser automate
autonomie (f) self-sufficiency
autoriser permit, allow
autoroute (f) motorway
(auto-)stop (m) hitch-hiking
autour de around; about
autrefois in the past
autrement otherwise
en **aval de** downstream from
avaler swallow
avance (f) advance; lead
à l'— in advance
d'— in advance
avant before; in front
—**de** (+*infin*) before
—**que** (+*subj*) before
avant-centre (m) centre-forward
avant-hier the day before yesterday

avantagé(e) favoured, with advantages
avenir (m) future
s'**aventurer** venture (out)
aventurier (m) adventurer
averse (f) shower
avertir warn, alert
aviron (m) rowing
avis (m) opinion; reference; message
à votre— in your opinion
aviser inform
avocat(e) (m, f) lawyer
avoir à have to
avouer admit to, confess; state

babyfoot (m) bar football
bac (m) sink
bac (= **baccalauréat**) (m) (*fam*) school-leaving examination
bâché(e) covered with a tarpaulin
badigeonner paint
bagarre (f) brawl
bagnole (f) (*fam*) banger (car)
bague (f) ring
baguette (f) twig, rod (of water-diviner)
bahut (m) (*fam*) school
baignade (f) bathing
baigner dans be steeped in
bâiller yawn
bain, prendre un— have a bath; bathe
en **baisse** declining, getting lower
baisser slump, get lower; turn down (volume)
bal (m) dance, disco
balade (f) (*fam*) trip
se **balader** (*fam*) go around
balai (m) broom
Balance (f) Libra
balayer sweep
balle (f) bullet
ballotter toss about
balnéaire sea-side (resort)
baluchon (m) bundle, pack
balustrade (f) **d'appui** handrail
banal(e) commonplace, humdrum
banalisé(e) unmarked (car)
banc (m) seat
bande (f) strip; tape; group
—**dessinée (BD)** strip cartoon
banlieue (f) suburbs
barbouillé(e) dirty, smeared (with dirt)
barbu(e) bearded
bardé(e) de clad in
barque (f) rowing boat
faire de la— go boating
barrage (m) road block; dam
barreau (m) bar
barrer cross out, delete
barrière (f) gate
bas(se) low
plus— below
bas (m) bottom
en— at the bottom; downstairs
basculer topple over
base (f) basis, foundation
de— basic
se **baser (sur)** base one's work (on)
basilique (f) basilica, church
baskets (m pl) trainers
basse (f) bass line
bassin (m) pond, pool; length (of pool); dock; pelvis
bataille (f) battle
bâtiment (m) building
bâtir build
battant (m) one side of double door
batterie (f) (playing the) drums
battre beat, defeat
se— fight
bavard(e) talkative
bavarder chat

baver foam at the mouth
bavure (f) mistake, slip-up
beau, j'avais—(faire) it was no good me (doing)
beau-père (m) stepfather
belge Belgian
Bélier (m) Aries
belote (f) belote (card game)
ben (fam) well
　—oui/si (fam) yes, that's right
　bon— (fam) right
bénéfice (m) benefit
bénévole (m/f) volunteer
bénir bless
benjamin(e) (m, f) youngest child
berger(-ère) (m, f) shepherd, shepherdess
besoin (m) need
　au— if need be
　avoir—de need
bête stupid
bêtement stupidly
bêtise (f) stupid remark
　faire une— do sg stupid
béton (m) concrete
bibliothèque (f) library
biche (f) (hind) deer
bien well
　ou— or else
　—des a lot of
　—que (+subj) although
bien good; property
　—de consommation consumer durable
　penser du—de think well of
bienfait (m) advantage, benefit; godsend
bientôt soon
　à— see you soon!
bijoux (m pl) jewellery
bilan (m) toll, consequences
bio-jardinage (m) organic gardening
bis, 2—(etc.) 2a (etc.)
bivouaquer set up a temporary camp
blanc (m) blank, gap
blême pale
blesser injure, hurt
blessure (f) injury; sore place
bleu (m) **de travail** workman's overalls
bloc (m) **sanitaire** washrooms and toilets
bloquer block, trap
blouse (f) overall
blouson (m) (bomber) jacket
bobineuse (f) bobbin-winder
bohème bohemian, unconventional
bois (m) wood (golf club)
boisson (f) drink
boîte (f) box, tin; (fam) club, disco
　—de nuit (night) club
bombardement (m) bombing raid
bombe (f) aerosol
bon right, OK
　ah—? really?
　—marché (inv) cheap(ly)
bon (m) **à tirer** go-head for printing
bondé(e) crammed
bonheur (m) happiness
bonne (f) (**à tout faire**) maid
bord (m) edge; side (of road); bank (of river); shore (of sea)
　au—de beside
border line; run beside
bornes, dépasser les— go too far
borné(e) narrow-minded
bosse (f) bump
bosser (fam) swot up
bouchon (m) traffic jam
boucler curl, wave
bouder sulk
boue (f) mud
bouée (f) buoy
boueux(-euse) muddy

bouffe (f) (fam) nosh (food)
bouger move
bouillir boil, be boiling
bouleau (m) birch
boules (f pl) bowls
bouleversé(e) astounded, shattered
boulot (m) (fam) job; work
boum (f) (fam) party
bouquin (m) (fam) book
bourg (m) country town
bourgade (f) (large) village
bousculer jostle; knock off; put off one's stride
　se— jostle each other
bout (m) end, tip; bit
　au—de after, at the end of
　à—de fatigue all in
　à—portant point blank
boutiquier(-ière) (m, f) shopkeeper
boxe (f) boxing
branché(e) sur (fam) turned on by
brandir brandish
braquer point (gun)
en bras de chemise in shirt sleeves
brèche (f) breach
bref (brève) short
bref in short
breton(ne) from Brittany
bricolage (m) do-it-yourself
brièvement briefly
brigade (f) **antigang** gang-busting squad
brigadier (m) (police) sergeant
brillant (m) gloss
briller sparkle
se bronzer sunbathe, get a tan
brosse, taillés en— crew-cut (hair)
brouillard (m) fog
se brouiller avec fall out with
broussailles (f pl) undergrowth
bruit (m) noise; rumour
brûler burn
brûlure (f) burn
brusquement suddenly
bruyant(e) loud, noisy
BTS (Brevet (m) **de technicien supérieur)** higher certificate of technical education
buisson (m) bush
bulle (f) bubble
bulletin (m) **d'inscription** enrolment form
bureau (m) office; desk
but (m) goal, aim, intention
　dans le—de with the intention of
butane (m) bottled gas
se buter dig one's heels in
butin (m) loot
buvette (f) refreshment bar

ça alors well I never!
ça y est that's it, there you are
cabinet (m) **de toilette** washing facilities (in hotel room)
se cabrer rear up
cache (f) hiding place
cacher cover up; hide
cachet (m) tablet
cachette (f) hideout
cadence (f) pace (of work)
cadet(te) (m, f) younger, youngest (child)
cadre (m) box, frame, strait jacket; framework, setting; executive
　—supérieur top executive
　—moyen executive in middle management
caisse (f) crate; cashdesk
　—de résonance sounding board
caissier(-ière) (m, f) cashier
calciné(e) burnt to a cinder
calcul (m) calculation
calmer ease (pain)
camaraderie (f) companionship

cambrioleur (m) burglar
camionnette (f) van
campagnard(e) (m, f) countrydweller
camping (m) campsite
canadair (m) fire-fighting aircraft
canadienne, tente- (f) ridge tent
canard (m) duck
candidature (f) application (for job)
canicule (f) midsummer heat
canif (m) pen-knife
canne (f) walking-stick; club (golf)
canot (m) rowing boat
canotage (m) boating
canotier (m) boater
caoutchouc (m) rubber
capacité (f) ability
capot (m) bonnet (of car)
car for
car (m) coach
carabine (f) rifle
en caractères gras in bold type
caravane (f) (climbing) party
carnet (m) notebook; (school) report book
carré (m) square
carreau (m) (window) pane
carrément frankly
carrière (f) career
carrosse (m) (horse-drawn) coach
carrosserie (f) bodywork (of car)
carrousel (m) display
carte (f) map
cartomancien(ne) (m, f) fortune-teller
carton (m) (cardboard) box; piece of card
cartouche (f) canister (of gas)
cas (m) case
　en tout— in any case, at any rate
　selon les— as appropriate
casanier(-ière) stay-at-home
case (f) box, space
casque (m) helmet; headphones
casse (f) damage, mishap
se casser break
　se—la figure (fam) smash oneself up
　se—la tête (fam) rack one's brains
casquette (f) cap
cataclysme (m) eruption
cauchemar (m) nightmare
à cause de because of
cause, mettre en— call into question
causer chat
cavale (f) (fam) escape; period on the run
cavalier(-ière) (m, f) rider (of a horse)
cave (f) cellar
ce à quoi that (to) which, what
ceci this
　—posé having said that
céder (à) give way (to)
ceinture (f) belt
célèbre famous
célibataire unmarried
cellule (f) cell
celui (celle) the one, that
　—-ci this one; the latter
　—-là that one; the former
　—qui the person who
cendres (f pl) ashes
cendrier (m) ashtray
centaine (f) hundred (or so)
cependant however
certain(e) certain; sure (after noun)
　—s some
　d'un—âge middle-aged
　c'est— that's for sure
certes admittedly
certificat (m) **d'études** elementary leaving certificate
certitude (f) certainty
　avoir la—que . . . be certain that . . .

CES (collège (m) **d'enseignement secondaire)** secondary school
cesse, sans— endlessly
cesser (de) stop
c'est-à-dire (que) that is to say (that)
chacun(e) each (one)
  —d'entre vous each of you
chagrin (m) sorrow
chaîne (f) production line
  —hi-fi stereo system
chair (f) flesh
chaleur (f) heat
chaleureux(-euse) warm(-hearted)
chambre (f) **à air** inner tube
champ (m) field
  —de foire fairground
  en pleins—s surrounded by fields
champignon (m) mushroom; edible fungus
championnat (m) championship
chance (f) (good) luck
  avoir de fortes—s de be very likely to
changeant(e) changeable, fickle
changer (de) change
  ça va me— it'll be a change for me
chantier (m) work-camp
chaque each, every
charge (f) load, burden
  être à la—de qqn be sb's responsibility
  prendre en— be responsible for
chargé(e) loaded; busy
  —de loaded with; in charge of
se **charger** load oneself up
  se—de take on, take charge of
chasselas (m) chasselas grape
chasse-neige (m) snowplough
chasser hunt (for); drive away
châtain (inv au f) brown(-haired), chestnut-coloured
châtiment (m) punishment
chaudière (f) boiler
chauffer heat
chaussée (f) road (surface)
chef (m) head, leader
  —de clinique senior hospital consultant
  —d'entreprise company manager
  —d'équipe shift supervisor
chemin (m) lane; way; route
  —de fer railway
  —de traverse minor country road
  à mi-— halfway
chemisette (f) short-sleeved shirt
chêne (m) oak
cher (chère) dear; expensive (after noun)
chercher à seek to
chercheur(-euse) (m, f) research worker
cheval (m) **d'arçons** vaulting horse
cheville (f) ankle
chevronné(e) seasoned, experienced
chevrotine (f) buckshot
chez with, for
  —leurs amis in/among their friends
chic (inv) smart
  —(fam**)** nice
chiffon (m) rag
chiffre (m) figure, statistic
chimie (f) chemistry
chips (m pl) crisps
chirurgien(ne) (m, f) surgeon
choix (m) choice
chômage (m) unemployment
  au— out of work, on the dole
chômeur(-euse) (m, f) unemployed person
chou (m) cabbage
choucroute (f) sauerkraut, pickled cabbage
choyer make a fuss of
chuchoter whisper
chute (f) fall
cicatrice (f) scar
ci-contre opposite

ci-dessous below
ci-dessus above
ci-joint(e) enclosed
ciment (m) cement
cimetière (m) cemetery
cinéaste (m/f) film-maker
en cinquième in the second form
cintré(e) waisted
circulation (f) traffic; running (of bus)
circuler go about, get around
citadin(e) (m, f) city dweller
cité (f) (housing) estate
citer quote
clair(e) clear; light, pale; fair (complexion)
  le plus—de most of
clair (m) **de lune** moonlight
clamer shout
claqué(e) (fam) knackered
claquer bang (door)
clarté (f) clarity
classement (m) classification; league table
  —général overall placings (in race)
classer classify
clavier (m) keyboard
  —de commande instrument panel
claviste (m/f) keyboard operator
clef, clé (f) key
  —multiple multiple spanner
cliché (m) stereotype
client(e) (m, f) customer; guest (in hotel)
clochard(e) (m, f) (fam) tramp
cloche (f) bell
clocher (m) bell tower, steeple
clos(e) enclosed
cocher tick
cocher (m) driver (of horse-drawn coach)
coéquipier(-ière) (m, f) team mate
coeur (m) heart; love-life
  avoir du— be good-hearted
  faire qqc avec du— put one's heart into sg
  si le—vous en dit if you feel so inclined
se **cogner (contre qqc)** bang oneself (on sg)
coiffé(e), être mal— have untidy hair
  —à l'afro with an afro hair-style
coiffeur(-euse) (m, f) hairdresser
coin (m) corner; spot, place
coincé(e) stuck
col (m) (mountain) pass
colère (f) anger
  se mettre en— get angry
collectif(-ive) (relating to the) community
collectivité (f) group; community
collège (m) **d'enseignement technique (CET)** (secondary) technical school
collégien(ne) (m, f) secondary school pupil
coller stick, cling
collier (m) collar; necklace
colline (f) hill
colombage, à— half-timbered
colonie (f) **de vacances** holiday camp (for children)
colonne (f) column
coloré(e) (highly) coloured, florid
coloris (m) shade
combattre prevent
comble (m) height
comédien(ne) (m, f) actor, actress
commandant (m) **de bord** captain of ship or aircraft
commander order
commandes (f pl) controls (of plane)
comme as, like; as well as; as if (+adj); in the way of
comment faire pour how to set about
commentaire (m) comment, commentary
commerçant(e) (m, f) shopkeeper
commettre cause (damage); commit (crime)
commissaire (m) (police) superintendent

commissariat (m) police station
commission (f) working group
commode convenient
commodité (f) convenience
commun, en— in common
  mise (f) **en—** pooling activity
  transports (m pl) **en—** public transport
  vie (f) **en—** conjugal life; communal life
communauté (f) community
  vie (f) **en—** communal living
commune (f) district
communiqué (m) official announcement
compagne (f) girlfriend
  —de jeux playmate
compatriote (m, f) compatriot, fellow-countryman/countrywoman
compétence (f) skill; skilled advice
complet (m) suit
comportement (m) behaviour
comporter consist of; include
  se— behave
composante (f) component
composé(e) compound (adjective, tense)
composer set (type)
compositeur(-trice) (m, f) composer, compositor (printing)
compréhensif(-ive) understanding
compréhension (f) understanding
comprendre understand; include, comprise
compresser push down
compromis (m) compromise
comptabilité (f) accountancy
comptable (m/f) accountant
compte (m) account
  —rendu account, report
  en fin de— in the final analysis
  rendre—de describe, give an account of
  se rendre—de realise
  tenir—de take into account
compter count; matter; plan to
comptoir (m) counter
concentration (f) get-together
concentrationnaire like a concentration camp
concepteur (m) designer
conception (f) idea, way of seeing; design
concevoir conceive (of), view; devise
concierge (m/f) caretaker
concours (m) competition; competitive exam
concret(-ète) concrete, practical
conçu(e) pour designed to/for
condescendance, avec— condescendingly
conducteur(-trice) (m, f) driver
conduire lead, take; drive (car)
  se— behave
conduit (m) **d'aération** air duct
conduite (f) conduct, behaviour
confection, usine (f) **de—** clothing factory
conférence (f) lecture
confiance (f) confidence, trust
  avoir—en have confidence in
  faire—à have confidence in
confiant(e) confident
confidence (f) (personal) secret
confier confide, share (thoughts)
  —qqc à qqn entrust sg to sb
  se—à confide in
confondre confuse, mix up
en conformité avec in accordance with
confort (m) comfort
  —s amenities
  (avec) tout le— (with) all mod cons
confrère (m) colleague
confus(e) muddled
congé, jour (m) **de—** day off
conjoint(e) (m, f) marriage partner
conjugaison (f) conjugation (of verb)
conjugal(e) marital

connaissance (f) knowledge; acquaintance
  faire— get to know one another
  porter à la—de draw to the attention of
  prendre—de find out about
connaître know; get to know, meet
  se— meet, (get to) know each other
  —ses limites reach its limits
connu(e) well-known
consacrer à devote to
conscience (f) awareness; consciousness
  avoir—de be aware of
  prendre—de become aware of
conscient(e) conscious
conseil (m) (piece of) advice; council
conseiller advise, give advice (to)
conseiller(-ère) (m, f) adviser, counsellor
  —d'orientation careers adviser
consentement (m) consent
consentir grant (a reduction)
conséquence (f) result
par **conséquent** as a result
conserves (f pl) tinned food
consigne (f) instruction
consommateur(-trice) (m, f) consumer
consonne (f) consonant
constatation (f) statement
constater state, note, notice
consterné(e) dismayed
constitutif(-ive) constituent
construire construct; build up
  se—avec be constructed with
contenir contain
contenu (m) content
contestataire anti-establishment
contester protest (about)
continu(e) continuous
  de façon— fluently
se **contracter** get tensed up
contraindre force, compel
contrainte (f) constraint, restriction
au **contraire** on the other hand
contrarié(e) put out
contrat (m) contract
contre against
  par— on the other hand
  —(f) la montre time trial
contremaître (m) foreman
contrer counter
contribution, mettre à— make use of
contributions, inspecteur(-trice) (m, f) **des—** tax inspector
contrôler inspect, supervise
contrôleur (m) ticket collector
(se) **convaincre** convince (oneself)
convenable suitable, acceptable
convenir be suitable/appropriate
convoi (m) convoy
copain(-pine) (m, f) (fam) mate, friend
corde (f) rope
  —à sauter skipping rope
  —de tente guy-rope
cordée (f) (roped) climbing party
  être en— be roped together
corporel(le) physical
corps (m) body
  les jambes lui rentrent dans le— her legs are killing her
correspondant(e) appropriate (box in questionnaire)
correspondant(e) (m, f) penfriend
corriger correct
corvée (f) chore, fatigue (duty)
costaud (m) tough
costume (m) **marin** sailor suit
côte (f) coast; hill
  —d'Azur French Riviera
  —à— side by side

côté (m) side
  à— nearby
  à—de next to
  aux—s de alongside
  de— aside, on one side
  d'à— (from) next door
  de ce—-là in that respect; down there
  d'un—...d'un autre— on the one hand... on the other hand
  de tous les—s on all sides
coteau (m) hill
cotisation (f) contribution, subscription
  —s sociales national insurance contributions
couchage, sac (m) **de—** sleeping bag
couche (f) layer
coude (m) elbow
coudre sew
  machine (f) **à—** sewing-machine
coulée (f) **de neige** snowslide
couler flow; pour (molten lead)
couloir (m) corridor
coup (m) blow; stroke; shot; job (crime)
  —s et blessures grievous bodily harm
  —franc free kick
  —de chance stroke of luck
  —de feu shot
  —d'œil glance; eye (sport)
  —de pied kick
  —de pouce push in the right direction
  —s de sifflet whistling
  —de soleil sunburn
  —de téléphone/(fam) fil phone call
  après— afterwards
  sur le— outright
  tout à— suddenly
  tout d'un— suddenly
coupable guilty
coupable (m/f) guilty party
coupe-feu (m) firebreak
couper interrupt
cour (f) (farm) yard; (school) playground
courant(e) everyday, common; standard; running (water)
courant (m) current (of river); course (of day)
  être au— know (about), be informed
  mettre au— tell, inform
  tenir au— keep up to date
courbatures (f pl) aches and pains
courbe (f) curve
coureur(-euse) (m, f) runner; rider (cycle-race)
courir spread (rumour); ride (bike)
courrier (m) mail
  —du coeur agony column
cours (m) avenue; course; class, lecture
  —d'eau stream, river
  au—de in the course of
course (f) running; racing; race; climb
  —s shopping
  —de fond long-distance running
  voiture (f) **de—** racing car
coûter cher be expensive
coûteux(-euse) expensive, costly
coutume (f) custom
couture (f) sewing; seam
couturier (m) dress-designer
couvert(e) overcast, clouded over
couverture (f) cover
cracher spit
craindre (de) fear
crainte (f) fear
craquer give way
créateur(-trice) creative
créer create
  se— be created
crème (f) **solaire** sun-tan cream
crépiter rattle, crackle
creusé(e) sagging
creuser dig (into)
creux (creuse) hollow; empty; sunken (lane)

crevaison (f) puncture
crevant(e) (fam) killing (exhausting)
crevé(e) (fam) worn out, knackered
crever burst, puncture (tyre)
criblé(e) de riddled with
crier à... bandy words like... about
crique (f) creek
critère (m) criterion
critique (f) criticism; review
critiquer criticise, be critical of
croire think; believe
  à en—... if we are to believe...
croissant(e) growing
croix (f) cross
  —à volutes cross with spiral decoration
croquis (m) sketch
crosse (f) butt (of gun)
croyant(e) religious
  être— be a believer
cueillette (f) (fruit-) picking
cueillir pick, gather
cuir (m) leather
cuire, faire— cook
cuisine (f) cooking
cuivre (m) (jaune) brass
cuivré(e) coppery
cultivateur(-trice) (m, f) farmer
culture (f) cultivation
curé (m) priest
curiosité (f) interesting feature, sight
CV (curriculum (m) **vitae)** account of career to date
cycle (m) level (of studies)
cyclotourisme (m) cycle-touring
cygne (m) swan

dactylo (f) typist
dalle (f) slab
dans les... about..., in the region of... (age, etc.)
davantage more, more fully
débarquer land
se **débarrasser de** get rid of
débat (m) discussion
déborder burst its banks (river), overflow; run over the edge
débouché (m) job opportunity; outlet
débrouillard(e) (fam) resourceful
se **débrouiller** manage, get by, cope
début (m) beginning
  en—de at the beginning of
débuter (par) begin (with)
décapiter cut the head off
déception (f) disappointment
décès (m) death
décevant(e) disappointing
décevoir disappoint
décharge (f) volley of shots
déchets (m pl) refuse
déchiffrer decipher
déchirer tear, split
décidé(e) à resolved to
déclaratif(-ve), intonation (f)
  —ve intonation for statements
déclaration (f) statement
se **déclarer** break out (fire)
déclencher arouse
déclic, le—est venu something clicked
décoller take off
se **décolorer les cheveux** bleach one's hair
se **décontracter** relax
décor (m) scenery, set (theatre)
découper cut, cut out
décourager put off, discourage
  se— lose heart
découverte (f) discovery
décrire describe
se **décrocher** fall off
déçu(e) disappointed

se **défaire de**   get rid of
défaite (f)   defeat
défaut (m)   fault
　à—de   for want of
défavorisé(e)   underprivileged
défendre   forbid
　se—   stand up, be defensible (argument); get on, manage
défense (formelle) de . . .   no . . .; . . . (strictly) forbidden
défense (f), **légitime—**   self-defence
définitivement   for good
déformer   distort
défrayer la chronique   hit the headlines
dégager   free, clear; single out, pick out
　se—   free oneself
dégainer   draw (gun)
dégâts (m pl)   damage
dégotter (*fam*)   come up with
dégoupiller   pull the pin out of (grenade)
dégoût (m)   disgust, distaste
dégoûté(e)   put off
déguisement (m)   disguise
(au) **dehors**   outside
　en—de   apart from, outside
délacer   unlace
délégué(e) (m, f)   delegate, representative
délimiter   mark off
délirant(e)   amazing, fantastic
délivré(e) par   issued by
demande (f)   request
　—d'emploi   job application
demander   apply for (job)
　se—   wonder
se **démaquiller**   take off one's make-up
démarrer   move off (car)
déménager   move house
demeurer   remain
demi (m)   half-back
démodé(e)   dated
démolir   demolish, wreck
démonte-pneu (m)   tyre lever
démonter   take to pieces, take off
dénicher   unearth
au **départ**   to start with; at the start (race)
départementale (f)   departmental road
dépasser   exceed; overtake, pass
dépaysement (m)   change of scenery
se **dépêcher**   hurry
dépendance (f)   dependency, colony
dépendre de   be dependent upon
dépens, aux—de   at the expense of
dépense (f)   expense
dépenser   spend
　se—   exert oneself
en **dépit de**   in spite of
déplacements (m pl)   travel, travelling
déplacer   move
　se—   travel
déplaire à   displease, not appeal to; annoy
dépliant (m)   leaflet
déposer   set down, drop, leave (object)
dépôt (m)   store
déprimé(e)   depressed
depuis (que)   since
　—10 ans   for (the last) 10 years
député (m)   deputy (member of parliament)
dérailleur (m)   gears (of bike)
déranger   disturb, trouble
　se—   turn out
déraper   skid
dériver   drift
dériveur (m)   dinghy
en **dernier**   in last place
dernier(-ière)   last, latest (before noun)
　ce(tte)—   the latter
déroulement (m)   development, unfolding (of story, incident), what happened (in match)
se **dérouler**   take place

dès   as early as, (right) from
　—son retour   as soon as he's back
　—que . . .   as soon as . . .
désaccord (m)   disagreement
désaffecté(e)   disused
descendre dans   put up at (hotel)
déséquilibrer   unbalance, knock off balance
désespoir (m)   despair
(se) **déshabiller**   undress
désigner   indicate
se **désintéresser de**   lose interest in
désœuvré(e)   at a loose end
désormais   from now/then on
dessin (m)   drawing
dessiner   draw
　se—   become apparent
dessous   underneath
　au-/en-de   below
dessus   on top
　au-—de   above
　prendre le—   get the upper hand
destin (m)   fate, destiny
destiné(e) à   addressed to; intended for
se **destiner à**   intend to go in for
se **détendre**   relax
détendu(e)   relaxed
détente (f)   relaxation
détenu(e) (m, f)   prisoner
se **détériorer**   get worse
déterminant (m)   determinant
déterminer   work out
détonation (f)   explosion, bang
se **détourner de**   turn away from
détruire   destroy
à **deux**   as a couple; in pairs
　être à—   live with sb else
deuxième (f)   fifth year (at school)
dévaler   hurtle down
devancer   lead, be in front of, arrive before
devant   against (team)
dévaster   destroy
devenir   become
deviner   guess
devinette (f)   guessing-game
devoir (m)   obligation
dévouement (m)   devotion
diable (m)   devil
dialoguer   hold a conversation
dieu (m)   god
différence, à la—de   unlike
différer (de)   be different (from)
différend (m)   disagreement
diffuser   broadcast, make public
diffusion (f)   broadcast
digérer   digest
digne (de)   worthy (of)
digue (f)   sea wall, dyke
diminution (f)   drop
diplôme (m)   qualification
directeur(-trice) (m, f)   headmaster, headmistress; director
direction (f)   management (section); senior staff
diriger   direct; organise; edit (magazine)
　se—vers   head for
discours (m)   speech
discuter   talk (about)
　—le coup (*fam*)   natter
disparition (f)   disappearance
disparu(e)   missing
　être porté(e)—   be reported missing
dispenser qqn de   excuse sb from
disponible   available, free
disposer de qqc   have sg (at one's disposal)
dispositif (m)   device
disposition (f)   disposal; arrangement, lay-out
　mise (f) **à—de**   provision of
disputer   play (match)
　se—   argue, quarrel; take place (race)

disque (m)   record; discus
dissimuler   conceal
dissolution (f)   rubber solution
distinguer   pick out; see clearly
distraction (f)   leisure activity
distraire   entertain
distrayant(e)   entertaining
dit-on   so they say
divers(es)   various
divertissement (m)   relaxation
dizaine (f)   ten (or so)
documentation (f)   information
dodo (m)   sleep (child language)
domaine (m)   property; area, field (of study)
domanial(e)   state-run
domicile (m)   place of residence
　à—   at home
dominer   predominate; overlook
don (m)   gift, talent
donc   so, thus; then
　dis—   so then
donné, à un moment—   at a certain moment
donnée (f)   (piece of) information
　base (f) **de—s**   data base
donner sur   overlook
dont   whose; of which, of/about whom; including
　la manière—   the way in which
dortoir (m)   dormitory
dos (m)   back
　sur le—de   to the disadvantage of
dossier (m)   back (of chair); file, collection of documents
doté(e) de   equipped with
douceur (f)   gentleness
douche (f)   shower
doué(e) (de)   gifted; endowed (with)
douleur (f)   pain
doute (m)   doubt
　en—   in doubt
　sans—   no doubt
douter que (+*subj*)   doubt whether
　se—que   suspect that
doux (douce)   mild, gentle; soft
draguer (*fam*)   chat up
drame (m)   drama; tragedy
　ça a été le—   there was a big fuss
drap (m)   sheet
drapeau (m)   flag
dresser   draw up; put up (tent)
　se—   stand
drogue (f)   drug
droit, tout—   straight on/from
droit(e)   straight; upright
droit (m)   law; right; fee
　—des affaires   commercial law
　—de la concurrence   trade regulations
　—de la consommation   consumer law
　—constitutionnel   constitutional law
drôle (de)   amusing; funny (sort of)
dru, neiger   snow heavily
dû (due) à   due to
ducasse (f)   public holiday (festivities)
duper   deceive
duquel (de laquelle)   of which
dur(e)   harsh, tough
durable   lasting
durée (f)   length, duration
durer   go on, last
duvets (m pl)   down

éboueur (m)   dustman
éboulement (m)   landslide
écart (m)   difference
écarter   ward off
　s'—de   leave, get away from
échange (m)   exchange
échanger (contre)   exchange (for)
échantillon (m)   sample

échappement (m) (car) exhaust
échapper à escape (from), elude
   s'—de escape from
écharpe (f) scarf
échauffement (m) warming-up (sport)
s'échauffer hot up
échauffourée (f) clash
échec (m) failure
   tenir en— keep covered
   —s chess
échelle (f) ladder
échouer fail
éclair (m) flash of lightning
éclairage (m) lighting
éclaircie (f) bright period
éclaircir solve (mystery)
éclairer light
éclat (m) fragment; flash; dazzle
   —de rire roar of laughter
éclatant(e) bright
éclatement (m) breaking down
éclater break out; splinter, shatter
   —de rire burst out laughing
   —en sanglots burst into tears
école (f) school
   —maternelle nursery school
   —normale training college
   grande— institution of higher education for high-fliers
économie (f) economics
   —s savings
   faire des—s economise
écourter cut short
écoute (f) hearing (of recording)
écran (m) screen
   petit— television (screen)
écraser crush; overshadow
   s'—(sur) be dashed to the ground; smash (against)
par écrit in writing
écriture (f) (style of) writing
écrivain (m) writer
écrou (m) **de serrage** adjusting nut
s'écrouler collapse
écurie (f) stable
édifice (m) building
éducateur(-trice) (m, f) therapist
effacement (m) elimination
effacer rub out
   s'— keep in the background; disappear
effectivement actually, in fact, indeed
effectuer carry out
   s'— take place
effet (m) effect, purpose
   en— indeed, actually, in fact
efficace effective
s'effondrer collapse, be devastated
s'efforcer de try hard to
effrayant(e) frightening
s'effrayer be frightened
égal(e) equal
   ça m'est—(que) I don't mind (whether)
également equally, also
égaler match
égalité (f) equality
s'égarer get lost
égoïsme (m) selfishness
égorger (qqn) cut (sb's) throat
égratignure (f) scratch
élaborer prepare
élancé(e) slender
s'élancer run forward
élargissement (m) broadening
électroménager, appareil (m)**—** household electrical appliance
électronicien(-ienne) (m, f) electronics engineer
électrophone (m) record player
élevé(e) high

élever bring up
   s'—à total, amount to
éloge (m) praise
éloigné(e) far away
éloigner remove
   s'— go off
embarquement, une heure d'— an hour afloat
embarquer load (on to ship)
embauche (f) employment
   de grande— which takes on a lot of people
embaucher take on, employ
embellir make (more) attractive
embêtant(e) aggravating, annoying
s'embêter (*fam*) get fed up
embouchure (f) mouth (of river)
embouteillage (m) traffic jam
embrasé(e) ablaze
embrasser kiss
embruns (m pl) spray
embuscade (f) ambush
émission (f) broadcast, programme
   —à ligne ouverte phone-in programme
emmener take (away)
   —en voiture drive away
émotif(-ive) emotional
émouvant(e) touching
s'emparer de grab
empêcher prevent
   s'—de stop oneself
empêtré(e) constricted
emplacement (m) space, plot (in campsite)
emplir fill
emploi (m) use; job; employment
   —du temps timetable
employer use
   s'—(avec) be used (with)
emporter take away; carry away
empreinte (f) print, impression
emprunter borrow; take (road)
ému(e) moved
encapuchonner put the cover on
encaustique (f) polish
   passer l'— polish
enchaîner link up, join
enchevêtrement (m) tangle
encombré(e) de packed/congested with
encore still; again; yet; what is more
   —(de) more
   —une fois once again
endommager damage
s'endormir go to sleep
endroit (m) place
   —de rêve dream location
énerver irritate, annoy
   s'— get cross
enfance (f) childhood
enfantin(e) childish
enfer (m) hell
enfermer shut up
   s'— shut oneself up
enfiler thread
enfin finally; in short; so, well
enfoncer knock (well) in
enfourcher sit astride
s'enfuir flee, run off
engin (m) machine
s'engueuler (*fam*) yell at each other
enlaidir make ugly
enlever remove
ennui (m) boredom; trouble, worry
ennuyer bore; irritate
   s'— be/get bored
ennuyeux(-euse) boring
énormément de a terrific lot of
enquête (f) investigation, enquiry; survey
enquêteur(-trice) (m, f) investigator; officer involved (in an investigation)
enragé(e) (m, f) mad person
enregistrement (m) recording

enregistrer record
enrichissement (m) increase in wealth
ensablé(e) silted up
enseignant(e) (m, f) teacher
enseignement (m) **supérieur** higher education
enseigner teach
ensemble (m) whole
   —stéréo stereo (system)
   dans l'— on the whole
ensevelir bury
ensoleillé(e) sunny
ensorcelé(e) bewitched
ensuite next, then, after that
entasser cram together
   s'—sur cram on to
entendre hear; intend
   —parler de hear of
   s'—(bien) avec get on (well) with
entendu, bien— of course
entente (f) understanding, relationship
enterrer bury; lay to rest, dispose of
entier(-ière) entire, whole
   en— right through
entourer surround
entrain (m) drive
entraînement (m) training
entraîner take away; lead to, bring about; train
   —à l'écart take to one side
entraîneur(-euse) (m, f) (sports) coach
entre between; amongst
   —les mains de in the hands of
   l'un d'—vous one of you
entrée (f) entrance
entreprendre undertake
entrepreneur (m) businessman; industrialist
entreprise (f) undertaking; business, firm
entrer en jeu come into play
entretenir keep in good condition
entretien (m) maintenance, upkeep; conversation
entrevue (f) interview
énumérer list
envahir overcome; sweep through; invade
envers towards
envie (f) desire
   avoir—de want to
   mourir d'—de be dying to
environ about
environner surround
environs (m pl) surroundings
   aux—de about
envisager (de) think of, consider
s'envoler vanish
envoyé(e) (m, f) correspondent
épais(se) thick
s'épaissir get thicker
épargner spare
épaule (f) shoulder
   lever les—s shrug (one's shoulders)
épeler spell
épicé(e) spicy
épilogue (m) end
épingle (f) pin
   —de nourrice safety pin
éplucher peel, prepare (vegetables)
époque (f) time
épouvante (f) horror
épouvanter frighten away
épreuve (f) test, ordeal; proof (printing); trial (motorcycling)
éprouver feel, experience
épuiser exhaust, come to the end of
épuration, station (f) **d'—** sewage works
équilibre (m) balance
équipage (m) crew
équipe (f) team
équipement (m) facilities
équitation (f) (horse-)riding
éreintant(e) (*fam*) exhausting

s'**ériger** be set up
errer wander about
escalader climb
escargot (m) snail
escrime (f) fencing
espace (m) space
espadrille (f) rope-soled sandal
espèce (f) kind, sort
   —s cash
espérer hope
espoir (m) hope
esprit (m) mind, spirit; outlook
essai (m) try, trial
   mariage à l'— trial marriage
essence (f) petrol
essentiel (m) basic points, main thing
essor (m) expansion
essuie-glace (m inv) windscreen wiper
essuyer wipe, dry
estafette (f) van
esthéticien(ne) (m, f) beautician
(s') **estimer** think, consider (oneself)
estival(e) summer (weather)
estivant(e) (m, f) summer visitor
estuaire (m) estuary
établir establish, set up (camp); draw up (list)
   s'— settle in; be established; amount (to)
établissement (m) establishment; school
étage (m) floor
étain (m) tin
étang (m) pond
étant donné (que) given (the fact that)
étape (f) stage
état (m) state
   —civil status
   —d'esprit frame of mind
   homme d'— statesman
éteindre put out, extinguish (fire); switch off (radio)
étendre hang out (washing)
   s'— stretch out, extend
étendue (f) extent
étincelle (f) spark
étoffe (f) material
étoile (f) star
étonnamment astonishingly
s'**étonner que** (+ *subj*) be amazed that
étouffer suffocate
étourdi(e) scatterbrained, dazed
étourdir stun
étranger(-ère) foreign
étranger, à l'— abroad
étrangler strangle
être (m) being
étroit(e) narrow; close
études (f pl) studies
   faire des— study (for a degree)
étudier study; work out
euphorique euphoric, happy
eux(elles) they; them
   beaucoup d'entre— many of them
évacuer evacuate
s'**évader** escape
évaluer evaluate, work out
s'**évanouir** pass out
évasion (f) escape
s'**éveiller** wake up
événement (m) event
éventualité (f) possibility
éventuel(le) would-be
éventuellement possibly, should the occasion arise
évidemment of course, naturally
évidence, de toute— clearly
évidence, mettre en— bring out
évidence, se rendre à l'— face the facts
évident(e) obvious
évier (m) sink
éviter avoid

   —de avoid the need to
évoluer develop
évolution (f) development
   être en (pleine)— be developing (rapidly)
évoquer describe; suggest; recall
exactitude (f) correctness
exaltant(e) exhilarating
examen (m) examination
exception faite de except for, apart from
exclure exclude, rule out
en **exclusivité** as an exclusive story
s'**excuser** apologize
exécrer loathe
exécuter carry out
exemplaire (m) copy
exercer exercise, practise; get into, be in (profession)
exigence (f) demand, requirement
exiger demand, require
exonéré(e) de exempt from
expéditeur(-trice) (m, f) sender
expérience (f), **faire l'—de** experience
expérimenté(e) experienced
explication (f) explanation
expliquer explain
   s'— have it out
exposé (m) presentation of ideas
exposition (f) exhibition
(s') **exprimer** express (oneself)
exténuant(e) exhausting
en **externat** non-resident
extincteur (m) extinguisher
extrait (m) extract
extroverti(e) extrovert

fabriquer make, produce
fac (= **faculté**) (f) (*fam*) university (department)
face (f) face, side
   —à opposing each other
   en— to one's face
   en—(de) opposite, faced with
   faire—à confront
fâché(e) annoyed
façon (f) way
   de la—suivante in the following way
   de toute— anyway
   de—à so as to, in such a way as to
   de—(à ce) que (+ *subj*) so that, in such a way that
faculté (f) ability
fade tasteless
faiblesse (f) weakness
faiblir weaken, get weaker
faille (f) loophole
faillir faire qqc almost do sg
faim (f) hunger
faire non shake one's head
se **faire à qqc** get used to sg
fait (m) fact; event
   —divers news item
   de— in fact
   en— in (actual) fact
   tout à— quite, really
falaise (f) cliff
falloir be necessary to
   il faut it is necessary to, one must
   il faut que (+ *subj*) it is necessary to, one must
familial(e) family
familier(-ière) colloquial
fantasme (m) fantasy
fantôme (m) ghost
fatalité (f) (bad) luck
se **fatiguer** get tired, tire oneself out
faubourg (m) suburb
faute (f) fault, mistake; foul (football)
   —de for want of
faux (fausse) false; wrong
favori(te) favourite

félicitations (f pl) congratulations
fêlure (f) hairline fracture
fer (m) iron (golf club)
ferme firm, confident
fermeté (f) strength of mind
fessée (f) spanking
fesses (f pl) bottom
fête (f) name day; celebration
   faire une— have a party
fêter celebrate
feu (m) fire
   prendre— catch fire
   —d'artifice firework display
feuille (f) leaf; sheet (of paper, etc.)
feuilleter leaf through
fiancé(e) engaged
fibrociment (m) fibrocement, 'asbestos'
fiche (f) information sheet; card
   —diagnostique aptitude test
   —de paie pay slip
ficher la paix à (*fam*) give a bit of peace to
se **ficher de** (*fam*) not be bothered about
ficus (m) fig tree
fidèle faithful
fier(-ière) proud
fierté (f) pride
figé(e) struck motionless
figurer feature
fil (m) thread
   au—de . . . as . . . go(es) by
   passer un coup de—à qqn (*fam*) ring sb up
filer tail
filière (f) set of main subjects
filin (m) cable
filtrer filter (through)
fin (f) end
   en—de at the end of
   en—de compte when it comes down to it
   prendre— come to an end
financier(-ière) financial
fisc (m) Inland Revenue
fixer stare at
flatter flatter
fléau (m) calamity
flèche, remonter en— shoot up
se **flétrir** wither
fleuri(e) flower-filled
flingue (m) (*fam*) shooter (gun)
flotte (f) fleet
flou(e) blurred, vague
   zone (f)**—e** grey area
foi (f) faith
foie (m) liver
foire (f) fair
   champ (m) **de—** fairground
fois (f) time
   une— once
   des— sometimes
   à la— at once, at the same time
folie (f) extravagance
foncé, gris—(inv) dark grey
foncer (*fam*) go flat out
en **fonction de** because of; in relation to, according to
fonctions (f pl) duties
fonctionnaire (m/f) civil servant
fonctionnement (m) functioning, working
fond (m) bottom; far end
   —sonore background noise
   —de teint foundation cream
fonder found, base
   se—sur rely on
fonderie (f) foundry, metal works
fondre melt
fonte (f) molten metal; cast-iron
force (f) strength, power, energy
   —s de l'ordre police
   à—de by continuing (to), by dint of
   reprendre— recover

forcément necessarily
forfait (m) fixed sum (to be paid)
formation (f) (course of) training
formellement strictly
former train
formidable (*fam*) terrific, tremendous
formule (f) expression; programme
formuler formulate, put into words
fort very (much); loudly (play music); heavily (rain, hail)
de **fortune** improvised
fossé (m) gap
fou (folle) mad, wild; out of control
   perdre un temps— waste a lot of time
fouetter lash, whip
fouiller search
foule (f) crowd
fournir provide
fourrer stuff
s'en **foutre (de)** not give a damn (about)
foyer (m) centre (of fire); focal point (of room); housework
   homme au— househusband
fracasser smash
frais(fraîche) fresh
frais (m pl) expenses
fraiseur (m) milling machine operator
franchement frankly
franchir go through; go over
francophone French-speaking
frappé(e) par struck by; stricken by
se **frayer un passage** push one's way; make one's own way
fredonner hum
freiner brake, slow down
frelaté adulterated
frêle frail
fréquemment frequently
fréquentation (f) popularity
   —s company one keeps
fréquenter go around with; go to, spend a lot of time at
fresque (f) fresco
fric (m) (*fam*) dosh (money)
frileux(-euse) sensitive to cold
frisé(e) curly (hair)
frissonner shudder, shiver
froissé(e) offended
front (m) forehead
frotter rub
fuel (m) oil (for heating)
fuir flee
fuite (f) flight, escape
   —d'eau leak
   prendre la— escape
fumée (f) smoke
fur, au—et à mesure as (one) goes along; as and when appropriate
fusil (m) rifle
fusillade (f) gunfire
fût-ce even . . .
fuyant(e) receding (chin)
fuyard(e) (m, f) fugitive

gâcher spoil
gagner win; earn; get; reach
Galles, Pays (m) **de—** Wales
gamin(e) (m, f) (*fam*) youngster
garagiste (m) garage owner
garant (m) guarantee
garantir guarantee
garde (f) guard, duty
   —à vue police custody
   —de nuit night duty
   de— on duty
garde-robe (f) wardrobe
garder keep
gardien (m) warder, warden; security man; (lighthouse) keeper; goalkeeper

   —de la paix policeman
(se) **garer** park, pull in (car); moor (boat)
garni(e) garnished
   choucroute (f)**—** sauerkraut with bacon, sausage, etc.
garnir cover, fit with
garrigue (f) scrubland
gars (m) (*fam*) lad, bloke
gaspiller waste
gâté(e) spoilt
se **gâter** get worse
gauche awkward
gazon (m) grass
gelé(e) frostbitten
gelure (f) frostbite
Gémeaux (m pl) Gemini
gêner embarrass, make feel awkward; bother; hinder
généraliste (m) GP, general practitioner
génial(e) brilliant, inspired
génie (m) engineering
genou (m) knee
genre (m) sort, type; gender
gens (usu m pl) people
gentil(le) kind, nice
gentiment in a nice way
géologue (m/f) geologist
gérant(e) (m, f) manager, manageress
gérer manage
germer germinate, take shape
geste (m) gesture, movement; act
gestion (f) management
gifle (f) slap
gitan(e) (m, f) gypsy
glace (f) ice; mirror
glacé(e) frozen
glisser slide, slip; skate
glou-glou, faire— gurgle
se **goinfrer** (*fam*) stuff oneself
golfe (m) bay
gonfler pump up, inflate
gosse (m, f) (*fam*) kid
goulet (m) narrows
gourmand(e) greedy
goût (m) taste
goûter enjoy, savour
grâce à thanks to
grain (m) **de beauté** mole, beauty spot
graine (f) seed
graisser oil
pas **grand-chose** not much
grand, de—matin very early
grandir grow up
graphologie (f) study of handwriting, graphology
graphologue (m/f) graphologist
grappin (m) grapnel hook
gras(se) greasy, sticky
   faire la—matinée have a lie in
gratter scratch; strum
gratuit(e) free (of charge)
gratuitement for its own sake, with no money involved
gravats (m pl) rubble
grave serious
gré, de mauvais— reluctantly
grégaire gregarious, fond of company
grêle (f) hail
grêlon (m) hailstone
grève (f) strike
grièvement seriously
grillagé(e) covered with wire netting
grille (f) **d'aération** air vent
grimper climb (up)
grincer (des dents) grind (one's teeth)
grippe (f) flu
grisant(e) intoxicating
griserie (f) (feeling of) intoxication
grogner grunt, grumble

gronder roar; scold
gros, jouer— play for high stakes
gros mots (m pl) bad language
grossir exaggerate; put on weight
grotte (f) cave
grouper collect (together)
guère, ne . . .— scarcely, hardly
guérir heal
guérisseur(-euse) (m, f) healer
guerre (f) war
guetteur (m) look-out
gueule (f), **grande—** (*fam*) bigmouth
guidon (m) handlebars
gymnase (m) gymnasium

habileté (f) skilfulness, cleverness
habilité(e) authorised, entitled (to do sg)
habillement (m) dress, clothing
s'**habiller** get dressed; buy clothes
habitant(e) (m, f) inhabitant
habits (m pl) clothes
habitude (f) habit, custom
   d'— usually
   avoir l'—de be in the habit of
s'**habituer à** get used to
hacher break up
haïr hate
hameau (m) small village, hamlet
hanche (f) hip
handicapé(e) (m, f) disabled person
hangar (m) shed; boat-house
hanter haunt
hasard (m) chance
   au— at random
hâte (f) haste
   à la— hurriedly
hausse (f) rise, increase
haut (m) top
   en— upstairs
   en—de at the top of
haut(e) high
   à—voix out loud
hauteur (f) height
   à la—de equal to; level with
hebdo(= hebdomadaire) (m) (*fam*) weekly magazine
hebdomadaire weekly
héberger lodge, give shelter to
hein? eh? isn't it? can't you? etc.
hélas alas
herbeux(-euse) grassy
herbier (m) plant collection
hériter inherit
hétéroclite assorted
heure (f) hour; time, moment
   —s supplémentaires overtime
   à l'— on time
   à l'—actuelle at the present time
   de bonne— early
   tout à l'— shortly (future); a few moments ago (past)
heureusement (que) fortunately
hibou (m) owl
hirsute dishevelled
histoire (f) story
   sans—s without a hitch
hivernal(e) wintry
HLM (m) (**habitation** (f) **à loyer modéré**) council block (of flats)
homard (m) lobster
homme-grenouille (m) frogman
homologuer approve
honneur, avoir l'—de beg to
honte (f) shame
honteux(-euse) ashamed; shameful
horaire (m) work schedule; daily routine
   —à la carte flexi-time, flexible schedule
horizons, de tous les— from all walks of life
horloge (f) clock

horreur, avoir—de detest
hors de out of
hôtel (m) **de ville** town hall
houle (f) swell
huître (f) oyster
humeur, de mauvaise— bad-tempered
humide damp
hurler shout, yell; howl

idéal (idéaux) (m) ideal(s)
idée (f) idea
  se faire des—s get ideas
identique identical
IFOP (Institut (m) **français d'opinion**
  publique) polling organisation
ignorer not to know, be unaware
île (f) island
  —s Anglo-Normandes Channel Islands
illusions, se faire des— delude oneself
il y a (deux ans) (two years) ago
immeuble (m) block of flats
immigré(e) immigrant
s'impatienter get impatient
imper (= imperméable) (m) (*fam*) waterproof
impératif (m) imperative, command
impliquer imply
important(e) large, considerable
importer matter, be important
  n'importe comment anyhow
  n'importe où anywhere
  n'importe quel(le) any
  n'importe qui anybody
  n'importe quoi anything
  peu importait no matter who ... was
importun(e) a nuisance
imposer inflict
  en—à impress
  s'— be essential; take the lead
impôt (m) tax
impression (f) printing; imprint
imprimer print
imprimerie (f) **(de presse)** (newspaper)
  printing
impropre unsuited
imprudence (f) carelessness, foolishness
impuissant(e) powerless
inachevé(e) uncompleted
inadapté(e) (à) unsuitable (for); maladjusted
inanimé(e) lifeless
inattendu(e) unexpected
incapacité (f) inability; unsuitability
incendiaire fire-raising
incendie (m) fire
incertitude (f) uncertainty
inciter encourage
incliner lean to one side
incompréhension (f) lack of understanding
inconcevable unimaginable
inconnu(e) unknown, strange
inconsciemment unconsciously, without
  realising it
inconscience (f) thoughtlessness
inconscient(e) unconscious
inconsidéré(e) rash
inconvénient (m) disadvantage
incriminer blame
incroyable unbelievable, incredible
inculper accuse, charge
indécis(e) indecisive
indéfini(e) indefinite
indemne unharmed
indicateur(-trice) (m, f) informer
indication (f) instruction, direction; (piece of)
  information
indigner make indignant
  s'—de be indignant at
indiquer show, indicate, mark (on map)
indispensable essential
inébranlable unshakeable

inefficace ineffectual
inégalement unevenly
inéluctable inescapable
infect(e) vile, filthy
infirmer invalidate
infirmier(-ière) (m, f) nurse
infliger inflict
informaticien(ne) (m, f) computer scientist
information (f) (piece of) news/information;
  news item; news industry
informatique (f) computer science;
  information technology
s'informer (auprès de) seek information
  (from); find out
ingénieur (m) engineer
  —acousticien acoustic engineer
  —mécanicien mechanical engineer
ingrat(e) unpleasant, thankless
initiation (f) beginners' course
inoccupé(e) idle
inonder flood
inoubliable unforgettable
inquiet(-iète) anxious
(s')inquiéter worry
insaisissable slippery
inscription (f) enrolment, registration (on
  course of study)
inscrire write (in); notch up (goal)
  s'—dans be in keeping with
  s'—à l'université enrol at university
INSEE (Institut (m) **national de la statistique et**
  des études économiques) institute for
  statistical and economic research
insensibilité (f) insensitivity
s'insérer dans get into, be taken on by
insertion (f) induction
insolite unexpected, out of the ordinary
inspecteur(-trice) (m, f) detective
s'inspirer de base oneself on, take as one's
  model
installation (f) putting up (tent)
  —s facilities
installer pitch, put up (tent)
  s'— set oneself up; settle in, sit down; take a
  hold
instaurer set up
instituteur(-trice) (m, f) primary teacher
instruction (f) education
instruire instruct, teach
insu, à l'—de without the knowledge of
insuffisant(e) insufficient; infrequent
insupportable unbearable
intégrer integrate
  s'—dans fit in with
intendance (f) responsibility for supplies
intention (f) intention, purpose
  à l'—de for
  avoir l'—de intend to
interdiction (f) forbidding
interdire forbid
intéressé(e) self-seeking
  les—s those concerned
s'intéresser à be interested in
intérêt (m) interest; importance
  avoir—à be well advised to
intérieur (m) inside, interior
  à l'— inland
interlocuteur(-trice) (m, f) speaker, partner in
  conversation
internat (m) boarding school; hospital training
interne (m/f) **des hôpitaux** houseman (junior
  hospital doctor)
interrogation (f) questioning; test
interroger question
intervenir intervene, play a part in
intimidé(e) intimidated
intitulé(e) entitled
intrus(e) (m, f) intruder
inutile of no use, useless, pointless

invention (f) inventiveness
inverse (m) opposite
  à l'—de contrary to, unlike
investir invest
invité(e) (m, f) guest
irréel(le) unreal
irruption, faire—dans burst into
isolation (f) insulation; sound-proofing
isolé(e) isolated, remote; alone
isolement (m) isolation
en italique in italics
itinéraire (m) route, journey
  —de fuite escape route
ivre drunk
ivrogne (m/f) drunkard

se jalouser be jealous of each other
jalousie (f) jealousy
jardinage (m) gardening
jaunir become yellow
javelot (m) javelin
jetée (f) jetty
jeu (m) game, sport; gambling
  —x d'enfants children's playground
jeunesse (f) youth
joindre add
  joint(e) (à) attached (to); enclosed (with)
jongler juggle around
joue (f) cheek
jouer act
jouet (m) toy
joueur(-euse) (m, f) player
joufflu(e) chubby (face)
jour (m) day
  le— by day
  au—le— each day as it comes
  au grand— out in the open
  de nos— at the present time
  mettre à— bring to light, solve
journal (m) **intime** personal diary
journalier(-ière) daily; everyday
journée (f) (whole) day
judiciaire judicial, legal
  police— C.I.D.
juge (m) **d'instruction** examining magistrate
jugement, porter un—sur pass judgement on
juger, à en—par to judge from
jumeaux(-elles) (m, f pl) twins
jumelles (f pl) binoculars
jurer swear
juridique legal
juriste (m) lawyer
juron (m) oath, swearword
jusqu'à, jusqu'en until; to, as far as
juste fair; right; tight (shoes)
  au— exactly
justement in fact, precisely

kimono (m) judo tunic

là there
  —-bas (over/down) there
  —où at the point where
labyrinthe (m) maze
lac (m) lake
lâche cowardly
lâcher (prise) let go
laid(e) ugly
laine (f) wool
laisse (f) leash
laisser leave; let, allow
  —le passage à qqn let sb pass
laissez-passer (m inv) pass
lait (m) **démaquillant** cleansing lotion
lame (f) blade
  —de rasoir razor blade
lancée, continuer sur sa— keep going
lancement (m) throwing

lancer call out; publish
se— launch/throw oneself; start off
lande (f) heath
langue (f) language
laquer lacquer (hair, furniture)
lard (m) bacon
large broad, wide
—d'épaules broad-shouldered
large (m) open sea
au—de off (i.e. out at sea)
largement easily
larguer release
larme (f) tear
crise (f) **de—s** fit of crying
las(se) tired
latte (f) slat
lauriers, se reposer sur ses— rest on one's laurels
lavabo (m) washbasin
lavage (m) washing
laverie (f) launderette
lave-vaisselle (m inv) dishwasher
lavoir (m) sink (for washing clothes)
lecteur(-trice) (m, f) reader
lectures (f pl) reading matter
légende (f) caption
léger(-ère) light
légère, à la— lightly
légèrement slightly
légume (m) vegetable
le **lendemain** the next day, the day after
lentement slowly
lépreux(-euse) (m, f) leper
lequel (laquelle) which (one)
lessive (f) washing
le/la **leur** theirs
lever le camp strike camp
lèvre (f) lip
liaison (f) link
(se) **libérer** free (oneself)
libraire (m/f) bookseller
libre free
licence (f) degree; registration (sport)
—de lettres arts degree
licencié(e) (m, f) graduate
—ès lettres arts graduate
lié(e) à attached to; associated with
lien (m) bond
—de parenté family relationship
lieu (m) place
sur les—x at the scene (of accident)
au—de instead of
avoir— take place
donner—à give rise to
lieu-dit (m) place known locally as . . .
ligne (f) line
—droite straight stretch (of road)
les grandes—s the outline (of story, etc.)
ligoter tie up
lillois(e) of Lille
limite,à la— almost, in the final analysis
limpidité (f) clarity
linge (m) laundry, linen
linguistique (f) linguistics
lisse smooth
litigieux(-ieuse) contentious
littoral (m) coast
livrer deliver (up)
local (locaux) (m) place; meeting-place, premises
location (f) hire; rented accommodation
logement (m) lodgings
loi (f) law
loin (de) far away (from)
de— from a distance
plus— further away, further on
lointain(e) distant
loisirs (m pl) leisure, free time; leisure activities

le **long de** along
à **longueur de . . .** all . . . long (time)
lors de at the time of, during
lorsque when
louche suspicious, shady
louer hire; rent
lourd(e) heavy; sultry (weather)
loyauté (f) loyalty, faithfulness
loyer (m) rent
lucarne (f) skylight
lustré(e) shiny
lutte (f) struggle, fight(ing)
lutter struggle
luxe (m) luxury
lycée (m) high school
lycéen(ne) (m, f) high-school pupil

machine (f) **à écrire** typewriter
mâchoire (f) jaw
maçon (m) builder
magie (f) magic
magnétophone (m) cassette recorder
magnetoscope (m) video recorder
maigrir slim, lose weight
maillet (m) mallet
maillot (m) (sports) jersey
—(de bain) swimsuit
—jaune (jersey worn by) race leader (cycling)
main-d'œuvre (f) work force
maintien (m) maintenance
maire (m) mayor
mairie (f) town hall
maison (f) **des jeunes** youth club
maître (m) teacher, supervisor
—nageur swimming instructor
maîtresse (f) mistress; teacher
maîtrise (f) control
—de soi self-control
maîtriser master; bring under control; overpower, overcome
se— control oneself
majuscule (f) capital letter
mal badly
—en point in bad shape
pas—(de) (fam) quite a lot (of)
quelque chose de pas— (fam) quite something
mal (m) evil; pain, ache; difficulty
avoir du—à have difficulty in, have a job to
faire—à hurt
se faire— hurt oneself
vouloir du— wish harm
malade (m/f) patient
maladie (f) illness
maladroit(e) clumsy
malaise (m) feeling of sickness
malchance (f) bad luck
malencontreusement unfortunately
malentendu (m) misunderstanding
malfaiteur(-trice) (m, f) criminal
malfrat (m) crook
malgré in spite of
malheur (m) misfortune
malheureux(-euse) unfortunate
malin(-igne) clever, cunning; evil
le **M—** the Devil
manche (m) shaft (of golf club)
manège (m) roundabout
manière (f) manner, way
à la—de in the style of
de la—suivante in the following way
de—à so as to, in such a way as to
manifestant(e) (m, f) demonstrator
manifestation (f) expression; demonstration
manifester show
manque (m) lack
manquer run out
—à be missing from/for

—de lack
manteau (m) **de fourrure** fur coat
manuscrit(e) handwritten
maquette (f) sketch
maquettiste (m/f) lay-out designer
maquillage (m) make-up
se **maquiller** wear make-up
marais (m) marsh
marche (f) walk
marché, bon— cheap
marché (m) **du travail** job market
marcher work, run smoothly
marée (f) tide
centre (m) **de—** fish market
mari (m) husband
se **marier** get married
Maroc (m) Morocco
marquant(e) outstanding (incident)
marque (f) brand
marquer note, mark; score (goal)
marrant(e) (fam) funny, a great laugh
marron (inv) brown
marteau (m) hammer
massif (m) massif, mountain area
mât (m) mast
match nul, faire— — draw (game)
matelas (m) mattress
—pneumatique airbed
matériel (m) equipment; (computer) hardware
matière (f) subject
en—de . . . as far as . . . is concerned
matinée (f) (whole) morning
maton(-onne) (m, f) (fam) screw (prison warder)
mécanicien(-ienne) (m, f) (motor) mechanic; engineer (in aircraft)
mécanique (f) mechanism; engine
méchant(e) fierce (dog)
méchoui (m) barbecue
mécontent(e) discontented
médicaments (m pl) medical supplies
méfiance (f) mistrust, suspicion
méfiant(e) mistrustful, suspicious
se **méfier de** mistrust, be suspicious of
mégot (m) (fam) cigarette end
(le/la) **meilleur(e)** better; best
mélange (m) mixture
mélanger mix (up)
mêler mingle, mix (together)
se—de meddle in
mélodique tuneful
même same (before noun); very (after noun); even
de— likewise, the same thing
tout de— nevertheless
moi— myself
à—le plat straight from the dish
de **mémoire** from memory
mémoire (m) dissertation
ménage (m) household; housework, clearing up
ménagère (m) housewife
mener lead; take; carry out (interview)
—à bien carry through successfully
menhir (m) menhir, standing stone
mensonge (m) lie
mensuel(le) monthly
mensuel (m) monthly magazine
mention (f) **inutile** item which is not applicable/relevant
mentir lie
menton (m) chin
mentonnière (f) chin strap
menuisier (m) joiner, carpenter
méprisant(e) contemptuous, scornful
mer, la basse— low tide
mère poule (f) mother hen
mériter deserve
merveille (f) marvel

merveilleux(-euse) marvellous, fantastic
  le— the supernatural
messe (f) mass
mesure (f) measurement
  à—que as
  dans la—où insofar as
  dans quelle— how far, to what extent
  en—de in a position to
météo (f) weather forecasting; weather forecast
méticulosité (f) attention to detail, meticulousness
métier (m) trade, profession, job
métro (m) tube, underground
métropolitain(e) mainland
metteur (m) **en scène** producer/director (of play)
mettre put; put on, wear
  —un certain temps à spend some time in
  se—à begin to
meuble (m) item of furniture
meurtre (m) murder
micro(phone) (m) mike
Midi (m) south of France
le/la mien(ne) mine
(le) mieux better; best
  —vaut it is better to
  le—possible as well as possible
  aimer— prefer
  faire—de do better to
  faire de son— do one's best
milice (f) militia
milieu (m) middle; (social) background; underworld
  —naturel environment
militaire (m) soldier
millier (m) thousand (or so)
mince slim; narrow
miner undermine
minette (f) bimbo, young girl
mineur (m) miner
minutieux(-ieuse) detailed; finicky
mise (f) putting
  —en boîtes canning
  —en commun pooling, sharing
  —en page layout
  —en place setting up
  —en relief emphasis, stress
  —en scène staging
mi-temps (f inv) half (of game); half-time
mixte mixed
mobylette (f) moped
moche (*fam*) awful, ghastly
modalité (f) mode, procedure
mode (f) fashion
  à la— in fashion
mode (m) **de vie** way of life
mœurs (f pl) customs, habits
(le/la) moindre less, lesser; least, slightest
(le/la) moins less; least; minus
  —(de) . . . que less . . . than
  de—en— fewer and fewer
  le—possible as little/few as possible
  (tout) au— at least
  du— at least
moite sticky, humid
moitié (f) half
moment (m) time, point
  au—de at the time of
  au—donné at the time in question
  au—où as, when
  à ce—là at that time
mondain(e) sophisticated
  vie très— busy social life
du monde (a lot of) people
moniteur(-trice) (m, f) instructor
mono (= moniteur, -trice) (m/f)
  (*fam*) supervisor (in children's holiday camp)

montagnard(e) (m, f) mountain dweller
montant (m) total (sum); upright (of goal)
monter put up (tent)
montrer show
  se— show oneself to be
se **moquer de** make fun of, laugh at; not take to heart
moquette (f) (wall-to-wall) carpet
moral(e) mental
au **moral** mentally
morale (f) morality
mordre bite
mort(e) (m, f) dead man/woman, person killed
mortel(le) fatal
mot (m) word; note
  —-clef keyword
  prendre qqn au— take sb at his word
motard (m) motorcycle policeman
moteur (m) engine
motif (m) motive
moto (= motocyclette) (f) (*fam*) (motor) bike
mou (molle) soft; limp
mouette (f) seagull
mouillage (m) mooring
mouiller wet, soak; drop anchor
moule (m) mould
moulin (m) (wind-)mill
moustique (m) mosquito
mouvementé(e) eventful
moyen(ne) average; fair
moyen (m) means
  au—de by means of
  par ses propres—s on his own
moyenne (f) average
  —horaire average number of hours
  en— on average
muet(te) mute, dumb
se **munir de** equip oneself with, be in possession of
mur, faire le— go over the wall
mutuellement mutually, each other
  se détester— detest each other
mythe (m) myth, something greater than reality
mythomane (m/f) self-publicist

naissance (f) birth
naître be born
  faire— create
nappe (f) tablecloth; sheet (of snow)
narguer thumb one's nose at
natalité (f) birth-rate
natation (f) swimming
naufragé(e) (m, f) castaway
nausée (f) feeling of sickness
nautique, ski (m)**—** water-skiing
né(e) born
néanmoins nevertheless
nécessiteux(-euse) needy, poor
néerlandais(e) Dutch
nervosité (f) nervousness
net(te) neat, tidy; clear (majority)
nettoyage (m) clearing (of undergrowth)
nettoyer clean
neuf (neuve) new, fresh, original
neutre neutral (i.e. neither formal nor slang)
névrosé(e) neurotic
ni, (ne . . .)—. . .—. . . neither . . . nor . . .
n'importe . . . no matter . . .
  —quel . . . whatever . . .
  —quoi anything
niveau (m) level
  au—de level with; as far as . . . is concerned
  de haut— high-level
  passage (m) **à—** level crossing
noces (f pl), **voyage de—** honeymoon
nœud (m) knot; bow
  —-papillon bow tie
noisette (inv) hazel (-coloured)

nom (m) noun; name
nombre (m) number
nombreux(-euse) numerous, large (in number)
nommer name; appoint
normalien(ne) (m, f) student teacher
norme (f) standard
notamment especially
note (f) mark (at school); bill
noté(e), être mal— get bad marks
notice (f) handbill (for play)
notions, de bonnes—en a good knowledge of
le/la nôtre ours
nouer tie, knot
nouilles (f pl) noodles
nourrir feed
nourriture (f) food
à/de nouveau again
nouvelle (f) (piece of) news
  prendre des—s de . . . see how . . . is getting on
(se) noyer drown
nu(e) bare
nuageux(-euse) cloudy
nuisances (f pl) (environmental) nuisance
nul(le) (. . . ne) no, not one
  ne . . .— no, not any
numéroté(e) numbered

objectif (m) purpose
obligatoire compulsory
obliger compel, require
obscurcir darken
obsédé(e) obsessed
observation (f) remark, comment
  faire des—s make remarks, criticise
observer watch; remark
obstétrique (f) obstetrics, midwifery
s' obstiner à persist in
obtenir obtain, get
occasion (f) opportunity
  d'— second-hand
occasionner cause
occupé(e) busy; engaged
s'occuper de attend to, deal with; take an interest in, look after
odieux(-euse) hateful, obnoxious
œil, jeter un—sur glance at
œuvre (f) work
  mettre en— put into practice
offensif(-ive) attacking
offrir offer; give (present); suggest
  s'— be available, come up
ombrage (m) shade
ombre (f) shadow, shade
  —à paupières eye-shadow
omettre omit; neglect, fail (to do sg)
ondulé(e) wavy (hair)
onéreux(-euse) costly
s'opposer be in opposition
or now
or (m) gold
orage (m) storm, thunderstorm
ordinateur (m) computer
ordonnance (f) **des sièges** seating arrangements
ordonner order
oreille (f) ear
oreiller (m) pillow
organisme (m) organisation
orientation (f) careers guidance; careers office
originaire, être—de come from
d'origine original
orteil (m) toe
OS (ouvrier (m) **spécialisé)** unskilled worker
oser dare
otage (m) hostage
ôter take away
ou (bien) either . . .

où l'on en est where things stand
oublier forget
outil (m) tool
outillage (m) equipment; tools
outrepasser exceed
ouvert(e) on (radio, television)
ouverture (f) opening
ouvrage (m) (piece of) work
ouvre-boîte(s) (m inv) tin-opener
ouvrier(-ière) (m, f) worker
   —spécialisé unskilled worker
   —(adj) working-class

pacte (m) pact, agreement
pagaïe (f) mess, shambles
paille (f) straw
au **pair, être au—** work in exchange for board
   and lodging
paisible quiet
paître graze
paix (f) peace
palace (m) luxury hotel
palais (m) palace
palmarès (m) (top) ratings
se **pâmer de** be overcome with
pancarte (f) notice
panne (f) breakdown
   être en— be out of order
   tomber en— break down
panneau (m) notice
panorama (m) view
pantagruélique gigantic
pantoufle (f) slipper
paon (m) peacock
pape (m) pope
Pâques (m) Easter
par through; per
paraître appear; seem; be published
parcellisation (f) division, splitting up
parcourir cover (distance); spread through;
   look at
parcours (m) distance, journey
pardessus (m) overcoat
pare-brise (m inv) windscreen
pareil(le) similar, such a; the same (thing)
parent(e) (m, f) parent; relative
parenthèses (f pl) brackets
pare-soleil (m inv) sun visor
paresseux(-euse) lazy
parfois sometimes
parloir (m) visiting-room
parmi (from) amongst
paroi (f) rock face
parole (f) word; speech
   adresser la—à address
   la—est à . . . it is . . .'s turn to speak
parquet (m) public prosecutor's department
part (f) share; role
   à— apart from
   à—entière full (member)
   de la—de on behalf of
   d'autre— moreover
   faire—à qqn de inform sb of
partage (m) sharing
partager share
partial(e) biased
participe (m) participle
participer à join in, take part in
partie (f) part; game
   en— partly
   faire—(intégrante) de be (an integral) part
   of
   à **partir de** (starting) from
partisan(e) (m, f) supporter, devotee
   être—de be in favour of
partout everywhere
   un peu— more or less everywhere
paru(e) (which) appeared

parvenir à reach; succeed in
   faire—qqc à qqn send sg to sb
pas (m) step; pace
   faire un— take a step (forward)
   prendre le—sur take precedence over
   revenir sur ses— retrace one's steps
passablement quite
passage (m) spell
passant(e) (m, f) passer-by
en **passe de** on the way to
passé (m) past
passer pass; spend (time); go in for (test)
   —en revue review
   se— happen, turn out
   se—de do without
passe-temps (m inv) leisure activity
passionnant(e) exciting, fascinating
passionné(e) intense
pastis (m) pastis (alcoholic drink)
patauger splash about
patin (m) skate
   —à roulettes roller-skating
   —de frein brake block
patinoire (f) skating rink
pâtissier(-ière) (m, f) confectioner, pastrycook
patrie (f) homeland
patrimoine (m) heritage
patron(ne) (m, f) (hotel/café) owner, boss
patrouiller patrol
pauvre poor, unfortunate (before noun);
   poor, needy (after noun)
pavé (m) cobblestones
se **payer** treat oneself/one another to
   se—la tête de qqn take sb for a ride
pays (m) country; area
   travail (m) **au—** home-based work
paysage (m) landscape, countryside; scenery
paysan(ne) (m, f) small farmer, farm worker
Pays-Bas (m pl) Netherlands
péage (m) tollgate (on motorway)
peau (f) skin
   —de chamois (piece of) chamois leather
   mal dans sa— at odds with oneself
   se sentir bien dans sa— feel good
pêche (f) fishing
pédestre on foot
peinard(e) (*fam*) nice and easy
peindre paint
peine (f) trouble; difficulty
   prendre la—de take the trouble to
   ce n'est pas la— there's no point
   à— hardly, scarcely
peinture (f) painting
pêle-mêle (m) disorder
pelouse (f) grass, lawn
pencher lean
pendant during; for
   —que while
pénétrer dans enter; get into; break into
pénible disagreeable, unpleasant, hard
pénitentiaire prison (authorities)
pensée (f) thought
pension (f) board and lodging
   —complète full board
   demi-— half board
pente (f) slope
pépin (m) (*fam*) hitch
percer go through
percevoir sense, perceive; receive (money)
perfectionnement (m) proficiency (course);
   improvement
perfectionner improve
   se—en anglais improve one's English
perforé(e) pierced
périr perish, die
perle (f) bead
de **permanence** on duty
en **permanence** permanently
permettre à qqn de allow/enable sb to

permis (m) licence
pernicieux(-euse) harmful
perplexe confused
perruque (f) wig
persévérant(e) persevering, dogged
personnage (m) character (in play, etc.)
personne (. . . ne) no one, nobody
   ne . . .— no one, nobody
perspective (f) viewpoint; prospect, outcome
perte (f) loss
peser weigh (up); press down
   ne pas—lourd not count for a lot
pétanque (f) bowls
pétarade (f) noise of revving engines; backfire
P et T (Postes (f pl) **et télécommunications)**
   Post Office
peu little, not much; not very . . .
   —à— gradually
   —après shortly after
   —de few; little
   à—pres more or less
   de— just
peur (f) fear
   faire—à qqn make sb afraid
peut-être perhaps
phare (m) lighthouse
philatélie (f) stamp-collecting
photocomposeuse (f) phototypesetter
photographe (m/f) photographer
phrase (f) sentence; clause
physique (m) physical appearance
   au— physically
physique (f) physics
   —des matériaux materials science
pie (f) magpie
pièce (f) room; patch; play
   —d'identité means of identification
au **pied levé** at a moment's notice
piéger trap; booby-trap
piétiner trample
piéton (m) pedestrian
pige (f) piece-work (journalism)
pilier (m) pillar
pillard(e) (m, f) looter
pilote (m) pilot; driver
   —de chasse fighter pilot
   —de ligne airline pilot
pin (m) pine-tree
pince(s) (f ou f pl) (pair of) pliers
pinède (f) pine wood
piolet (m) ice axe
pipelet(te) (m, f) (*fam*) gossip
piqué (m) nose-dive
piquet (m) tent-peg
piquer stitch
   —une colère fly into a rage
(le/la) pire worse; worst
pis, tant— too bad
piscine (f) swimming-pool
piste (f) track, trail
pitié (f) pity
pittoresque (m) picturesque quality
place (f) place; square; seat
   sur— there, on the spot
   faire—à make way for
   laisser la—à give way to
   mettre en— set up
plage (f) beach; resort
se **plaindre** complain
plainte (f) lament (of wind); complaint
   porter— lodge a complaint
plaire à please, appeal to
plaisanterie (f) joke
plaisir (m) pleasure
   faire—à please
plan (m) plane, level
   sur le—humain from the human point of
   view
   sur le—psychologique psychologically

planche (f) **à voile** windsurfing; windsurfer (board)
planque (f) (*fam*) hideout
plantation (f) (flower) bed
planté(e) hanging about
plaque (f) plate; (baking) tray
   —de métal sheet of metal
se **plaquer** flatten oneself
plat (m) flat part; dish
   le pied à— with one's foot flat on the ground
plat(e) flat
plate-forme (f) bay (for caravan)
plein(e) full
   à— at maximum revs
   en—air in the open
   en—hiver in the depths of winter
   en—jour in broad daylight
   en—e mer out at sea
   en—e tempête at the height of the storm
pleurer cry
pli (m) crease
plier fold
plomb (m) lead; type
plombier (m) plumber
plonger dive
plume (f) feather
la **plupart (de)** most (of)
   pour la— mostly
(le/la) **plus** more; most
   —(de) ... que more ... than
   de— additional; moreover
   de—en— more and more
   en—(de) in addition (to)
   le—possible as much/many as possible
   ne ...— not ... any more
   non— neither, not either
plusieurs several
   à— several people together
plus-que-parfait (m) pluperfect (tense)
plutôt rather; instead; more or less
   —que rather than
pneu (m) tyre
poche (f) pocket
pochette (f) **brodée** embroidered pocket handkerchief
poésie (f) poetry
poids (m) weight; shot (athletics)
   —lourd truck
   prendre du— put on weight
poignarder stab
poil (m) hair, bristle
poing (m) fist
   au— in hand (weapon)
poireau, faire le— (*fam*) be left kicking one's heels
Poisson (m) Pisces
poitrine (f) chest
poivre (m) pepper
poli(e) polite
Police (f) **judiciaire (PJ)** Criminal Investigation Department (CID)
policier (m) policeman
politique (f) politics, policy
politique political
   homme/femme— politician
polluer pollute
pompe (f) pump
pompier (m) fireman
pont (m) bridge
port (m) wearing
porte-bagages (m inv) luggage-carrier
portée (f) reach
   à notre— within our reach
   se mettre à la—de get on the wavelength of
portefeuille (m) wallet
porte-monnaie (m inv) purse
porte-parole (m inv) spokesman, spokeswoman
porter sur relate to, concern
se **porter mal** be unwell

portique (m) set of ropes, swings, etc. (in children's playground)
poser put (question); fit, replace (windscreen); land (helicopter)
   —sa candidature apply (for job)
   —un lapin à qqn (*fam*) stand sb up
   —un regard sur look at
posséder possess
possibilité (f) opportunity
poste (m) job; (radio or TV) set; item (of budget)
postérieur(e) later, subsequent
pot, boire un— (*fam*) have a jar (drink)
potager (m) kitchen garden
poteau (m) (telegraph) pole
potelé(e) plump
poubelle (f) dustbin
pouce (m) thumb; 'I give up' (in game)
poulet (m) chicken
poulette (f) (*fam*) chick (girl)
poumons (m pl) lungs
poupée (f) doll
pour, le—et le contre the pros and cons
pour que (+*subj*) in order that, so that
pour peu que (+*subj*) however little
pourboire (m) tip
(se) **poursuivre** continue
   —ses études be studying
pourtant yet, nevertheless
pourvu que (+*subj*) provided that
pousser push; press; grow, spring up; drive, urge
   —ferme work hard
poussière (f) dust
poutre (f) beam
pouvoir (m) power, authority
prairie (f) meadow
praticable usable
pratique (f) practice, practising
   mettre en— practise
pratiquer play, go in for (sport); carry out (test)
   —la défensive play defensively
préau (m) covered area (in school playground)
précaire precarious
précédent(e) preceding
se **précipiter** rush; be (too) keen
   se—contre smash into
préciser specify, clarify
précision (f) accuracy; detail; explanation
préconçu(e) preconceived
préconiser advocate
prédire foretell, predict
préfecture (f) administrative headquarters (of *département*)
préféré(e) favourite
première (f) lower sixth
   —supérieure scholarship sixth
prendre take, seize
   —à part take aside
   se—dans get caught in
   s'en—à put the blame on
préoccupant(e) causing concern
préparatifs (m pl) preparations
près near
   —de near (to); nearly
   à peu— about, more or less
prescription (f) instruction
presque almost
pressé(e) (de) in a hurry (to)
prestations, société (f) **de—de services** consultancy firm
présupposé (m) what is taken for granted
prêt(e) (à) ready (for/to), prepared (to)
prétendre claim
prétention (f) claim
   —s expected salary
prêter lend
prêtre (m) priest
preuve (f) proof

faire—de show
prévenir prevent; inform, tip off
prévision (f) **météorologique** weather forecast
prévoir foresee, forecast; plan, work out; allow, provide
   —de plan to
prier ask, request
prière (f) prayer
   —de ... you are requested to ...
prime (f) bonus
principale (f) main clause
en **principe** in theory
prise (f) taking; hold (judo)
   —de contact meeting
   —de courant (electricity supply) point
privé(e) private
priver de deprive of
   être—vé(e) de have to go without
prix, à tout— at all costs
procédé (m) process; procedure
procéder à conduct, carry out
procès (m) trial, court case
prochain(e) next; following (before noun); coming (after noun)
   un jour— one day soon
prochainement soon
proche near; immediate (future)
proches (m pl), **vos—** those close to you
se **procurer** acquire, get hold of
se **produire** occur, take place
produit (m) product
prof (m/f) (*fam*) teacher
profil (m) profile, background
se **profiler** stand out
profiter de take advantage of
profondeur (f) depth
progressivement gradually
projection (f) film show
projet (m) plan
projeter throw
promenade (f) walk, trip
se **promener** ride/drive around
promesse (f) promise
promettre promise
promotion (f) year group (of students); publicity, plugging
pronom (m) pronoun
pronominal(e) pronominal
   verbe (m)**—** reflexive verb
propice favourable
propos (m) remark
   à—de about
proposer (de) suggest, propose, offer (to)
propre own (before noun); clean (after noun)
propreté (f) cleanliness
propriété (f) property
prostré(e) slumped
protagoniste (m) participant (in drama)
protège-patin (m) skate-guard
(se)**protéger** protect (oneself)
protocole (m) rules and regulations
proviseur (m) head (of *lycée*)
provisoire provisional
provoquer cause, bring about
à proximité nearby
prudent(e) careful
psychologue (m/f) psychologist
pub (publicité) (f) (*fam*) advertising; advert
public (m) audience, crowd
publicitaire commercial (artist)
publier publish
puisque since
puissance (f) power
   en— potential
puissant(e) powerful
puits (m) well
pulmonaire lung (disease)
punir punish
pyromane (m/f) arsonist

QG (quartier (m) général) HQ, headquarters
qualifier (avec) qualify (with)
  —de describe as
quand même all the same, nevertheless; well, really; even so
quant à as for
quart (m) quarter
quartier (m) district; block (prison)
  —latin area around the Sorbonne in Paris
que . . . (+subj) whether
que faire (de) what's to be done (with)
que, ne . . .— only
quel(le) que (+subj) whoever; whatever; whichever
quelconque some . . . or other
quelque some; a few (plural)
quelquefois sometimes
quelque part somewhere
quelqu'un somebody
  —de remarquable somebody remarkable, a remarkable person
quelques-un(e)s (de) some/a few (of)
qu'en dira-t-on (m inv) gossip
en quête de in search of
quoi what; you know
  en—? in what way?
quoi que (+subj) whatever
quoique (+subj) although
quotidien(ne) daily
quotidien (m) daily newspaper

raccourcir shorten
racine (f) root
raconter tell; describe; give (statement)
radeau (m) raft
radio (f) X-ray
radiophonique radio (broadcast)
rafale (f) gust
raffiné(e) refined
rafraîchir cool, chill
rage (f) mania
raid (m) expedition (on windsurfer)
raide stiff; straight (hair); steep
se raidir tense up
raison (f) reason; proportion
  à—de at the rate of
  en—de because of
  avoir—(de) be right (to)
raisonnable sensible
raisonné(e) well thought out
ralentir slow down
ralentissement (m) slowing down
râler (fam) moan
ramasser pick up, collect, gather
rameau (m) bough, branch
ramener bring back; take back
rancune (f) grudge
rancunier(-ière) resentful
randonnée (f) ramble, hike
  —à bicyclette/à vélo bike trip
rang (m) rank, order
rangé(e) settled, steady
  bien— tidy
ranger tidy (up), set up
  se— get out of the way
ranimer bring round
râpe (f) file
rapiécé(e) patched
rappel (m) reminder
rappeler phone back
  se— remember
  —qqc à qqn remind sb of sg
rapport (m) relationship; report
  par—à in relation to
  avoir de bons—s avec get on well with
rapportages (m pl) tale-telling
rapporter take back; report, tell (about); bring in (money), work well for
  se—à relate to

rapprocher move closer
  se—de get closer to
rares few and far between
ras(e) short (grass)
rassemblement (m) meeting(-place)
rassembler collect; bring together
rassurer reassure
raté(e) ruined
râteau (m) rake
se rattacher à relate to
rattraper catch up (with)
ravir delight
ravissant(e) beautiful
ravitaillement (m) food supplies
rayon (m) ray; radius
rayonnant(e) radiant
rayonnement (m) influence
rayonner radiate
réagir react
réalisateur (-trice) film-maker
réalisation (f) carrying out; production (theatre, etc.)
réaliser carry out (plan, etc.); bring off; make
  se— come true, come about; be carried out
reboisement (m) new plantation
reboiser replant
rebrousser chemin retrace one's steps
récapituler sum up
récemment recently
recette (f) recipe
  faire— do good business
de rechange spare, replacement
réchaud (m) stove
réchauffer heat up
recherche (f) research
  à la—de in search of
recherché(e) sought-after
rechercher look for; seek the company of
récidiviste (m/f) second or habitual offender
récif (m) reef
récit (m) account, story
réclame (f) advertisement
réclamer ask for; demand
récolte (f) crop, harvest
recommander recommend, advise
reconnaissant(e) grateful
reconnaître recognise; admit
reconstituer reconstruct
recours (m) recourse
recouvert(e) (de) covered (with)
récréation (f) break
recrutement (m) recruiting
reçu(e), être mal— receive a poor welcome
recueillir gather, collect
  —les fruits de reap the benefits of
reculer draw back
récupérer recover
rédacteur(-trice) (m, f) member of editorial staff; editor
  —en chef editor
rédaction (f) composition; editorial staff
rédiger compose, draft, write out
redoublement (m) de
  passe passing move
redouter fear
redoux (m) thaw
se redresser straighten up
redresseur (m) de torts righter of wrongs
(se) réduire reduce; be reduced
réfectoire (m) dining hall
se référer à refer to
réfléchi(e) carefully considered, well thought out
réfléchir (à) think (of/about), consider
reflet (m) reflection
réflexion (f) thought, observation
refuge (m) mountain hut
se réfugier take refuge in
regagner get back to

regard (m) look, expression (in one's eye)
régime (m) regulations
réglage (m) adjustment
règle (f) rule
règlement (m) set of rules
régler settle (a bill); adjust
régner reign, rule (the roost)
regroupé(e) massed
rejeter reject
rejoindre get back to; go and meet, meet up with
se réjouir (de) be delighted (about)
réjouissant(e) heartening
relâche, sans— without letting up
relâcher release
relais (m) relay
  prendre le— take over
relations (f pl) relationship
relayer take over from, relieve
relève (f) relief, change-over
relever pick out; record; relieve
relief, mettre en emphasize
relier connect, join
remanier reshape
remarquer notice, note
  faire— point out
  se faire— be noticed
rembourser reimburse
remède (m) remedy
remédier à put right (situation)
se remémorer recollect
remercier thank
remettre put back; sort out; hand over
  se—(de) recover (from)
remis(e) recovered
  mal— not yet recovered
remonter vers drive back towards
rempart (m) rampart
rempiler fill the gap
remplaçant(e) (m, f) replacement; reserve
remplacer replace
remplir fill
remuer stir; move
rémunération (f) earnings, salary
rencontre (f) meeting, encounter
  —à deux meeting of two people
  aller à la—de go out and meet
  faire des—s meet people
rencontrer (qqn) meet (sb)
rendement (m) productivity
rendez-vous (m) date; appointment
rendre give back, return; make
  —service à help
  —visite à visit
  se—à go to
  se—compte realize
  se—sur les lieux go to the scene (of accident)
renforcer strengthen
renom (m) fame
renommé(e) famous
renommée (f) fame
renouveler renew
renseignement (m) (piece of) information
se renseigner sur make inquiries about, find out about
rentrée (f) start of the academic year
renverser run over; lean backwards
  se faire— get run over
renvoyer dismiss
répartir distribute, share out
repas (m) meal
repasser replay
repère, point (m) de— reference point, landmark
repérer spot, locate
répéter rehearse
répit (m) let-up, rest
réplique (f) reply; statement

répondre à respond to (attack), retaliate; correspond to, fit
en réponse à in reply to
reportage (m) news report
se reporter à refer to
repos (m) rest
  de tout— quite secure
(se) reposer rest; stay
  se—sur be based on
repousser grow again
reprendre get back; start again, go through again; continue (with)
  —contact get back into contact
  —qqn take sb back (into job)
représentant(e) (m, f) representative
  —de commerce sales rep
reprise (f) repetition; resumption
  à plusieurs—s on several occasions
reprocher à qqn de criticise sb for
  —qqc à qqn reproach sb for sg
réputé(e) reputable
requis(e) required
rescapé(e) (m, f) survivor
réseau (m) network
résidence (f) **secondaire** weekend cottage
résolu(e) resolute, determined
résoudre solve
respectueux(-euse) respectful
responsable (m/f) official, person in charge
ressembler à resemble, be like
ressentiment (m) resentment
ressentir feel, experience
ressortir (de) emerge (from)
  faire— bring out
ressusciter come back to life
restant (m) rest
restaurer restore
reste (m) remnant
rester stay; remain, be left
restituer reconstruct
restreindre restrict, cut down
  se— decrease
restreint(e) limited (in number); skimpy
résultat (m) result
résumer summarise
rétablir re-establish
retaper (*fam*) buck up
retard (m) delay; lateness
  avoir une minute de— be one minute behind
retenir hold back; remember; accept
  se—à hold on to
retirer pull out; take away from, withdraw
retour (m) return (journey)
  de—en classe/à la maison back in class/at home
se retourner turn round
en retrait standing back
retrancher take away
retransmission (f) **en direct** live broadcast
rétrécir narrow
rétribuer pay
retroussé(e) turned-up (nose)
retrouver find; reproduce
  se— find oneself; meet up
rétro(viseur) (m) rear-view mirror
réunion (f) meeting
se réunir gather together, meet (up)
réussir (à) succeed (in); pass (exam)
  —un coup pull off a job
  tout lui—ssit everything goes right for him/ her
réussite (f) success; good fortune
en revanche on the other hand
rêve (m) dream
révélateur (m) indicator
se révéler show oneself, turn out to be
revendiquer claim (responsibility for)
revenir à fall to the lot of

revenu (m) income
rêver (de) dream (about)
  —à daydream about
rêveur (-euse) dreamy
réviser check over
révision (f) checking
revivre, faire— bring back to life
revoir review
révolté(e) outraged
se révolter rebel
revue (f) magazine
richesses (f pl) riches, treasures
rien nothing
rigoler (*fam*) have a laugh
rigoureusement hard
rigoureux(-euse) tough-minded
rigueur, à la— at a pinch
rire laugh
rire (m) laughter
  le fou— the giggles
risquer de be likely to
rite (m) ritual
rivé(e) à riveted to, glued to
RN (route (f) **nationale)** main road
robinet (m) tap
robot, portrait- identikit picture
robotiser use robots
robustesse (f) strength, toughness
roche (f) rock
rogner sur cut down on
roman (m) novel
  —noir horror story
romancier(-ière) (m, f) novelist
rond(e) round, plump
rond, tourner en— go round in circles
ronfler snore; rumble
rosé(e) pinkish
rotation (f) round trip
rotative (f) rotary press
roue (f) wheel
  arbre (m) **de—** main shaft
rouge (m) **à lèvres** lipstick
rougir blush
rouleau (m) roller (wave)
roulement (m) rotation
  faire des—s work on a rota basis
rouler drive, ride; do (speed); keep moving
roulettes, comme sur des— (*fam*) a real doddle
roupiller (*fam*) kip down
route (f) road
  deux heures de— a two-hour ride
  grande— main road
  se mettre en— start out
routier(-ière) road (tunnel); transport (café)
routier (m) truck driver
roux (rousse) ginger
rubrique (f) column; heading
ruche (f) hive
ruelle (f) alley
ruissellement (m) washing away
rustine (f) (rubber) patch
rutilant(e) gleaming, sparkling

sable (m) sand
sablonneux(-euse) sandy
sac (m) **à dos** rucksack
saccager create havoc in
sacoche (f) panier bag
sacré(e) sacred; (*fam*) bloody
sadique sadistic
sage well-behaved
sage-femme (f) midwife
saigner bleed
sain(e) healthy, wholesome
  —et sauf (sauve) safe and sound
saisi(e) de gripped by
saisissant(e) eye-catching
salarié(e) (m, f) employee

salir (make) dirty; make a mess in
  se— get dirty
salle (f) **de séjour** living room
salon (m) **de lecture** reading room
salut! hi!
sang (m) blood
sang-froid (m) cool-headedness; calm
sanglier (m) boar
sanitaires (m pl) washing and toilet facilities
sans without
  —que (+*subj*) without
  —quoi otherwise
santé (f) health
sapeurs-pompiers (m pl) fire service
sapin (m) fir
saucisse (f) sausage
sauf (sauve) unharmed, unhurt
sauf (que) except (that)
saut (m) jump
  —à la perche pole vault
  —de puce short hop
  —en hauteur high jump
  —en longueur long jump
sauter jump; go up in smoke
  —aux yeux be obvious
sauvage natural, wild; rough (camping)
sauvegarder preserve
sauver save, rescue
sauvetage (m) rescue
sauveteur (m) rescue-worker; firefighter
savant (m) scientist
savoir (m) knowledge
savoir know (how to), be able to
  faire— inform
  ne—que faire not know what to do
savoir-faire (m) know-how
scélérat(e) (m, f) villain
sceller seal
schéma (m) outline; diagram
scie (f) saw
scientifique (m/f) scientist
scintillant(e) glistening
sciure (f) sawdust
scolaire (performance) at school
scolarité (f) schooling
séance (f) session
seau (m) bucket
sec(sèche) dry; lean
sécher dry (up); (*fam*) sweat, be stuck; (*fam*) cut (classes)
sécheresse (f) drought
secoué(e) bumpy (trip in boat)
secouer shake
  se— shake oneself up
secours (m) help
  —(pl) rescue (services, team)
  poste (m) **de—** first-aid post
  premiers— first aid
secrétariat, école (f) **de—** secretarial college
secteur (m) sector, area
sécurité (f) safety
sédentaire sedentary, desk-bound
séduire charm, attract, seduce
au sein de within
séjour (m) stay, spell
séjourner stay
selle (f) saddle
selon according to
semblable like, similar
  — (m) fellow man
semblant, faire—de pretend to
sembler seem
semelle, ne pas lâcher qqn d'une— not give sb an inch
séminaire (m) seminar
sens (m) meaning
  à mon— in my opinion
  en ce— in that sense
sensation (f) feeling

sensibilisation (f) introductory course
sensible sensitive
sensoriel(le) sensory
senteur (f) scent
sentier (m) path
sentiment (m) feeling
sentir smell; feel
  se— feel
  faire— bring out
  se faire— be felt
  ne—serait-ce que even if only
  ne—qu'un mot even a single word
  ne—que par if only because of
serein(e) easy-going
série (f) series
sérieux, prendre qqn au— take sb seriously
serre (f) greenhouse
serrer shake (hands)
  —le cou à throttle
serrure, trou (m) **de la—** keyhole
service (m) service, favour; section, department
  de/en— on duty
  rendre—à do a favour for
serviette (f) towel
servir serve, be used
  —à be used for/to
  —de be used as
  se—de use
  se faire— be waited on
seul(e) alone, by oneself; only, single (before noun)
siècle (m) century
siège (m) seat; headquarters
  en—à based in
le/la sien(ne) his, hers, its
sieste (f) siesta (afternoon sleep)
siffler whistle (for)
signalement (m) description
signaler indicate, point out; report
signe (m) sign
  —de tête nod
  faire—de indicate that (one should)
signification (f) meaning
signifier mean
simili-cuir (m) imitation leather
simultanéité (f) simultaneousness
sinistré(e) (m, f) (disaster) victim
sinon if not, or else; otherwise
site (m) beauty spot
sitôt as soon as (he was . . .)
se situer be situated
slip (m) pants
SMIC (Salaire (m) **minimum interprofessionnel de croissance)** index-linked minimum wage
SNCF (Société (f) **nationale des chemins de fer français)** French Railways
SNS (Service (m) **national de sauvetage)** rescue service
sobriété, avec— simply, plainly (of dress)
société (f) company
  jeux (m pl) **de—** parlour games
sociologue (m/f) sociologist
soi one(self)
  —-même oneself
  —-disant (inv) so-called
soie (f) silk
soif (f) thirst
soigné(e) careful
soigner look after, care for; treat
soigneusement carefully
soin (m) care
soins (m pl) aid, treatment
  être aux petits—pour qqn go out of one's way to look after sb
soirée (f) (whole) evening; party
soit . . . that is . . .
  que ce—. . . whether it is . . .
  —. . .—. . . either . . . or . . .

sol (m) soil, ground
soldat (m) soldier
solfège (m) music theory
solide sturdy
solitaire lonely
sombre dark
sommation (f) warning
somme, en— all in all
sommeil (m) sleep
sommet (m) top
somnoler doze
son (m) sound
sondage (m) survey, opinion poll
songer (à) think (about)
sonnette (f) bell
sonore sound
sonorisation (f) public address system
sorcellerie (f) witchcraft
sorcier(-ière) (m, f) witch
sort (m) fate; spell
  jeter un— cast a spell
sorte (f) sort, kind
  de la— in this way
  en quelque— in a way, as it were
  de (telle)—que (+subj) so that, in such a way that
sortie (f) exit; day/evening out
sortilège (m) spell
se sortir de get out of
sot(te) silly, foolish
souci (m) care, concern, worry
se soucier de care about
soucieux(-euse) de concerned about
soudeur (m) welder
souffle (m) breath
souffler blow; carry off
à soufflets extendible (bag)
souffrance (f) suffering, torment; deprivation
souffrir (de) suffer (from)
souhaiter wish
souiller defile, litter
soulager relieve
soulever arouse, raise
souligner underline; emphasise
soumis(e) obedient
  être—à be submitted to, have to put up with
soupçon (m) suspicion
souple supple; manageable, flexible
source (f) spring
sourcier (m) water diviner
souriant(e) cheerful
sourire smile
sous-bois (m) undergrowth
  dans/sous les— in the woods
sous-entendre imply
sous-multiple (m) sub-multiple
sous-vêtement (m) undergarment
soutenir sustain
souvenir (m) memory
se souvenir de remember
souvent often
spectacle (m) show
sportif(-ive) (m, f) sportsman, sportswoman
stade (m) stadium
stage (m) (training) course; work experience
stagiaire (m/f) trainee; participant (in course)
standardiste (m/f) switchboard operator
station (f) (holiday) resort
statut (m) status
sténodactylo (f) shorthand typist
studio (m) flatlet
subir undergo, have to put up with, be subjected to
subordonné(e) (m, f) subordinate
substantif (m) noun
subvention (f) grant
succéder à succeed, take the place of
  se— follow one another
successivement in turn

succursale (f) branch (of bank)
suer sweat
  se faire— (fam) get cheesed off
sueur (f) sweat
suffire (de) be enough (to)
suffisant(e) sufficient, satisfactory, adequate
suffoquer suffocate
suggérer suggest
suicidé(e) (m, f) suicide victim
suinter ooze
suite (f) result, consequence; continuation
  à la—de following, as a consequence of
  ainsi de— and so on
  de— on end
  par la— afterwards, from then on
  tout de— straight away
suivant, au—! next please!
suivant according to
suivant(e) following
suivre follow
sujet (m) subject
  au—de concerning, about
super(carburant) (m) four-star petrol
superficie (f) area
superflu(e) unwanted
superflu (m) extras, luxuries
supérieur(e) upper
supplément (m) extra (charge)
supporter bear, put up with
  —très mal hardly be able to bear
supprimer prevent; remove; do away with
sur, un—dix one out of ten
sûr, bien— of course
surchauffé(e) overheated
surdité (f) deafness
surdoué(e) highly gifted
surgir (de) spring (out of); tear into view
surmenage (m) strain
surmonter overcome
surnaturel (m) supernatural
surpeuplement (m) overcrowding
surprendre surprise
sursaut (m) sudden movement
surtout (que) especially (as)
surveillant(e) (m, f) warder; supervisor
surveiller keep an eye on, keep watch on, supervise
  se— look after oneself
survenir arise
survivance (f) relic
survivant(e) (m, f) survivor
susceptible touchy
  —de likely to
susciter arouse
sympa (= **sympathique**) (inv) (fam) nice
sympathie (f) warmth of feeling
sympathique nice
syndicat (m) (trade) union

tabac (m) tobacco
table (f) **de toilette** dressing table
table (f) **lumineuse** light table
tableau (m) (league) table; board
  —de bord dashboard
  —de conduite instrument panel
tache (f) mark, stain, blot
  —s de rousseur freckles
tâche (f) task
  —s ménagères household tasks
taché(e) stained
tâcher de attempt to
taciturne silent
taille (f) height; size
se taire keep silent
talon (m) heel; stub (of cheque)
  —aiguille stiletto heel
la Tamise the Thames
tandis que whilst, on the other hand

tant so much
  —...que... both...and...
  en—que fille as a girl
  —bien que mal the best one can, as well as possible
tantôt...tantôt... sometimes...sometimes
taper (à la machine) type
  —sur hammer
tapis (m) mat, carpet
tarder delay
  —à be a long time in
  il me—dait de I was longing to
tarir dry up
tas (m) heap, pile
  (tout) un—de (*fam*) a (whole) load of
  sur le— on the job
taux (m) rate
  —de natalité birthrate
teint(e) dyed
teint (m) complexion
teinte (f) colour
teinté(e) de... tinged with...
teinturier(-ière) (m, f) dry cleaner
tel(le) such, like
  —ou— such and such
  —que (such) as
  —quel(le) as it stands
  un— so and so
témoin (m) witness; speaker; participant in survey
tempête (f) storm
temps (m) time; tense; weather
  à— in time
  à—partiel part-time
  de—en— from time to time
  de son— in his/her day
  en même— at the same time
  rapports (m pl) **de—** sequence of tenses
tenace dogged, persistent
tendance (f) tendency
  avoir—à tend to
tendre affectionate, gentle, sentimental
tendre hold out; tighten
tendre à tend to
tendu(e) tense; stretched
  mal— not pulled tight
tenir hold (out); keep; manage
  —à value; be keen to; insist on
  —compte de take into account
  —le coup keep going, last out
  se— stand
  ne pas—longtemps not stick it for long
  qui me tient à cœur which is close to my heart
tentative (f) attempt
tenter tempt
  —de try to
tenue (f) dress; (good) behaviour
  —de plongée diving gear
terminaison (f) ending
terminale (f) upper sixth
(se) terminer end
terne dull
ternir tarnish
terrain (m) (piece of) ground; airfield; (football) pitch; campsite
terre (f) ground
  —battue clay (tennis court)
  par— on the ground
tiède warm
le/la tien(ne) yours
tiens! look!
tiers (m) third
tilt, faire— go really well
tir (m) shot
tire-bouchon (m) corkscrew
tirer take/draw (from); run off (proofs); shoot
  —ré(e) à quatre épingles smartly dressed

—sur snipe at
  les jambes—rent pas mal (you) certainly feel it in the legs
tireur (m) marksman, gunman
tiroir (m) drawer
tisser weave
tissu (m) (piece of) cloth, material
titre (m) heading, title
  à ce— on this score/account
  à divers—s on several accounts
  à un—ou à un autre for one reason or another
  au même—que in the same way as
tituber stagger
titulaire (m/f) holder
toboggan (m) slide
toile (f) canvas
  grosse— heavy canvas
toit (m) roof
tombée (f) **de la nuit** nightfall
ton (m) tone (of voice, etc.)
  sur un—agressif in an aggressive way
tonnerre (m) thunder
tort, avoir—(de) be wrong (to)
tôt early
toucher get (money); affect
toujours always, still
tour (f) tower
tour (m) turn; trip; trick
  —à— in turn
  à—de rôle in turn
  à votre— in your turn
  mauvais— dirty trick
  faire le— go round
  faire un— go for a stroll
tourbillonnant(e) swirling
tournée (f) round (of drinks)
  en— on tour
tourner turn (against)
  mal— turn out badly
tourneur (m) (metal-/wood-) turner
tournevis (m) screwdriver
tourniquet (m) roundabout (on playground)
tout(e) all, every; very, quite (adverb)
  —le monde everyone
tout en (étant) whilst (being)
tout (m) everything, all
  du— at all
  en— in all
  pas/plus du— not at all
toutefois however; nevertheless
toux (f) cough
traces (f pl) trail, track(s)
tract (m) leaflet
traduction (f) translation
traduire translate
  se—par lead to
  se— show itself
trahir betray
train (m) **de vie** style of living
en train de in the process of
traîner drag along/around; hang around
trait (m) feature; line; dash
  —de caractère characteristic
  d'un— in one go
traitement (m) treatment
traiter treat; talk about
  —de deal with
traiteur (m) caterer
trajet (m) journey
trancher cut short (discussion)
  —net bring to a sudden end
tranquille quiet, peaceful
transbordement (m) transfer
transformateur (m) transformer
transi(e) numb with cold
transmettre transmit, pass on
transpercé(e) de pierced by
traqué(e) hunted

à travers through
  au—de through
traverse, chemin de short cut
traverser cross
traversin (m) bolster
trébucher trip, stumble
treillis (m) boiler suit
trempé(e) soaked
trentaine (f) thirty (or so)
trépidation (f) shuddering
tri (m) sorting
  centre (m) **de—** sorting office
tricheur(-euse) (m, f) cheat
tricoter knit
trier sort
troisième, le—âge the years of retirement, senior citizens
se tromper be wrong, make a mistake
trompeur(-euse) deceitful
trop (de) too much/many
trottoir (m) pavement
trou (m) hole, gap
  à—s gapped
trouble disturbing
se trouver be, be situated
truand (m) crook
truc (m) (*fam*) tip; whatsit, thing
truffe (f) truffle
truite (f) trout
tuer kill
à tue-tête at the top of one's voice
tueur(-euse) (m, f) killer
tuyau (m) (*fam*) tip
type (inv) typical
typographe (m/f) typographer
tyran (m) tyrant

unique only (child)
  à sens— one-way
uniquement only, merely
urbain(e) urban, city (life)
en urgence as a matter of urgency
usage (m) use
  faire—de make use of
s'user wear out; deteriorate
usine (f) factory
usure (f) wearing out; wear and tear; ageing
utile useful
utiliser use

vacancier(-ière) (m, f) holidaymaker
vacarme (m) din
vague (f) wave
vaincre defeat, overcome, conquer, win
vainqueur (m) winner
vaisselle (f) washing-up
valable worthwhile; valid
valeur (f) value
  mettre en— show off
  objets (m pl) **de—** valuables
valoir be worth
  —la peine be worth the trouble
  —qqc à qqn earn sb sg
  il vaut mieux it is better to
vaniteux(-euse) vain
vanter praise, speak highly of
  se—de pride oneself on
vapeur (f) vapour
varier vary
vaurien(ne) (m, f) little devil
veau (m) calf
vécu(e) real-life, lived
vedette (f) star, personality; launch
veille (f) watch, tour of duty; day before
veiller keep watch
veilleur (m) **de nuit** night porter
vélomoteur (m) moped
vendanges (f pl) grape harvest
vendéen(ne) of the Vendée

venir de have just
vente (f) sale
ventre (m) stomach, pot-belly
  porter sur son— carry along
venue (f) coming, arrival
verdure (f) greenery
verger (m) orchard
verglas (m) (black) ice
vérifier check
véritable true, real, genuine
vérité (f) truth
verni(e) patent leather (shoe)
vernis (m) **à ongles** nail varnish
vers towards; about (time)
Verseau (m) Aquarius
verser pour; pay (out)
vertige (m) dizzy spell
veste (f) jacket
vestiaire (m) changing-room; locker-room (in factory)
vestige (m) vestige, remains
veston (m) jacket
vêtements (m pl) clothes
vêtu(e) de dressed in
vidange (f) oil change
vide empty
vide (m) emptiness; empty space
se vider empty, go empty
vie (f) life
vieillard (m) old person
vieillesse (f) old age
vieillir age, grow old

Vierge (f) Virgo
vif (vive) lively; vivid
vilain(e) ugly(-looking); nasty
villa (f) house
vingtaine (f) twenty (or so)
virage (m) bend
vis-à-vis de about
viser aim
  —juste aim accurately
vitesse (f) speed
  à toute— at full speed
  à trois—s three-speed (bike)
viticulteur (m) wine grower
vitre (f) plate-glass window
vitré(e) glass-panelled
vivacité (f) liveliness
vivant(e) alive; lively
vivement deeply, keenly
vivre live; experience
vivres (m pl) supplies, food
voie (f) route, road; way; channel (of communication)
  —ferrée (railway) track
voilà trente ans thirty years ago
voile (f) sailing
voilé(e) misty
voisin(e) (m, f) neighbour
voix (f) voice
  appeler à haute— shout to
vol (m) flight; theft
volant (m) (steering) wheel
voler fly; steal

volet (m) section, page (of leaflet)
volontaire (m/f) volunteer
volontairement deliberately
volonté (f) willpower
  de bonne— of goodwill
volontiers willingly
le/la vôtre yours
vouloir want; like
  —dire mean
  bien— be kind enough (to)
  en—à have it in for
à vous de . . . it's your job to . . .
voyant(e) (m, f) clairvoyant
voyelle (f) vowel
voyons come on now!
voyou (m) lout
vrai(e) true (after noun); real (before noun)
  à—dire to tell the truth
vraisemblablement in all likelihood
vrombissement (m) throbbing sound
vu (que) in view of (the fact that)
vue (f) sight; view
  de— by sight
  en—de with a view to
  à première— at first sight
  perdre de— lose sight of
  très en— in the public eye

yeux, sous les— in front of one
y to it, to them; there
y compris(e) including